Segundo tratado sobre o governo civil e outros escritos

Dados Internacionais de Catalogação na Publicação (CIP)
(Câmara Brasileira do Livro, SP, Brasil)

Locke, John, 1632-1704
Segundo tratado sobre o governo civil : e outros escritos : ensaio sobre a origem, os limites e os fins verdadeiros do governo civil / John Locke ; tradução de Magda Lopes e Marisa Lobo da Costa ; introdução de J.W. Gough. – Petrópolis, RJ : Vozes, 2019. (Coleção Vozes de Bolso)

Título original: Second treatise of civil government.
Bibliografia.

1ª reimpressão, 2023.

ISBN 978-85-326-6134-0

1. Ciência política - Obras anteriores a 1800
2. Liberdade I. Gough, J.W. II. Título. III. Série.

19-25729 CDD-320

Índices para catálogo sistemático:
1. Ciência política 320

Cibele Maria Dias - Bibliotecária - CRB-8/9427

John Locke

Segundo tratado sobre o governo civil e outros escritos

Ensaio sobre a origem, os limites e os fins verdadeiros do governo civil

Introdução de J.W. Gough

Tradução de Magda Lopes e Marisa Lobo da Costa

Vozes de Bolso

Título do original em inglês: *Second Treatise of Civil Government*

Rua Frei Luís, 100
25689-900 Petrópolis, RJ
www.vozes.com.br
Brasil

Diagramação: Raquel Nascimento
Revisão gráfica: Nilton Braz da Rocha / Nivaldo S. Menezes
Capa: Ygor Moretti

ISBN 978-85-326-6134-0

Este livro foi composto e impresso pela Editora Vozes Ltda.

Advertência do editor

Embora este livro tenha como título *Segundo tratado sobre o governo civil,* de fato contém outros escritos de Locke. Todos eles são escritos políticos.

A lista destes escritos está no sumário, mas vamos repeti-la.

1) A Introdução é de J.W. Gough, já clássica, e, embora se referindo aos tratados sobre o governo civil, introduz a todo o pensamento político de Locke.

2) Resumo do Primeiro tratado. Locke às vezes se refere, no Segundo tratado, ao Primeiro. Por isso é muito oportuno ter dele pelo menos um resumo.

3) Carta sobre a tolerância.

4) Constituições fundamentais da Carolina.

Cremos que desta maneira o leitor terá mais facilidade de acesso ao pensamento de Locke, tanto pela variedade dos escritos como pelo fato de estar em nossa língua.

Sumário

Introdução

J.W. Gough

O *Tratado sobre o governo civil* de Locke é frequentemente descrito como uma defesa da Revolução de 1688 e uma justificativa dos princípios dos Whigs[1] que se tornaram dominantes na política inglesa durante o século seguinte. Em seu prefácio ele declarou explicitamente que esperava "instaurar o trono de nosso grande restaurador, nosso atual Rei William; apoiar seu título com a concordância do povo... e justificar diante do mundo o povo da Inglaterra, cujo amor por seus direitos justos e naturais, com sua decisão de preservá-los, salvou a nação, quando esta se encontrava à beira da escravidão e da ruína". No entanto, seria um erro supor que Locke tenha deliberadamente se posicionado para fundamentar os argumentos utilizados pelos políticos Whigs na Convenção, pois em muitos pontos seu raciocínio diferia do deles, seguindo uma linha de pensamento que desenvolveu de maneira independente. Uma exposição concisa da essência de sua teoria política aparece no início do esboço de *Um ensaio sobre a tolerância*, que ele escreveu no início de 1667, mas não o publicou[2]. "Que toda a investidura de toda a responsabilidade, poder e autoridade do magistrado tenha como único propósito o de proporcionar o bem-estar, a preservação e a paz dos homens na sociedade que ele está defendendo, e assim apenas isso é e deve ser o padrão e a medida segundo os quais ele deve estabelecer e ajustar suas leis, o modelo e a estrutura de seu governo. Pois se os homens pudessem viver juntos de modo pacífico e calmo, sem estarem subjugados a certas leis e desenvolvendo-se no interior de uma sociedade política, não haveria nenhuma necessidade de magistrados ou de política, que só foram criados para defender os homens deste mundo da fraude e da violência uns dos outros; por conseguinte, o objetivo do governo instalado deveria ser a única medida de seu procedimento." Em seguida ele rejeita a ideia da monarquia absoluta por direito divino ou oriunda de uma concessão de poder outorgado pelo povo, pois "não se pode supor que o povo concedesse a um ou mais de seus compatriotas uma autoridade a ser exercida sobre ele por qualquer outro motivo que não o de sua própria preservação, ou estender os limites de sua jurisdição além dos limites desta vida". Locke era sem dúvida um Whig, tendo passado grande parte de sua vida em um ambiente permeado pelas doutrinas dos Whigs; mas se a publicação de seu *Tratado* foi inspirada pela Revolução, fica evidente que ele estruturou os fundamentos de suas convicções políticas antes de 1688.

Nascido em 1632[3], Locke era filho de um advogado de província, que não gostava de acumular riquezas, serviu no exército do parlamento na Guerra Civil, e deu a seus filhos uma educação puritana. John foi enviado à Escola de Westminster, que apoiava a causa do parlamento, e em 1652 passou para a Christ Church, Oxford, ali permanecendo com uma bolsa de estudos após sua graduação. Seus estudos foram feitos dentro do espírito escolástico convencional que ainda prevalecia em Oxford, e mais tarde queixou-se de ter desperdiçado seu tempo; mas suas leituras também abrangeram outros campos, incluindo o hebraico e o árabe, e desse modo ele entrou em contato com o professor dessas línguas, Edward Pococke, a quem muito admirava. Pococke era um franco defensor da realeza, e sua influência, juntamente com a de outros amigos em Oxford, muitos dos quais apologistas da realeza, pode ter contribuído para afastar Locke das influências puritanas de sua infância. O deão da Christ Church e vice--chanceler naquela época, John Owen, era um teólogo independente que defendia a tolerância; embora Locke simpatizasse com ele nesse aspecto, e também tivesse um relacionamento amigável com Richard Baxter e outros importantes não conformistas, na teologia ele se encontrava mais à vontade com a escola de tendência liberal representada na Inglaterra pelos platonistas de Cambridge e seus sucessores, os latitudinários, e na Holanda pelos arminianos. Seu interesse pela filosofia foi despertado por meio dos escritos de Descartes, e através da amizade com Robert Boyle ele também desenvolveu uma inclinação para as ciências naturais. Como vários de seus contemporâneos, impressionou-se pelo sucesso de seus novos métodos empíricos, e durante algum tempo a ciência, particularmente a medicina, tornou-se seu principal interesse. Foi isso que propiciou a estreita associação entre ele e Lord Ashley, mais tarde Conde de Shaftesbury, um dos episódios mais importantes na carreira de Locke.

Seu primeiro encontro com Ashley ocorreu em 1666, e houve uma imediata afinidade entre ambos, resultando em 1667 no oferecimento e aceitação por parte de Locke do cargo de médico da família Ashley, o que motivou sua transferência para Londres para morar na casa de Ashley. Logo tornou-se muito mais que conselheiro médico de Ashley, e era por ele consultado em muitas das atividades políticas em que estava engajado. Em 1672, quando Ashley se tornou Conde de Shaftesbury e presidente da Câmara dos Lordes, Locke foi designado secretário para as nomeações eclesiásticas, um ano mais tarde tornando-se secretário do Conselho do Comércio e da Agricultura, de que Shaftesbury era presidente. Nessa qualidade, Locke foi responsável pelo esboço das *Constituições fundamentais do Estado da Carolina*; mas ainda que ele tivesse aprovado a liberdade religiosa que lá deveria ser permitida, parece claro que ele não imaginou os singulares dispositivos constitucionais incorporados neste projeto.

A saúde de Locke era frágil e ameaçava sucumbir sob a pressão do trabalho que seus compromissos políticos envolviam. Em 1675 decidiu ir para o exterior, passando os quatro anos subsequentes viajando pela França. Em 1679, no auge da crise sobre a Carta de Exclusão, ele mais uma vez prestou serviços a Shaftesbury por um curto período, até que, novamente por problemas de saúde, deixou Londres e retornou à Christ Church. Permaneceu em Oxford durante os dois anos seguintes, fazendo apenas visitas ocasionais a Londres, mas nesse meio-tempo Shaftesbury apoiou o Duque de Monmouth e teve de se asilar na Holanda, onde morreu em janeiro de 1683. Locke não estava implicado nas conspirações de Shaftesbury, mas suas simpatias políticas e sua amizade com Shaftesbury eram bem conhecidas e, consequentemente, ficou sob suspeita. Consciente de que sua conduta e suas conversas estavam sendo vigiadas, decidiu que seria prudente seguir seu patrão no exílio, e em setembro de 1683 chegou a Roterdã. O governo encarou isso como um reconhecimento de sua culpa, e em novembro de 1684, por ordem expressa do rei, ele foi privado de sua bolsa de estudos na Christ Church. No ano seguinte, após a derrota da rebelião de Monmouth, Locke foi acusado de estar envolvido na conspiração, e embora posteriormente tenha-lhe sido perdoado, ele decidiu permanecer na Holanda, e somente em fevereiro de 1689 retornou à Inglaterra, no mesmo navio que conduzia a Princesa Mary.

A saúde de Locke melhorou muito na Holanda, além de lá ter tido tempo para estudar, escrever e fazer muitos amigos. A tolerância era um tema bastante discutido na Holanda nessa época, sobre o qual Locke já tinha opinião formada, e no inverno de 1685-1686 ele escreveu em latim a carta a seu amigo holandês, o teólogo Limborch, que foi publicada em 1689 com o título *Epistola de Tolerantia.* No mesmo ano uma versão em inglês foi publicada anonimamente por William Popple, que provavelmente escreveu o famoso prefácio que a precede. Durante este período, Locke também fez progressos em sua maior obra, o *Ensaio sobre o entendimento humano*, a que já estava se dedicando há muitos anos. Este foi publicado em 1690, no mesmo ano em que também foram publicados os *Tratados sobre o governo civil.* Assim como a *Carta sobre a tolerância,* os *Tratados* tiveram uma primeira publicação anônima, embora a autoria de Locke fosse amplamente conhecida.

Assim sendo, o período da Revolução e os anos de exílio que o precederam viram Locke no auge de sua criatividade e dedicado à produção de suas mais célebres obras. Na Holanda, ele encontrou, em sua sede principal, a teologia dos arminianos, que correspondia bem de perto aos seus próprios pontos de vista religiosos, e isso pode ter contribuído para fortalecer sua crença em uma Igreja abrangente e tolerante, baseada apenas em doutrinas que a razão aceitaria como essenciais. Embora na Holanda, Locke também entrou mais uma vez em contato com a política dos Whigs e se preocupou, embora nos primeiros estágios, com os planos para a expedição de Guilherme de Orange. Ao voltar à Inglaterra, ele foi muito respeitado, tendo-lhe sido oferecido um cargo de embaixador junto ao Eleitor de Brandenburg. Ele recusou o posto por motivos de saúde, mas aceitou do rei uma nomeação como Comissário de Apelação, em 1696, tornando-se Comissário do Conselho de Comércio e Agricultura. Entretanto, suas condições de saúde tornaram-se incompatíveis com o trabalho envolvido, e ele se recolheu à casa de Sir Francis e Lady Masham (filha de Ralph Cudworth, platônico de Cambridge) em Oates, no Essex. Aí passou seus últimos anos, até sua morte em 1704. Continuou a estudar e a escrever, produzindo uma edição revista do *Ensaio* e envolvendo-se em uma controvérsia prolongada para defender sua *Carta sobre a tolerância* contra um oponente, Jonas Proast, do Queen's College, de Oxford. Escreveu também sobre educação e sobre questões econômicas, mas seu principal interesse nos últimos anos parece ter sido a teologia. Em 1695 publicou uma obra intitulada *A racionalidade da Cristandade*, envolvendo-se em uma controvérsia a respeito da Trindade com Stillingfleet, Bispo de Worcester; sua última obra, publicada após sua morte, era uma paráfrase e comentários sobre epístolas de São Paulo.

Na teologia, assim como na política e na ciência, Locke foi identificado com o movimento racionalista de sua época; mas se nos reportarmos a seus escritos e perguntarmos de onde exatamente ele derivou seus pontos de vista sobre este ou aquele tema, ou que influência em particular ele sofreu, a resposta não é fácil. No geral, suas ideias políticas não eram originais, seja em sua estrutura principal ou nos detalhes, e podem ser encontradas semelhanças óbvias entre seus argumentos e aqueles de Milton, Algernon Sidney e vários outros predecessores menos conhecidos. Mas isso não significa que ele tenha derivado suas ideias das deles, e de fato ele declarou mais tarde que nunca tinha lido os *Discursos sobre o governo* de Sidney. Com exceção de algumas passagens de Barclay[4] próximo ao final do *Segundo tratado,* a única obra que Locke citou extensivamente foi *Leis da política eclesiástica,* de Richard Hooker. Hooker foi um expoente da mesma tradição no pensamento religioso e político inglês a que se vincularam depois os platônicos de Cambridge e o próprio Locke; mas seria um erro considerar Hooker como a única ou mesmo a principal fonte das ideias de Locke, pois escolhendo-o para suas citações, Locke pode bem ter sentido que ele estava apelando para uma autoridade altamente respeitada que valeria para seus oponentes anglicanos e Tories[5].

Locke foi por muitos anos um estudioso e fez leituras de maneira muito ampla, como mostram seus diários e cadernos de anotações. Evidentemente ele seguiu durante um extenso período as correntes de pensamento que levaram ao *Ensaio sobre o entendimento humano,* e a tolerância foi outro tema sobre o qual ele refletiu longamente. Suas ideias políticas básicas também já estavam estruturadas, mas ele provavelmente não elaborou qualquer teoria política sistemática até ir para a Holanda, onde se sentiu impelido a fazê-lo pelo curso dos acontecimentos. Sua atitude geral foi determinada pelas vinculações de sua vida – sua educação puritana, suas ligações com os Whigs e seu exílio. Mas ao contrário de muitos escritores de sua época, ele não tentava transmitir suas convicções multiplicando as citações de autoridades: buscava antes demonstrar cada ponto considerando-o racionalmente, sem referência ao que seus antecessores haviam dito, e com frequência suas passagens mais felizes são os exemplos mais simples e lúcidos com que ele ilustra seu pensamento.

Mas embora ele tentasse, e conseguisse, abordar

cada ponto de uma forma nova, sem dúvida ponderou e absorveu as ideias de uma ampla variedade de escritores anteriores. A importância de seu pensamento não é ter sido original ou particularmente radical ou avançado, mas ter resumido e consolidado a obra de toda uma geração ou mais de pensadores políticos.

O *Primeiro tratado sobre o governo civil* é uma refutação dos "falsos princípios" contidos no *Patriarcha* de Sir Robert Filmer. Esta obra, publicada em 1680, mas escrita muitos anos antes, em que o direito divino da monarquia absoluta é baseado na descendência hereditária de Adão e dos patriarcas, é em geral rejeitada como sem valor, e tem sido comentado que apenas o ataque de Locke a ela preservou-a do esquecimento. Por outro lado, o Sr. J.W. Allen defendeu[6] que Filmer foi um pensador importante e original, sendo equivocado associá-lo apenas com uma teoria patriarcal e injusto recordá-lo somente através de sua caricatura apresentada por Locke; pois em sua *Anarquia de uma monarquia limitada e mista* (1648), suas *Observações sobre a Política de Aristóteles* (1652) e outras obras, ele teve o mérito, com frequência atribuído a Hobbes, de claramente perceber a natureza e a necessidade da soberania. Locke conhecia as obras anteriores de Filmer, pois faz alusão a algumas delas no segundo capítulo do *Primeiro tratado*, mas a razão porque escolheu *Patriarcha* como o objeto de seu ataque é bem clara. As outras obras de Filmer provavelmente não eram tão conhecidas quando Locke estava escrevendo, enquanto *Patriarcha* havia sido recentemente publicado e já era um motivo de controvérsia, pois James Tyrrell e Algemon Sidney a contestaram e, por sua vez, provocaram o surgimento de outros panfletos em sua defesa; além disso, o direito hereditário divino era a doutrina Tory oficial, e os argumentos a seu favor em *Patriar-*

cha se autodestruíram. O ataque de Locke a Filmer é principalmente destrutivo e de pouco interesse intrínseco hoje em dia, e seu *Primeiro tratado* é por isso omitido deste volume; mas Locke estava bem consciente de que Hobbes, embora jamais tenha encontrado apoio nos círculos da corte, era o mais sério inimigo que ele teria de combater, e no *Segundo tratado*, que contém sua obra construtiva, está claro que ele tinha Hobbes muito em mente, ainda que se abstivesse de mencioná-lo nominalmente.

O *Segundo tratado*, assim como muitos outros tratados políticos desse período, começa com um relato do estado de natureza. É uma condição em que os homens são livres e iguais, mas não é "um estado de permissividade" em que eles podem pilhar um ao outro. "O estado de natureza tem uma lei da natureza para governá-lo, a que todos estão sujeitos; e a razão, que é aquela lei, ensina a todo o gênero humano... que, sendo todos iguais e independentes, ninguém deve prejudicar o outro em sua vida, saúde, liberdade ou posses." Isto porque todos são "obra do Criador onipotente e infinitamente sábio... enviados ao mundo por sua ordem e a seu serviço"[7]. Um homem que transgride a lei da natureza "declara viver sob outra regra que não aquela da razão e da equidade comum... e assim torna-se perigoso ao gênero humano". Todo homem, por isso, "pelo direito que tem de preservar o gênero humano em geral... tem o direito de punir o ofensor e ser o executor da lei da natureza"[8]. Ele "tem o poder[9] de matar um assassino, tanto para impedir que outros cometam um delito semelhante... quanto para proteger os homens dos ataques de um criminoso que, havendo renunciado à razão, à regra comum e à medida que Deus deu ao gênero humano, através da violência injusta e da carnificina que cometeu sobre outro homem, declarou guerra a todo o gênero humano e por isso pode ser destruído como um leão ou um tigre, uma daquelas bestas selvagens em cuja companhia o homem não pode viver nem ter segurança"[10].

O estado de natureza é contrastado com a "sociedade civil", da qual difere pela "falta de um juiz comum com autoridade", mas o estado de natureza não é, como em Hobbes, essencialmente um estado de guerra. A característica de um estado de guerra é "a força, ou uma intenção declarada de força sobre a pessoa do outro, em que não há um superior comum na terra a quem apelar por socorro"[11]. Mas Locke não imaginou o estado de natureza como sendo uma espécie de paraíso, e de fato a guerra poderia prevalecer nele. Admite a inconveniência do estado de natureza, em que todo homem "tem o poder executivo da lei da natureza" em suas próprias mãos, e ele está consciente de que a "natureza doentia, a paixão e a vingança" podem levar o homem "longe demais na punição dos outros, e daí em diante só advirá a confusão e a desordem"[12]. O estabelecimento de um governo, mas não de um governo absoluto, é a solução adequada. Além disso, o homem não foi destinado a viver sozinho; Deus "o colocou sob fortes imposições de necessidade, conveniência e inclinação, para guiá-lo para a sociedade, assim como o dotou de compreensão e de linguagem para permanecer e desfrutar dela"[13]. Há uma sociedade natural na família, mas ela está aquém da sociedade política, pois o *pater familias* "não tem poder legislativo de vida e de morte" sobre os membros de sua família[14] e na verdade não tem poderes "além dos que uma mãe de família pode ter tanto quanto ele"[15]. A sociedade política só existe onde os homens concordaram em desistir de seus poderes naturais e erigir uma autoridade comum para decidir disputas e punir ofensores. Isso só pode ser realizado por acordo e consentimento. Liberdade não significa que um homem possa fazer exatamente o que lhe agrada, sem consideração a qualquer lei, pois "a liberdade natural do homem é ser livre de qualquer poder superior na terra, e de não depender do desejo ou da autoridade legislativa do homem, mas ter apenas a lei da natureza para regulamentá-lo", enquanto sob governo um homem é livre quando tem "um regulamento determinado para guiá-lo, comum a todos daquela sociedade, e criado pelo poder legislativo nela erigido". A essência da liberdade política, na verdade, é que um homem não deverá estar "sujeito à vontade inconstante, incerta, desconhecida e arbitrária de outro homem"[16]. A lei não é incompatível com a liberdade; ao contrário, é indispensável a ela, pois o "objetivo de uma lei não é abolir ou restringir, mas preservar e ampliar a liberdade... Pois a liberdade deve ser livre de restrição e violência por parte dos outros, o que não pode existir onde não há lei"[17].

Antes de tratar da criação da sociedade civil, Locke dedica dois longos capítulos às questões da propriedade e do poder paterno. Neste último ele amplia sua doutrina sobre a igualdade natural e sobre a liberdade dos homens. "As crianças... não nascem neste estado amplo de igualdade, embora nasçam para ele." Primeiro as crianças estão sujeitas ao controle e à jurisdição paternos, mas apenas por algum tempo; à medida que a criança cresce, estes vínculos "praticamente desaparecem, dando lugar a um homem com sua própria disposição livre[18]. De fato, "nascemos livres assim como nascemos racionais; não que tenhamos realmente o exercício dessas duas prerrogativas: a idade que traz uma delas, traz também a outra"[19]. Em outras palavras, a liberdade depende da razão, do poder do julgamento independente, que capacita um homem a orientar sua vida pela lei da natureza.

Considerando que o propósito do governo é salvaguardar os direitos naturais do homem, Locke defende que estes direitos pertencem a ele no estado de natureza, e anseia por provar que entre eles está o direito da propriedade. Ele pressupõe que Deus deu a terra e tudo o que ela contém ao gênero humano em comum, mas, prossegue ele, "todo homem tem uma propriedade em sua própria pessoa. A esta ninguém tem qualquer direito a não ser ele mesmo. O trabalho de seu corpo e a obra de suas mãos... são propriedade sua. Por isso, seja o que for que ele tira do estado que a natureza proporcionou e ali deixou, ele misturou aí o seu trabalho, acrescentando algo que lhe é próprio, e assim o torna sua propriedade"[20]. As ilustrações com que ele sustenta esta doutrina são bons exemplos de seu senso comum claro e racional: um homem que colhe frutos do carvalho ou apanha maçãs de uma árvore e os come, certamente se apropriou deles. "Ninguém pode negar que o alimento é dele. Pergunto, então, quando começaram a ser dele? Quando ele os digeriu? Quando os comeu? Quando os cozinhou? Quando os levou para casa? Ou quando os colheu? E é óbvio que se o primeiro ato não os tornasse sua propriedade, nada mais poderia fazê-lo." Foi seu trabalho que "colocou uma distinção entre eles e o comum", e os tornou seus[21]. O trabalho, então, cria a propriedade, e o mesmo princípio se aplica à terra e aos bens móveis; a terra se torna propriedade de um homem quando ele a cercou e a cultivou. Além disso, o trabalho "estabelece a diferença de valor em tudo": a diferença no valor entre um acre de terra cultivada e um acre "em comum e sem qualquer cultivo" é devida quase inteiramente à melhoria realizada pelo trabalho[22].

Locke utilizou aqui um argumento do qual os economistas socialistas posteriormente extrairiam conclusões que o teriam surpreendido[23], e ele não desenvolveu plenamente as consequências de sua doutrina. O ponto que o preocupava era a existência de um direito de propriedade no estado da natureza, e há objeções óbvias a isso. Um homem primitivo poderia ter adquirido possessões ou ocupado a terra da maneira que Locke descreve, mas isso não estabelece um *direito* de propriedade. Uma discussão completa deste ponto envolveria toda a questão dos direitos naturais, e para isso não há espaço aqui, mas mesmo que concluamos que há um sentido em que a expressão "direitos naturais" pode ser adequadamente usada, é difícil defender um direito natural de propriedade como distinto do direito legal. Mas Locke ainda foi além de um direito natural de propriedade e defendeu um direito natural de herança[24]. Sobre a questão da propriedade Rousseau é mais válido que Locke, pois distinguiu a propriedade da posse, e reconheceu que um direito de propriedade só pode existir quando é defendido e garantido pelas leis e pelo governo do Estado, e por isso só pode ser sustentado nas condições impostas pelo Estado. O mesmo princípio pode ser aplicado à pessoa de um homem, sobre a qual Locke fundamentou seu direito de propriedade: pois a segurança da pessoa de um homem depende tanto da eficácia das leis quanto a segurança de sua terra e de seus bens, e por isso não é mais sua, no sentido absoluto, que suas posses. Locke também tem sido criticado porque, insistindo em um direito natural de propriedade, ele estava encorajando a ganância do egoísta às custas de seus vizinhos mais pobres, do que foram com frequência acusados os magnatas Whigs dos séculos XVIII e XIX. Mas deve-se observar que Locke não justifica a propriedade ilimitada.

Um homem só podia se apropriar da terra desde que deixasse o suficiente e adequado para os outros, e quanto aos bens móveis, só podia monopolizá-los enquanto "pudesse fazer uso deles para qualquer proveito antes que deteriorassem... Seja o que for que ultrapasse a isso ultrapassa a sua cota e pertence a outros"[25]. É verdade que pela acumulação de dinheiro, que não se deteriora, na prática pode-se escapar a este limite[26], e a ideia de um direito natural limitado de propriedade contém dificuldades que Locke não parece perceber, ou de qualquer maneira não enfrenta; mas é difícil acusá-lo justamente de encorajar a apropriação ilimitada. Deve também ser lembrado que embora ele tenha declarado que "o grande e principal objetivo... dos homens se associarem em sociedades políticas e se colocarem sob a tutela do governo é a preservação de sua propriedade"[27], ele definiu a propriedade do homem como "sua vida, liberdade e propriedade" – em outras palavras, ele próprio e seus direitos naturais como um todo, não apenas sua propriedade em seu sentido habitual[28]. Mas deve-se admitir que Locke não escapa ao risco que todo o escritor sempre corre quando dá a uma palavra um significado incomum, pois com muita frequência ele usa a palavra propriedade também em seu sentido habitual em inglês, e não se deve estranhar se é isto que ele em geral entendia[29].

Chegamos agora à formação da sociedade política. Por natureza, todos os homens são "livres, iguais e independentes", e nenhum homem pode estar "sujeito ao poder político de outro sem seu próprio consentimento". Qualquer número de homens pode concordar em se juntar para se constituir em um corpo político, sem prejuízo dos outros, pois todos aqueles que não concordarem são meramente deixados de fora "na liberdade do estado da natureza"[30]. Mas embora este "pacto original" seja unânime, cada um dos participantes concorda daí em diante "em se submeter à determinação da maioria". A razão que Locke apresenta para isso é curiosamente mecânica e insatisfatória, e sugere que ele não considerou suficientemente as implicações do princípio da maioria. "A força que faz uma comunidade", observa ele, "é sempre o consentimento de seus indivíduos, e como todo objeto que forma um só corpo deve mover-se numa só direção, é necessário que o corpo se mova na direção para onde a força maior o conduz, que é o consentimento da maioria"[31]. Por propósitos práticos, sem dúvida, a comunidade deve "mover-se em uma direção", mas isso é pouco compatível com o princípio do consentimento se a minoria for na verdade simplesmente neutralizada pela "força maior" da maioria.

No pacto original os homens não abrem mão de todos os seus direitos. Eles só renunciam a tanto de sua liberdade natural quanto seja necessário para a preservação da sociedade; abrem mão do direito que possuíam no estado de natureza de julgar e punir individualmente, mas retêm o remanescente de seus direitos sob a proteção do governo que concordaram em estabelecer. Certamente não estabelecem (como na teoria de Hobbes) um soberano absoluto e arbitrário, "como se então os homens, ao renunciarem ao estado de natureza... concordassem que todos eles, com exceção de um, estariam sob as exigências das leis; mas que este deveria ainda manter toda a liberdade do estado de natureza, aumentado com a força e tornado desregrado pela impunidade"[32].

Será que Locke pretendia que sua consideração do pacto original fosse encarada como historicamente verdadeira? Ele está consciente "de que não há exemplos a serem encontrados na história de um grupo de homens, independentes e iguais uns aos outros, que se reuniram e dessa maneira começaram e instituíram um governo". Mas argumenta em resposta que "o governo é em toda parte anterior aos registros", e embora admita que "se olharmos para trás, tão longe quanto a história nos conduzir, para as origens das sociedades políticas", em geral deveremos encontrá-las sob o governo e a administração de um homem", ele sustenta que isso "não destrói aquilo que eu afirmo, ou seja, que o início da sociedade política depende do consentimento dos indivíduos para se reunirem e comporem uma sociedade, na qual, assim incorporados, poderiam desenvolver a forma de governo que considerassem adequada"[33]. Alguns escritores que usaram a teoria do contrato provavelmente nunca pretenderam ser entendidos literalmente; para Hobbes, por exemplo, realmente não foi mais que um artifício fazer com que uma doutrina intragável parecesse mais respeitável, e é duvidoso que Rousseau pensasse seu contrato como um fato histórico. Mas no todo sou inclinado a pensar que Locke, como os Whigs de 1688, acreditava no contrato como um acontecimento real, pois ele tenta encontrar alguns exemplos de sua ocorrência. Mas sua inadequação não lhe parece importar seriamente, e sua conclusão de que, afinal, a razão é "clara em nossa postura de que os homens são naturalmente livres"[34] sugere que seu interesse primário não está situado realmente nas origens históricas, mas na justificativa do governo baseado em princípios racionais. Ele argumenta à "forte objeção sobre se haveria, ou alguma vez houve quaisquer homens em tal estado da natureza", chamando a atenção para o fato de que "todos os soberanos e chefes de governos independentes em todo o mundo estão em um estado da natureza": assim, também "um suíço e um índio das florestas da América" estão "perfeitamente em estado de natureza um em relação ao outro". Portanto, o estado de natureza existe entre todos os homens que estão em contato uns com os outros sem serem súditos de um governo comum, e o ponto sobre o qual ele insiste é que os homens em tais circunstâncias podem fazer promessas e acordos que os vincularão, "pois a verdade e a manutenção da palavra pertencem aos homens enquanto homens e não enquanto membros da sociedade"[35].

Uma consideração do estado da natureza foi a abertura habitual de uma longa sucessão de obras de teoria política, e suas características variavam, segundo o desejo do autor, desde uma idade de ouro da paz até à sordidez e à brutalidade da guerra de todos contra todos em Hobbes. Pois esse estado era essencialmente uma abstração, a qual se chegou imaginando a vida despojada de todas as qualidades que se supõe serem devidas à sociedade política organizada. Para Locke, a característica essencial do estado de natureza era a lei natural. Nisso ele era herdeiro medieval de uma antiga tradição que veio, continuamente modificada durante o processo, dos estoicos e dos juristas romanos. Locke herdou esta tradição em parte dos publicistas europeus do século XVII, como Grotius e Pufendorf[36], em parte de Hooker, em parte talvez de outros escritores ingleses como Richard Cumberland, que utilizou o conceito da lei da natureza numa réplica a Hobbes. A mesma tradição foi incorporada no ensino dos platônicos de Cambridge, como Whichcote, cujos sermões Locke admirava. Na Idade Média, a lei da natureza era comumente identificada com a lei de Deus, e era encarada como uma lei que obriga a todos os homens e a todos os governos, e por isso eram nulos os decretos humanos contrários a ela. Os pensadores medievais disputavam a questão se ela era correta porque Deus a comandava, ou se Deus a comandava porque ela era correta. Se fosse o último caso, poderia Deus ter comandado tudo o mais, e se não, seria Ele ainda onipotente? Para Locke, a lei da natureza é o desejo de Deus para o gênero humano, mas a faculdade da razão do homem, ela em si um dom de Deus, o capacita para perceber sua retidão[37]. Uma das dificuldades de se aplicar a ideia de uma lei da natureza à prática política é que ou ela permanece vaga e geral, ou, tentando-se dar-lhe uma forma concreta, o resultado é inevitavelmente dogmático. Para muitos escritores europeus da escola da lei natural, seu conteúdo era ainda politicamente real, mas para Locke, assim como para os teólogos ingleses aos quais ele seguia, a lei da natureza era em sua essência mais uma lei moral que uma lei política[38]. Isto, acho eu, é realmente o princípio importante sobre o qual ele estava insistindo contra Hobbes. Para Hobbes, a única lei genuína era o comando de um soberano, e no estado da natureza a força e a fraude eram as virtudes cardeais. Locke insiste na santidade da obrigação moral e julga a política por um padrão moral – para ele fundamentalmente um padrão religioso.

Mas há objeções óbvias em estabelecer este princípio em termos de um estado de natureza e um pacto original. Se, como ele parece ter acreditado, devem ser tomadas literalmente, sucumbem imediatamente diante da crítica histórica. Mesmo que fossem historicamente verdadeiras, como explicariam a obrigação das gerações posteriores de cidadãos de obedecerem às leis de um Estado em cuja formação eles não consentiram individualmente? Se, por outro lado, elas devem ser encaradas não como fatos históricos, mas como hipóteses abstratas cuja função é promover uma análise racional do governo por consenso, falham completamente na explicação da posição do cidadão dos dias de hoje, que é o ponto crucial de toda a questão.

Locke procura resolver este problema, mas sua tentativa de resolvê-lo está longe de ser satisfatória. Ele argumenta que os filhos não se tornam automaticamente súditos dos governos aos quais seus pais devem obediência, mas quando atingirem a idade podem escolher a que Estado irão pertencer; e busca provar isso referindo-se à prática dos governos francês e inglês em casos como o de uma criança de pais ingleses nascida na França[39]. Mas qualquer que possa ter sido a prática na própria época de Locke, o princípio que ele estabelece não seria aceito prelos juristas modernos. Ele então argumenta que o consentimento que sozinho pode tornar um homem sujeito a um governo não necessita ser um consentimento expresso, mas pode ser dado tacitamente de outras maneiras. Cada um, afirma ele, "que tem qualquer posse ou desfruta de qualquer parte dos domínios de um governo, dá desse modo seu consentimento tácito", e é obrigado a obedecer suas leis, "seja esta sua posse de uma terra pertencente a ele e a seus herdeiros para sempre ou um alojamento apenas por uma semana; ou esteja ele apenas passando livremente na estrada". Havendo concedido tanto, ele percebe que não pode logicamente traçar uma linha nesse ponto, e declara por fim que um homem dá consentimento tácito a um governo simplesmente estando dentro dos limites de seu território[40]. É verdade que ele se esforça para atenuar isso sugerindo que um homem não é compelido a permanecer sob o domínio de um governo que lhe desagrada, mas "tem a liberdade de partir e se incorporar a qualquer outra sociedade política ou entrar em acordo com outros para iniciar uma nova *in vacuis locis*"[41]. Hoje em dia, entretanto, a possibilidade de fazer isso é muito mais restrita do que na época de Locke, e Hume observou que mesmo então era muito fantasiosa. A verdade é que, supondo que cada um que esteja em um país tacitamente consentiu em seu governo, o consentimento foi tão reduzido a ponto de se tornar virtualmente, se não inteiramente, inexistente. A importância fundamental desta passagem está em sua revelação da inutilidade de se tentar tornar o consentimento individual a base da obrigação política[42]; mas, embora não possamos basear o poder do governo no consentimento individual, não necessitamos por isso chegar ao extremo oposto e permitir aos governos poderes ilimitados de opressão das consciências dos indivíduos. Deve-se admitir, entretanto, que a teoria da sociedade de Locke é demasiado artificial para ser uma resposta adequada a este problema.

Quando um grupo de homens concordou em formar uma sociedade política, sua primeira tarefa é estabelecer o poder legislativo, que será o "poder supremo da sociedade política" e "sagrado nas mãos em que a comunidade um dia o colocou". Mas, "embora seja o poder supremo... não é, nem pode ser, absolutamente arbitrário sobre as vidas e os destinos do povo". Sendo seu propósito proteger os homens no gozo de suas vidas e propriedade, deve ser "limitado ao bem público da sociedade", e as leis que ele faz devem ser "declaradas e aceitas", não arbitrárias e caprichosas, e devem estar "em conformidade com a lei da natureza"[43]; a legislatura também não pode transferir o poder que lhe foi delegado a quaisquer outras mãos[44]. Outro limite importante para o poder legislativo é que ele "não pode tomar de nenhum homem parte alguma de sua propriedade sem seu próprio consentimento". Isto se aplica aos impostos, que Locke reconhece como adequados e necessários; mas aqui mais uma vez, sem justificativa em relação aos seus princípios, ele reduz o consentimento necessário ao consentimento da maioria, e até ao consentimento dos representantes[45]. O governo representativo, assim como o princípio da maioria, pode ser defendido em vários campos, mas não nas bases do consentimento individual.

Locke não utiliza o termo de Hobbes, soberano, e tem sido afirmado[46] que, na medida em que ele limita e divide os poderes do governo, seu argumento é dirigido contra a verdadeira ideia de soberania. Mas é claro que embora tenha rejeitado a arbitrariedade do soberano de Hobbes, ele segurou um elemento essencial no conceito de soberania, a supremacia da autoridade que faz as leis. Ele afirma claramente que o legislativo deve ser o poder supremo, "e todos os outros poderes em quaisquer membros ou partes da sociedade derivados dele e a ele subordinados"[47]. Como observou o Professor Montague[48], Locke não imaginou que o poder legislativo supremo estava limitado por lei positiva. O que ele realmente pretendia era que a soberania estivesse sujeita à lei moral. Sua expressão deste princípio foi obscurecida por seu uso de frases associadas à ideia da natureza e da lei natural, mas na substância sua teoria não estava muito distante da teoria da soberania proposta por Bentham e elaborada por Austin[49].

Mas embora a legislatura seja suprema, Locke não a tornará absoluta, pois "permanece ainda no povo um poder supremo para remover ou alterar o legislativo, quando ele considerar o ato legislativo contrário à confiança nele depositada"[50]. Ao mesmo tempo, ele não vai tão longe quanto Rousseau, que declarou que a soberania reside inalienavelmente na vontade geral, e não pode ser delegada ou mesmo exercida através de representantes. O poder supremo que Locke reserva ao povo "não é tão considerado sob qualquer forma de governo": é apenas uma espécie de reserva potencial de poder, a ser exercido em uma emergência quando o governo que foi estabelecido deixou de usar seu poder para o bem público. Outra e ainda mais estranha consequência da teoria de Locke é que, embora com o decorrer do tempo "as grandes cidades prósperas venham a se deteriorar... enquanto outros locais ermos se desenvolvem em países populosos repletos de riquezas e habitantes", Locke imagina que a legislatura, sendo fixada e limitada, não tem poder para aprovar um projeto de reforma. A única solução que ele pode sugerir é que o executivo, caindo no princípio *salus populi suprema lex*[51], deve redistribuir o eleitorado na devida proporção, e assim fazendo "não pode ser julgado como tendo estabelecido um novo legislativo, mas como tendo restaurado o antigo e verdadeiro". Além disso, considerando a sua idade quando o escreveu, foi liberal por ter reconhecido a necessidade de uma solução.

Isso nos leva à questão da separação entre o executivo e o legislativo. Locke considera que "pode ser muito grande a tentação para a fragilidade humana, pronta para alcançar o poder, pois as mesmas pessoas que têm o poder de fazer as leis têm também em suas mãos o poder de executá-las"; além disso, o executivo deve estar em existência contínua, enquanto que não é necessário para o legislativo, "e por isso os poderes legislativo e executivo frequentemente vêm a se separar". Locke pode, portanto, ser reconhecido como um contribuinte para a famosa doutrina da separação dos poderes, que, embora de modo desorientado, foi amplamente aceita no século XVIII como a salvaguarda essencial da liberdade constitucional, e por isso incorporada na constituição americana. Entretanto, deve ser observado que na forma clássica da doutrina, como foi enunciada por exemplo por Montesquieu, havia três poderes a serem mantidos separados: legislativo, executivo e judiciário. Locke reconhece um terceiro poder, além do legislativo e do executivo, mas este, que ele chama de federativo, está ligado à "guerra e à paz, a ligas e alianças", e à política externa em geral. Embora ele encare este poder federativo como distinto, observa que na prática ele está em geral nas mãos do executivo. Ele não distingue o judiciário, e parece considerá-lo parte do executivo[52]. Evidentemente, com a constituição inglesa em mente, ele observa que "onde o legislativo não existe permanentemente, e o executivo é investido numa única pessoa que também tem parte do legislativo, aquela única pessoa, em um sentido muito tolerável, pode também ser chamada de suprema; não que ela detenha em si todo o poder supremo, que é aquele de fazer as leis, mas porque tem em si a execução suprema a partir da qual todos os magistrados inferiores derivam todos os seus poderes subordinados, ou, pelo menos, a maior parte deles". Ele também pode ser chamado de supremo em vista do fato de que as leis não podem ser feitas sem seu consentimento. Mas, insiste Locke, "o poder executivo colocado apenas sobre uma pessoa que tem também parte do poder legislativo está claramente subordinado a este e lhe deve dar contas, podendo ser perfeitamente mudado e substituído"[53]. Neste aspecto Locke antecipa Rousseau, cujo "príncipe" era um mero agente ou escravo da vontade geral soberana[54].

O "pacto original" de Locke, como se poderá perceber, era um contrato social feito entre os homens que concordavam em se unir em uma sociedade civil. Não era, como o contrato original da Revolução dos Whigs, um contrato entre o rei e o povo. Diferentemente deles, e também de escritores europeus como Pufendorf, Locke não determina o relacionamento entre o povo e seu governo em termos de contrato, mas toma emprestado a ideia peculiarmente inglesa de curadoria. Ele não foi mais original nisso do que em seu uso de outros elementos em sua teoria política, como o estado de natureza, pois ele havia sido usado por muitos escritores anteriores, às vezes como uma alternativa à teoria do contrato, às vezes em combinação com ela. Mas ele se adequou admiravelmente ao seu propósito, pois transmitia a noção de que embora sejam dados ao governo alguns poderes, ele era obrigado a usá-los não em seu próprio interesse, mas em prol da comunidade. Locke não somente aplica esta noção ao executivo, mas a utiliza também para assegurar que a legislatura não deverá abusar de seus poderes e violar os direitos do povo. "A comunidade", observa ele, "coloca o poder legislativo em tais mãos enquanto as considere adequadas, confiando que será governada pelas leis proclamadas.[55]" É "apenas um poder fiduciário para agir visando alguns objetivos", e "todo o poder conferido com confiança para se atingir um fim, é limitado por aquele fim, sempre que o fim for manifestamente negligenciado ou contrariado, a confiança deve necessariamente ser confiscada e o poder devolvido às mãos daqueles que o conferiram, que podem colocá-lo outra vez onde acharem melhor para sua segurança e garantia"[56]. As várias funções do executivo estão expressas em termos semelhantes. Assim, seu poder de convocar e dissolver a assembleia legislativa "não concede ao executivo uma superioridade sobre ela, mas é uma confiança fiduciária nele colocada para a segurança do povo[57]". Se ele usasse a força dos controles "para impedir a reunião e a atuação do legislativo... sem autoridade, e contrariamente à confiança nele depositada", ele estaria em "um estado de guerra com pessoas, que têm o direito de restabelecer seu legislativo no exercício de seu poder[58]". Quando o executivo tem um lugar na legislatura, como o rei da Inglaterra, ele tem "uma confiança dupla nele depositada", e "age contra ambos quando começa a estabelecer sua própria vontade arbitrária como a lei da sociedade"[59]. A referência à história recente em tudo isso é óbvia, mas é visível que Locke não apoia seu argumento no contrato original dos Whigs entre o rei e o povo.

Aplicar a ideia da curadoria à política era utilizar uma metáfora, assim como a teoria do contrato era também na verdade uma metáfora de outro ramo da jurisprudência. O contrato social como uma teoria política está aberto a várias objeções bem conhecidas, mas estas não são tão aplicáveis à ideia da confiança, e como foi popularizado por Locke, desempenhou um papel valioso ao levar para casa a lição de que o governo não desfruta de poderes sem os correspondentes deveres e responsabilidades. Isso agora tornou-se um princípio reconhecido e inquestionável, com o resultado de que em negócios domésticos os direitos do homem não são mais as reclamações dos indivíduos contra um governo arbitrário, mas as reclamações garantidas aos homens pelo governo. De alguns anos para cá, a ideia da curadoria foi considerada moderna e o emprego mais frutífero como uma fórmula para regulamentar os relacionamentos entre os estados civilizados e suas colônias ou outros povos atrasados[60].

Locke reconhece que ao detentor do poder executivo deve ser permitida alguma arbitrariedade, e "este poder deve atuar discricionariamente em vista do bem público, sem a prescrição da lei, e às vezes até contra ela, é o que se chama prerrogativa"[61]. Na Inglaterra, inclui "o poder de convocar os parlamentos... assim como determinar a época, o local e a duração...
mas ainda com esta confiança", acrescenta ele,

"que deverá ser usada para o bem da nação à medida que assim o requererem as exigências das épocas e a variedade da ocasião"[62]. Se é feita a pergunta "Quem julgará quando este poder é utilizado corretamente?", ele responde, "Não pode haver juiz na terra". Se "o legislativo ou o executivo, quando detêm o poder em suas mãos, planejam ou começam a escravizar ou a destruir o povo, este não tem outro remédio... senão apelar aos céus"[63]. Assim chegamos à famosa justificativa de Locke de um fundamental direito de revolução. Hobbes defendeu que o afastamento da autoridade soberana destruiria o Estado e envolveria um retomo ao caos do estado da natureza: Locke, ao contrário, distingue entre "a dissolução da sociedade e a dissolução do governo", e embora admita que esta conquista de fora possa "cortar os governos pela raiz e despedaçar as sociedades", insiste que um governo pode ser dissolvido internamente, e um novo governo ser estabelecido, sem a destruição do próprio corpo político[64]. Esta é a conclusão que ele retira de episódios anteriores na história inglesa e em particular da bem-sucedida revolução de 1688. Ele percebe que aprovando dessa forma a revolução, pode ser acusado de promover "um estímulo a rebeliões frequentes". Argumenta que o povo está mais propenso a ser levado à rebelião pela tirania e pela opressão, enquanto um governo que sabe que pode ser deposto se abusar de sua autoridade estará menos propenso a agir errado. Além disso, "tais revoluções não ocorrem sobre cada pequena má administração nos negócios públicos", pois "o povo não abandona tão facilmente suas antigas formas como alguns estão prontos a sugerir. Ele dificilmente vai ser convencido a corrigir as falhas reconhecidas na estrutura a que está habituado". Na verdade, o conservadorismo natural e a inércia levarão o povo a suportar "grandes erros por parte do governo, muitas leis erradas e inconvenientes, e todo o tipo de deslizes da fragilidade humana... sem revolta ou queixas"[65].

Podemos também imaginar por que Locke não encontra lugar para a melhoria do governo através de emenda constitucional, e precisa defender uma solução tão drástica quanto a revolução. Sem dúvida ele estava em parte preocupado em apoiar a recente revolução de 1688, afinal de contas tudo o que foi conseguido então dificilmente seria conseguido por outros meios. Podemos perceber que hoje em dia, em um país com um sistema de governo representativo, onde as mudanças de ministro podem ser efetuadas através de um processo constitucional normal, um direito de revolução não é necessário como um elemento em nossa teoria política. Mas devemos nos lembrar que foi através da influência da ideia de curadoria de Locke, ou da teoria do contrato dos Whigs, que veio a ser reconhecido que os governos são organismos responsáveis, e não são simplesmente dotados de privilégios para serem utilizados para seu próprio prazer. Hoje isso nos parece um truísmo óbvio, mas é a aceitação deste princípio[66], tanto quanto qualquer outra coisa, que faz a diferença entre nossa atitude em relação à política e à atitude, digamos assim, de um cortesão de Luís XV. Além disso, os acontecimentos recentes tornaram o direito da revolução mais uma vez uma questão ativa, e na guerra contra a Alemanha percebemos isso. "Quem duvida", perguntava Locke, "que os cristãos gregos... possam legitimamente derrubar a tirania turca sob a qual gemeram tanto tempo, quando tiverem poder para fazê-lo?[67]" Apoiamos os movimentos de resistência nos países ocupados da Europa, e não duvidávamos de que teria sido direito do povo alemão se levantar e derrubar o governo nazista;

esperávamos que eles o fizessem, e teríamos recebido com alegria a tentativa que houvesse sido feita. Nossos alvos de guerra e a suposição de que nossa causa era justa implicavam que, de fora e como um ato de guerra, nós nos considerássemos justificados ao estimular tal revolução. Estávamos assim reafirmando, nos termos de nossas próprias circunstâncias, a atitude defendida no século XVII pelos Whigs, de quem herdamos uma imortal tradição política. Para os filósofos absolutistas do século XIX, que se inspiraram em Hegel, a defesa da revolução feita por Locke parecia revoltante, pois eles não queriam ouvir falar de qualquer questionamento da autoridade majestática do Estado. Mas, pelo menos neste aspecto, não cabe à nossa geração criticar Locke.

Um dos primeiros a aplicar os ensinamentos de Locke foi William Molyneux[68], que argumentava que as relações da Inglaterra com a Irlanda no passado não constituíam uma conquista, e que mesmo que o fossem, a conquista não conferiria à Inglaterra os direitos que reclamava sobre a Irlanda. Molyneux correspondeu-se com Locke sobre este assunto e desenvolveu sua causa em linhas extraídas diretamente do *Segundo tratado*. É desnecessário dizer que seu apelo caiu em ouvidos surdos, ainda que, como mais tarde observou Dean Tucker (Decano de Gloucester)[69], ele se destinasse ao benefício, não da maioria católica romana irlandesa, mas apenas da minoria protestante. Na Inglaterra, no entanto, a aceitação geral da atitude de Locke em relação ao governo logo se tornou perceptível. Em alguns lugares ele foi criticado durante algum tempo, tanto por seus *Tratados sobre o governo* quanto por suas *Cartas sobre a tolerância*, como republicano e incrédulo[70]; mas depois da bem-sucedida Revolução os dois extremos na política, republicanos e ultramonarquistas, tenderam a se extinguir. Os Whigs continuaram a insistir no consentimento do povo como a base necessária do governo, e a impugnação do Dr. Sacheverell deu-lhes uma oportunidade de reafirmar e enfatizar seus pontos de vista. Por outro lado, o *Act of Settlement*, aprovado por uma maioria de Tories em 1701, mostrou que eles também estavam desejando limitar a autoridade real e estabelecer condições para a sucessão ao trono. É verdade que os Tories ainda estavam longe de aceitar a ideia da tolerância, como se pode ver por seu Ato de Concordância Ocasional e Ato do Cisma; mas embora em muitos pontos os interesses e as políticas dos Whigs e dos Tories divergissem, na questão constitucional concordavam agora substancialmente[71].

Uma rápida vista das publicações de Bolingbroke, por exemplo, já mostrará a extensão de seu débito a Locke. Como este, ele cita Hooker aprovadoramente e fala dos parlamentos como instituídos para serem "os verdadeiros guardiães da liberdade", em concordância com "aquela grande e nobre confiança que o organismo coletivo do povo da Grã-Bretanha deposita no representante"[72]. Ele também limita a soberania do parlamento, pois há algo que ele acha que um parlamento não pode fazer: não pode "anular a constituição". "A legislatura é um poder supremo, e pode ser chamado, em um certo sentido, um poder absoluto, mas em nenhum sentido um poder arbitrário. É limitada ao bem público da sociedade", e em último recurso, em caso de abuso, o povo tem o direito de resistir ao poder supremo[73].

O Bispo Hoadly, de fama bangoriana, admitia que, como a origem patriarcal da monarquia foi "examinada há muito tempo pelo autor dos *Dois tratados sobre o governo...*, a *ele* eu devo por justiça remeter o *leitor*". Este foi seu único reconhecimento da obra de Locke, mas todo o seu argumento, embora pretendesse remontar a Hooker, na verdade não era mais que uma reafirmação da posição de Locke[74]. A referência um tanto rancorosa de Hoadly a Locke, embora ele fosse um Whig, pode ser uma indicação de que o nome de Locke ainda era malvisto nos círculos clericais no início do século XVIII; mas o Bispo Warburton, escrevendo quando os hanoverianos já reinavam seguramente há vinte anos, não hesitou em adotar abertamente os princípios de Locke[75], a ele se referindo como "a honra dessa época e o instrutor do futuro". *O Espectador* aludia a Locke como "uma glória nacional", e embora ele provavelmente fosse mais conhecido e respeitado como o autor do *Ensaio sobre o entendimento humano,* não pode haver dúvida de que no século XVIII também sua teoria política se tornou tão geralmente aceita quanto virtualmente incontestada. Suas doutrinas podem ser registradas nas *Characteristics* do terceiro Conde de Shaftesbury, nos escritos de Swift, Defoe e outros escritores menos famosos, e, de uma forma atenuada por Bolingbroke, na terceira Epístola de Pope, *Ensaio sobre o homem.*

No decorrer do século, escritores como Hume e Paley atacaram a teoria do contrato, mas as doutrinas políticas gerais de Locke continuaram dominantes. Especialmente nos círculos dissidentes, é evidente que ele ainda era uma inspiração; Richard Price e Joseph Priestley tinham ambos seus débitos para com ele, e os compêndios políticos adotados nas academias dissidentes eram em grande parte derivados de sua obra. Foi-nos transmitido que "Todos pensam que o povo é a origem do poder, o fiduciário dos responsáveis administrativos, e que o gozo da vida, da liberdade e da propriedade é direito de toda a espécie humana"[76]. Com o tempo, naturalmente, Locke começou a ser substituído como uma influência formativa por escolas de pensamento mais recentes. Por um lado, o benthamismo conseguiu espaço, e por outro, Burke, embora tenha herdado toda a tradição lockeana, divergia amplamente em muitos aspectos da perspectiva geral de Locke. A força de Burke como pensador político situa-se fundamentalmente nas direções em que Locke foi mais deficiente. Ele possuía um sentido quase místico da continuidade histórica da sociedade, e ainda que em seu *Appeal from the New to the Old Whigs* ele tenha voltado ao processo de Sacheverell como declaração clássica dos princípios Whigs, implicitamente repudiou muito do individualismo de Locke. Não seria necessário um longo passo para se passar da posição de Burke (e também de Rousseau) para a teoria "orgânica" do Estado, que veio a se tornar uma influência tão poderosa no século XIX, e o fato de Burke não ter dado este passo é uma indicação da força permanente da influência de Locke[77]. A Revolução Americana, que evidentemente foi inspirada pelas teorias de Locke, provocou entre seus oponentes na Inglaterra alguma reação contra Locke, o que foi mais tarde reforçado pelo amplo alarme despertado pelo curso da Revolução na França. Não obstante, apesar de todas as suas imperfeições, a doutrina de Locke permaneceu a base do governo constitucional inglês[78], e foi a saudável e razoável moderação resultante da aceitação de seus princípios que ajudou a assegurar à vida política inglesa sua imunidade característica contra as vicissitudes e os extremismos que em alguns países tornaram inviável a democracia parlamentar.

Não foi somente na Inglaterra que os princípios de Locke foram o alicerce do estado democrático moderno. Na Holanda, onde ele era mais conhecido, foi logo aceito e citado como uma autoridade em política. Na França, suas visões de governo foram antecipadas por Jurieu e sua crença na tolerância por Bayle, mas as obras de Locke foram traduzidas para o francês e tornaram-se amplamente conhecidas entre os leitores franceses. Tanto Montesquieu quanto Rousseau, de maneiras diferentes, fizeram contribuições bastante originais à teoria política, mas ambos foram influenciados por Locke, e houve muitos outros pensadores franceses que participaram da disseminação de uma atitude liberal e racional em relação à política, e pelo menos por insinuação criticaram o *Ancien Régime.* No entanto, é difícil julgar precisamente em que dimensão a difusão dessa atitude na França pode ser atribuída à obra de Locke, ou de outros escritores da mesma escola de pensamento, e ao estudo direto das instituições inglesas, e mais tarde das americanas, em que os princípios de Locke pareciam estar incorporados.

Em parte alguma a influência de Locke foi maior do que do outro lado do Atlântico. Ele pode não ter sido muito lido pelo público em geral na América, mas os líderes revolucionários, Otis e Jefferson, Madison e Samuel Adams, mergulharam em sua obra, bem como nas obras de Harrington, Montesquieu e outros escritores políticos. A Carta de Direitos de Virgínia inicia-se como um eco de Locke, e embora de certa forma a Declaração de Independência tenha sido um produto peculiarmente americano, há pouca dúvida de que deva sua principal inspiração muito mais às doutrinas de Locke que aos princípios nativos das colônias da Nova Inglaterra, que eram teocráticos e intolerantes. Jefferson foi de fato acusado de ter copiado a Declaração do *Tratado sobre o governo* de Locke, e embora tenha negado ter-se remontado a qualquer livro ou panfleto ao redigi-la, não afirmou que suas ideias fossem novas.

Além de tudo, seria inútil tentar justificar uma revolução sobre princípios de que ninguém ouvira falar antes, e se tudo o que Jefferson fez foi repetir o que no século XVIII eram lugares-comuns da teoria política, isso vem demonstrar a importância que a influência de Locke tomou. Na verdade, nos Estados Unidos sua influência permaneceu ativa durante algum tempo depois de ter sido amplamente substituída na Inglaterra, e a frequência com que continuou a ser citado, como uma contribuição vital às controvérsias políticas, até meados do século XIX e mesmo mais tarde, proporciona uma interessante evidência corroborativa da persistência na América da perspectiva individualista que é particularmente associada a Locke[79].

Já foram mencionadas algumas falhas na obra de Locke, e seria fácil apontar outras. Fundamentalmente, seu defeito mais sério, que ele compartilha com toda a escola individualista a que pertence, é a artificialidade de sua teoria. Ele tem pouco conhecimento de psicologia política, enfatiza muito a escolha racional pelos indivíduos, e parece não ter consciência da solidariedade da sociedade, ou da força de laços como raça ou nacionalidade. Ele concebeu o corpo político como uma união artificial de indivíduos para propósitos limitados, e um resultado prático de seus ensinamentos era uma tendência a restringir esses propósitos para proteger os direitos de propriedade e os privilégios de uma classe governante. Locke escreve sobre o povo, mas não há razão para se supor que ele teria aprovado o voto democrático, e talvez ele não tenha considerado suficientemente os interesses da maioria da humanidade desprovida de propriedades[80]. Pois foi sua situação, sob a pressão de um sistema político e econômico individualista, que fez com que os homens compreendessem o mais amplamente possível na época de Locke, que sua concepção da esfera própria de governo é absolutamente inadequada às necessidades de uma sociedade industrial moderna. Ao mesmo tempo, se sua teoria é incompleta e unilateral, a teoria oposta, que prioriza o Estado e exalta seu poder às custas do indivíduo, é igualmente unilateral, e a história recente tem demonstrado o quanto pode ser perigosa. Também não deveríamos julgar Locke pelo uso que outros fizeram de seu nome. Tem sido dito que em termos econômicos ele era um mercantilista, e de forma alguma desaprovava o controle governamental do comércio, e há várias outras direções em que ele achava que o governo deveria interferir[81]. Mas quando ele intervém, o faz em prol dos indivíduos. Apesar de todos os defeitos que dificilmente eram evitáveis na época em que escreveu, ele lança os fundamentos para o princípio de que o Estado existe para o bem da espécie humana, e não a espécie humana para os propósitos do Estado.

O que é comumente encarado como importante em Locke é sua participação na determinação do princípio do governo por consentimento. Esta é uma expressão venerável, mas, em minha opinião, uma expressão infeliz. Já vimos que, como o próprio Locke a utilizou, ela é em si contraditória e falha. Os idealistas do século XIX tentaram preservar a ideia do consentimento através de sua teoria de que as ações do governo estão de acordo com o "desejo real" individual; mas, por mais engenhosa que seja essa teoria, seu efeito não chega a ser um aperfeiçoamento em relação a Locke. Hoje em dia, o princípio do consentimento é em geral aplicado às formas de governo representativas ou parlamentares, mas não fornece a explicação real, seja para seu funcionamento, seja para suas vantagens. O que me parece o valor persistente de Locke (embora ele não o estabeleça dessa forma), é sua insistência sobre a responsabilidade pelo bem-estar da comunidade. Este princípio é agora comumente admitido, e elaboramos o mecanismo político pelo qual a responsabilidade se torna efetiva – isto, mais que o consentimento, é o ponto real das eleições e da representação. A discussão agora passou para os meios através dos quais o Estado pode melhor promover o bem-estar, e sobre isso ainda há lugar para desacordo; mas atualmente, mesmo a opinião mais conservadora espera muito mais controle do Estado do que os Whigs consideravam necessário na época de Locke. Quanto ao objetivo do Estado, o bem-estar da espécie humana – "o bem público", como ele coloca – a posição de Locke foi fundamentalmente correta. Neste aspecto ele antecipou os partidários do utilitarismo; e se eliminarmos as falácias que se originam de sua abordagem contratual da política, o que permanece é uma teoria essencialmente utilitarista.

* * *

A defesa que Locke fez da tolerância apoiou-se nos mesmos princípios básicos sobre os quais ele erigiu sua teoria política, e o tema ocupou sua mente por muitos anos, antes de ele escrever a carta a seu amigo holandês Limborch. Já em 1660 ele escrevera, mas não publicara, um curto tratado sobre a questão "Se o magistrado civil pode legalmente impor e determinar o uso de temas neutros em referência ao culto religioso?[82]" No prefácio ele comenta que durante toda a sua vida até então ele havia vivido "numa tempestade", e, acolhendo as perspectivas de uma calma que se avizinhava, sentiu-se obrigado a exortar o homem a obedecer ao governo que trouxe a bênção de um clima tranquilo para um país que "irrefletidamente" havia mergulhado na confusão. Por isso, ele não estava inclinado a encarar com simpatia as reivindicações extremas de "liberdade geral". A liberdade não deveria ser "uma liberdade para os homens ambiciosos deitarem abaixo constituições bem-estruturadas, a fim de que das ruínas eles possam construir fortunas para si próprios; não uma liberdade para serem cristãos e assim não serem súditos". Mas em 1660 ele estava tendendo a apoiar o governo da Restauração, sete anos depois, quando compôs o esboço de seu inédito *Ensaio sobre a tolerância*, chegou ao ponto de vista que manteve com firmeza daí em diante.

Seu principal argumento para a tolerância é um corolário de sua teoria da natureza da sociedade civil. A sociedade política existe para propósitos limitados: é "uma sociedade de homens constituída apenas para a busca, preservação e progresso de seus próprios interesses civis", o que ele considera "vida, liberdade, saúde e lazer do corpo; e a posse de coisas externas, como dinheiro, terras, casas, mobília etc." Aos magistrados civis é dado poder para executar as leis que promovem esses interesses, mas a salvação das almas não diz respeito a eles. Na verdade isso não pode ocorrer, pois a verdadeira religião "consiste na persuasão interior da mente", enquanto o poder do magistrado "consiste apenas na força externa". Locke então define a Igreja como "uma sociedade livre e voluntária" a que os homens se filiam por vontade própria – ninguém nasce membro de qualquer Igreja – "para a veneração pública de Deus da maneira que eles julguem aceitável e eficaz para a salvação de suas almas". Uma Igreja, portanto, é semelhante a um Estado ao ser formada voluntariamente para propósitos específicos[83], e como qualquer outra sociedade deve ter suas próprias leis para regulamentar seus assuntos; mas as leis eclesiásticas devem estar confinadas a sua esfera própria, que exclui qualquer coisa "relacionada à posse de bens civis e mundanos", ou o uso da força "em qualquer situação". Uma Igreja pode manter sua própria disciplina interna expulsando qualquer membro que "continue obstinadamente a ofender" suas leis, mas tal excomunhão não deve envolver qualquer privação dos "direitos civis". O fato de o magistrado civil poder se tornar membro de uma Igreja não afeta sua condição de sociedade voluntária ou de algum modo lhe acrescenta poderes. Uma Igreja, por isso, não tem um poder próprio para perseguir, nem pode solicitar ao magistrado que persiga em seu favor. Mesmo que fosse certo que uma determinada Igreja possuísse toda a verdade sobre a religião, isso não lhe conferiria qualquer direito de destruir as Igrejas que discordam dela, e como na verdade não pode existir tal certeza, a intolerância ainda é menos justificável. Além de tudo, a perseguição não pode garantir mais do que uma conformidade externa, visto que "a fé em si, e a sinceridade interna, são coisas que buscam a aceitação de Deus".

Em toda Igreja, prossegue Locke, deve ser feita uma distinção entre "a forma exterior e os ritos de veneração, e a doutrina e os artigos de fé". O magistrado não tem poder para impor pela lei uma forma particular de culto em qualquer Igreja, seja a sua própria ou outra qualquer. Isso não quer dizer que o magistrado não tenha poder sobre "questões neutras"; ao contrário, é em tais coisas, e talvez apenas em tais coisas, que o magistrado pode intervir; mas sua intervenção é limitada ao bem público. Além disso, as coisas neutras em sua própria natureza, "quando são levadas até à Igreja e ao culto a Deus, são tiradas do âmbito da jurisdição do magistrado". As questões neutras também não podem "por qualquer autoridade humana tornar-se parte do culto a Deus". Como o magistrado não pode impor pela lei o uso de nenhum rito ou cerimônia, também não pode proibir o uso de ritos ou cerimônias cuja prática está estabelecida em qualquer Igreja. Todavia, aqui Locke admite uma exceção: o magistrado pode proibir ritos (sacrifício de bebês, por exemplo) que "não são legais no curso ordinário da vida".

Os artigos da fé podem ser divididos em especulativos e práticos. As opiniões especulativas e as questões a elas pertinentes supõem que elas devem ser acreditadas, estão inerentemente além do alcance da lei da terra; mas "uma boa vida, que também faz parte da religião e da autêntica piedade, diz respeito também ao governo civil". Há um risco, portanto, que em questões de moral o magistrado e uma consciência humana possam entrar em conflito. No *Tratado sobre o governo civil* Locke pouco enfrentou esta questão, mas embora aqui ele o discuta em maior amplitude, jamais chega a uma solução verdadeira. Ele acredita que, se o governo e a consciência individual tiverem o cuidado de se manter dentro de suas esferas próprias, o conflito será evitado, e "se o governo for corretamente administrado", raramente ocorrerá que o magistrado concorde com alguma coisa que pareça ilegal à consciência de uma pessoa em particular. No caso de ocorrer tal conflito, Locke simplesmente recomenda a obediência passiva, ou seja, um homem deve "se abster da ação que julgar ilegal, e... sofrer a punição que não lhe é ilegal suportar". Em último caso, "se o magistrado acreditar que tem o direito de fazer cumprir certas leis, e que elas se destinam ao bem público, e seus súditos acreditarem o contrário", somente Deus pode julgar entre eles.

Finalmente, Locke menciona algumas exceções a sua regra geral de tolerância. O magistrato não deve tolerar "opiniões contrárias à sociedade humana ou àquelas regras morais que são necessárias à preservação da sociedade civil"; mas acha que exemplos deste tipo em qualquer Igreja serão raros. O magistrado também não deve tolerar aqueles que pregam que não se deve confiar nos hereges ou que reis excomungados tenham suas coroas confiscadas; mais uma vez, a Igreja não deve ser tolerada se seus membros "se dedicarem à proteção e ao serviço de outro príncipe". O exemplo que Locke apresenta é o dos maometanos, mas é evidente que ele estava na verdade pensando nos católicos romanos. Finalmente, não deve haver tolerância para com aqueles que negam a existência de Deus, porque "as promessas, os acordos e os juramentos que são as garantias da sociedade humana, não podem ser mantidos com um ateu". Podemos achar que estas exceções são manchas que prejudicam a liberalidade da atitude de Locke, mas não são inconsistentes com seu ponto de vista básico, pois em todo caso em que o Estado intervém, ele não o faz por desaprová-lo em bases religiosas, mas porque sua interferência é requerida para a segurança política.

Em sua atitude em relação à tolerância, assim como em sua teoria política, Locke não foi um inovador, mas estava estabelecendo bases racionais para uma causa que já era quase vencedora. A tolerância foi defendida por alguns independentes e outros sectários durante muitos anos, e foi amplamente apoiada no exército de Cromwell; e ainda que o ambiente eclesiástico na Restauração tenha sido rigidamente anglicano, e as tentativas de indulgência de Carlos II tenham sido frustradas, os dissidentes sobreviveram, e entre os próprios anglicanos começou a se difundir uma atitude mais racionalista, se não mais cética, através da influência da escola latitudinária. Mas para que se pudesse agir se fazia necessário um apelo ao interesse e também à razão: a prosperidade do holandês, por exemplo, foi atribuída a sua liberdade religiosa e à presença entre eles de tantos refugiados da perseguição. Na época da Revolução, apesar do medo de Roma e da França, que foi intensificado pela revogação de Luís XIV do Edito de Nantes e pelos acontecimentos do reinado de James II, a ocasião era propícia para um relaxamento da exclusividade rígida da Igreja estabelecida e para a adoção da política que por tanto tempo os Whigs proclamavam.

O próprio Locke ficou desapontado diante da limitada indulgência na verdade concedida aos dissidentes na Revolução, e teria preferido a compreensão, que ele definiu como "uma ampla expansão da Igreja, ou seja, através da abolição de várias cerimônias nocivas, induzir um grande número de dissidentes a se submeter"[84]. Estas observações revelam claramente, o que na verdade está evidente por toda a *Carta sobre a tolerância*, que a atitude de Locke para com a religião era essencialmente latitudinariana: ele acreditava que a Cristandade consistia essencialmente de um ou dois dogmas, que era tudo em que uma Igreja necessitava insistir. Sua ideia de que uma Igreja é uma sociedade voluntária era característica do não conformismo[85] e mostra pouca noção do desenvolvimento histórico da Cristandade católica: sofre, na verdade, dos mesmos defeitos de abstração e artificialismo de sua teoria do Estado[86].

Mas apesar desses defeitos, talvez até devido a eles, a tolerância de Locke na religião, assim como seu liberalismo na política, estava de acordo com o pensamento racionalista de sua época. Da mesma forma que suas doutrinas políticas favoreceram a causa da liberdade constitucional, também a ideia moderna da Igreja livre no Estado livre pode seguir o rastro de seus argumentos rumo à tolerância. Seja no "sistema voluntário" dos Estados Unidos da América ou nos domínios britânicos, ou na "laïcité" da República Francesa, a dívida para com Locke é evidente.

Nota sobre o texto

Os *Dois tratados sobre o governo civil* foram publicados pela primeira vez anonimamente, em 1690. A primeira edição é bastante rara, não havendo cópia nem no Museu Britânico nem na Bodleiana. Duas outras edições foram publicadas durante a vida de Locke, em 1694 e em 1698, cada uma contendo várias emendas e adições. Muitas alterações adicionais surgiram na edição coletada das *Obras* de Locke, que teve sua primeira publicação em 1714, e em que uma nota introdutória contém uma transcrição de uma cláusula do testamento de Locke, declarando que as edições anteriores dos *Tratados sobre o governo civil* eram "todas muito incorretas". Foi dito que uma edição separada (a sexta) dos *Tratados*, publicada em 1764, não somente foi confrontada com as edições publicadas durante a vida do autor, mas também tem "a vantagem de suas últimas correções e aperfeiçoamentos, a partir de uma cópia entregue por ele ao Sr. Peter Coste, transmitida ao editor, e atualmente se encontra no Christ's College, em Cambridge".

Algumas dessas sucessivas adições e alterações elucidam o sentido, e outras ampliam pontos que Locke estava especialmente ansioso para enfatizar. Nem tudo será percebido como aperfeiçoamentos da versão original, pois às vezes repetem o que ele já havia dito em outra parte, tendendo assim a aumentar a impressão de prolixidade e extensão que já era um defeito do estilo de Locke, em especial quando comparado à clareza e à pungência de Hobbes. Não obstante, este é o texto que aparentemente teria recebido a aprovação final de Locke, e assim foi assumido aqui; mas são fornecidas indicações onde ele parte dos textos anteriores, que foram reproduzidos em uma ou duas edições populares, e desse modo se tornaram familiares a muitos leitores modernos. A pontuação e a linguagem foram modernizadas.

Resumo do primeiro tratado sobre o governo civil

por Bernard Gilson

DESMASCARADOS E DERRUBADOS OS FALSOS PRINCÍPIOS DE ONDE PARTEM SIR ROBERT FILMER E SEUS ADEPTOS

Capítulo I

1. Para o homem, a escravidão é um estado tão vil, tão miserável e tão diretamente contrário ao temperamento generoso e à coragem de nossa nação, que é difícil imaginar como um inglês, e menos ainda um cavalheiro, poderia advogar em seu favor. Na verdade, como qualquer outro tratado que tentaria convencer os homens, sem exceção, de que eles são escravos e devem sê-lo, eu teria considerado o *Patriarcha* de Sir Robert Filmer uma nova exibição pretensiosa, comparável ao elogio de Nero, ao invés de um discurso sério, concebido como tal, se a gravidade do título e da introdução, a imagem apresentada no cabeçalho do livro e os aplausos que o têm acompanhado não me obrigassem a acreditar na sinceridade do autor e também do editor. Então o tomei nas mãos com todas as esperanças que atraem um tratado cuja aparição provocou tanto alarido, e o li de um só fôlego com toda a seriedade que lhe era devida; mas confesso que, neste livro que devia forjar as correntes de toda a humanidade, eu me surpreendi muito ao não encontrar senão uma corda de areia, útil, talvez, àqueles cuja arte e ofício consistem em levantar nuvens de poeira para cegar o povo e fazê-lo extraviar-se mais facilmente, mas frágil demais para arrastar na servidão aqueles que mantêm seus grandes olhos abertos e bastante bom-senso para pensar que as correntes são pouco convenientes, ainda que se cuidasse de limá-las e poli-las.

2. Se alguns pensam que eu exagero quando falo de forma tão livre de um homem que é o gran-

de campeão do poder absoluto e ídolo daqueles que o adoram, eu lhes suplico, apenas uma vez, que não recusem esta pequena concessão a um indivíduo que, mesmo após ter lido o livro de Sir Robert e assim como a lei o autoriza, não pode se impedir de considerar a si mesmo um homem livre; pois eu sei que isso não é uma falta, a menos que se encontre alguém mais informado do que eu sobre os rumos do destino e que tem alguma revelação da próxima notícia; há tanto tempo adormecido, desde que foi publicado este tratado consagrou-se a perseguir toda a liberdade pela força de seus argumentos e, de agora em diante, este modelo acanhado proposto por nosso autor servirá de Decálogo e de critério perfeito da política para todas as épocas futuras. Seu sistema tem pouco espaço. Reduz-se a isto: "Todo governo é uma monarquia absoluta"; e eis sobre o que ele se baseia: "Nenhum homem nasce livre".

3. Desde que surgiu no mundo uma geração pronta a lisonjear os príncipes formulando a opinião de que estes são investidos de um direito divino de exercer o poder absoluto, sem levar em conta leis destinadas a reger a instituição de seu cargo e o exercício de seu governo, ou condições para que eles iniciem suas funções, ou ainda o compromisso de respeitá-las, fosse este ratificado por juramentos ou promessas da maior solenidade, estas pessoas negaram à humanidade seu direito à liberdade natural: assim fazendo, não somente expuseram todos os indivíduos à pior miséria da tirania e da opressão, tanto quanto puderam, mas ainda os títulos dos príncipes tornaram-se duvidosos e seus tronos abalados (pois, segundo esta doutrina, todos os príncipes, com uma única exceção, também eles nascem escravos, e, em virtude de um direito divino, são herdeiros legítimos de Adão), como se eles quisessem entrar

em uma guerra contra todo o governo e inverter as próprias bases da sociedade humana.

4. Entretanto, seria preciso acreditar em sua palavra, quando eles nos dizem que todos nascemos escravos; e o mal não tem remédio, devemos assim permanecer. Para nós, a vida e a servidão tiveram início no mesmo momento; jamais nos libertaremos de uma sem nos separarmos da outra; todavia, eu ignoro onde, quer na Escritura, quer na razão isto esteja assegurado, apesar dos esforços destes indivíduos para nos convencer, que a autoridade divina nos tenha sujeitado à vontade ilimitada de um outro: admirável condição da humanidade, que não tivemos inteligência para descobrir até um período muito recente. Embora Sir Robert Filmer pareça condenar a opinião contrária, creio que ele terá dificuldade em encontrar outro século além do nosso, ou outro país, que houvesse afirmado o caráter divino da monarquia. Ele reconhece que "Heyward, Blackwood, Barclay e outros que quase sobre todos os pontos lutaram com coragem em defesa ao direito dos reis" jamais pensaram nisso e "em comum acordo admitiram a liberdade e a igualdade naturais dos homens".

5. Ao primeiro que se constituiu o iniciador desta doutrina e a expandiu entre nós, com os tristes efeitos que ela arrasta consigo, deixo aos historiadores o encargo de mencioná-lo, ou à memória dos contemporâneos de Sibthorp e Manwering a tarefa de recordá-lo; aqui eu me contentarei em examinar o que disse a este respeito Sir Robert Filmer, autor conhecido por ter conduzido este argumento aos seus limites mais extremos e que consta ter-lhe proporcionado sua forma perfeita; eis de que mestre todos aqueles que querem se comportar à moda de um francês na corte aprenderam este sistema político estreito, e

para se garantir o levavam no bolso: a saber, "os homens não' nascem livres; está então excluído que jamais tenham tido a liberdade de escolher governantes ou formas de governo; o poder dos príncipes é absoluto e de direito divino, pois jamais escravos puderam reivindicar um contrato ou um consentimento; Adão era monarca absoluto e, da mesma forma, todos os príncipes desde então".

Capítulo II
DO PODER PATERNO E REAL

6. A grande tese de Sir Robert Filmer é que "os homens não são naturalmente livres"; eis sobre que base sua monarquia absoluta repousa e se eleva tão alto que seu poder prevalece sobre qualquer outro, *caput inter nubila*; tão acima de todas as coisas terrestres e humanas, que o pensamento pode apenas tocá-lo, que as promessas e os juramentos que a divindade obriga não são suficientes para estorvá-lo. Entretanto, se este fundamento enfraquece, todo o edifício desmorona com ele e é preciso deixar os governos reencontrarem seu antigo modo de constituição por meio de procedimentos voluntários e do consentimento dos homens que se utilizam de sua razão para se unirem em sociedade. Na p. 12 ele quer provar esta tese principal, dizendo: "Os homens nascem dependentes de seus pais", e, por conseguinte, não podem ser livres. Esta autoridade dos pais ele chama de "autoridade real", p. 12, 14, "autoridade paterna, direito de paternidade", p. 12, 20. Seria possível acreditar que, ao iniciar uma obra desse gênero, destinada a servir de único apoio à autoridade dos príncipes e à obediência dos súditos, ele nos teria indicado explicitamente o que é esta autoridade paterna; que ele a teria definido, senão limita-

do, visto que em outros tratados oriundos de sua pena ele a apresenta a nós como ilimitada e não suscetível a limitação; deveria nos ter fornecido pelo menos muitas informações a seu respeito para que pudéssemos ter uma ideia completa desta "paternidade" ou "autoridade paterna" quando a encontramos em seus escritos. Esta eu esperava encontrar no primeiro capítulo de seu *Patriarcha.* Mas em vez disso, de passagem: 1. ele começa assegurando a obediência dos *arcana imperii*, p. 5; 2. ele apresenta seus cumprimentos "aos direitos e liberdades de nossa nação ou de qualquer outra", p. 6, o que logo em seguida vai tratar de anular e destruir; e 3. após uma saudação a estes homens eruditos que não cumpriram sua missão com tanta penetração quanto ele, p. 7, ele se lança sobre *Belarmino,* p. 8, e, graças à vitória que obtém, estabelece sua "autoridade paterna" sem qualquer contestação; *Belarmino* se vê derrotado por sua própria confissão, p. 11; a batalha está seguramente ganha, não se necessita mais de tropas; pois, feito isso, eu não o vejo mais colocar a questão ou reunir argumentos para justificar sua opinião; antes de mais nada ele nos conta a sua maneira a história desta espécie estranha de fantasma chamado "paternidade" que só bastaria a qualquer um agarrar para obter imediatamente o império e um poder absoluto ilimitado. Agora ele nos garante que esta "Paternidade" teve início na pessoa de Adão, prosseguiu seu curso, manteve a ordem no mundo durante toda a era dos *Patriarcas* até o dilúvio, saiu da arca com Noé e seus filhos, estabeleceu e sustentou todos os reis da terra até o cativeiro dos israelitas no Egito e então a pobre "paternidade" ficou no porão até o dia em que, "dando reis aos israelitas, Deus restabeleceu o direito antigo e fundamental da sucessão ao governo paterno em linha direta".
Eis do que se ocupam as p. 12-19; e então, en-

frentando uma objeção e esclarecendo uma ou duas dificuldades com uma meia-verdade, p. 23, "para confirmar o direito natural do poder real", ele conclui o primeiro capítulo. Espero não ofender qualificando uma meia-citação de meia-verdade, pois Deus disse "Honra teu pai e tua mãe", mas nosso autor se contenta com a metade; deixa de lado pura e simplesmente "tua mãe", como se fosse de pouca utilidade para o seu propósito; mas voltarei a isso em outra parte.

7. Não considero nosso autor tão incompetente na arte de escrever discursos dessa natureza, ou tão pouco atento à questão tratada, que pudesse cometer por descuido o engano que ele mesmo critica nestes termos o Sr. Hunton, em sua *Anarquia de uma monarquia mista*, p. 239: "Em primeiro lugar, declaro que o autor está errado, por não nos ter apresentado nenhuma definição ou descrição da monarquia em geral, pois, segundo às regras do método, ele deveria começar por definir". De acordo com a própria regra do método. Sir Robert deveria nos dizer o que é esta "paternidade", ou sua "autoridade paterna", antes de nos indicar em quem ela se encontra e antes de falar tanto dela. Talvez Sir Robert temesse que esta "autoridade paterna", este poder dos pais e dos reis, visto que ele os identifica, p. 24, evocasse um personagem estranho e aterrorizante, muito diferente deste que os filhos imaginam de seus pais, ou os súditos de seus reis, se ele nos desse a dose toda de uma só vez, sob a forma gigantesca que sua imaginação lhe representava; também imitou o médico cauteloso que deseja que seu paciente beba alguma droga acre ou corrosiva e a mistura com uma grande quantidade de uma substância capaz de diluí-la, para que as partículas dispersas possam descer suscitando sensações menos fortes e causar menos repugnância.

8. Tentemos ver que indicações ele nos fornece sobre esta "autoridade paterna", tal qual ela se encontra disseminada nas diferentes partes de seus escritos. De início, ele nos diz que, como Adão dela estava investido, "não somente Adão, mas os patriarcas sucessivos, tinham por seu direito de paternidade uma autoridade real sobre seus filhos", p. 12. "Este domínio sobre o mundo inteiro, que Adão exercia por obediência e do qual os patriarcas desfrutavam como se o tivessem recebido dele por transmissão legítima, se igualava, por suas dimensões e por sua amplitude, à soberania absoluta de todos os monarcas que existiram desde a criação", p. 13. "Poder de vida e de morte; de fazer a guerra e decidir a paz", p. 13. "Adão e os patriarcas tinham um poder absoluto de vida e de morte", p. 35. "Os reis, por direitos de seus pais, sucedem ao exercício do poder supremo", p. 19. "Como o poder real é de direito divino e nenhuma lei inferior o limita, Adão era o senhor de todos", p. 40. "Um pai de família não governa em virtude de nenhuma outra lei, exceto a sua própria vontade", p. 78. "A superioridade dos príncipes está acima das leis", p. 79. "O poder ilimitado dos reis está descrito muito extensamente por Samuel", p. 80. "Os reis estão acima das leis", p. 93; e neste sentido encontramos muitas outras passagens ainda, em que nosso autor se exprime na linguagem de Bodin: "É certo que todas as leis, todos os privilégios e todas as concessões dos príncipes só têm efeito para aquele que desfruta deles, a menos que o príncipe seguinte os ratifique, aprovando-os ou tolerando-os, sobretudo os privilégios", O. p. 279. "A razão para que os reis também fizessem leis era a seguinte: quando os reis estavam empenhados nas guerras ou retidos por questões públicas, de modo que nem todos os indivíduos pudessem ter acesso a sua pessoa, para conhe-

cer suas vontades e seus desejos, por absoluta necessidade era preciso criar leis, de tal forma que cada súdito individualmente pudesse tomar conhecimento das intenções de seu príncipe lendo as tábuas de suas leis", p. 92. "Em uma monarquia, o rei deve estar necessariamente acima das leis", p. 100. "Um reinado perfeito é aquele onde o rei dispõe de tudo segundo sua própria vontade", p. 105. "Nem o direito comum nem as leis escritas constituem, nem podem constituir, por qualquer motivo, uma limitação ao poder geral que os reis têm sobre seu povo por direito de paternidade", p. 115. "Adão era o pai, o rei e o senhor de sua família; no início, nada distinguia entre um filho, um súdito, um servo ou um escravo. O pai tinha o poder de alienar ou de vender seus filhos ou seus escravos, o que explica que no primeiro inventário dos bens na Escritura o servo e a serva figuram entre as posses do proprietário e em seu ativo, como os outros objetos". O. Prefácio. "Deus também deu ao pai o direito ou a faculdade de alienar o poder que ele exerce sobre seus filhos em benefício não importa de que outra pessoa; isso explica que evidenciemos que a venda e a doação dos filhos fosse tão comum no começo do mundo, quando os homens tinham servos a título de posse e de herança, assim como os outros bens, e vejamos que o poder de castrar e produzir eunucos era muito utilizado nos tempos antigos", O. p. 115. "A lei não é senão a vontade daquele que possui o poder do pai supremo", O. p. 223. "Deus ordenou que a supremacia seja ilimitada na pessoa de Adão e se estenda a todos os atos de sua vontade; e que todos aqueles que detêm o poder supremo sejam como ele", O. p. 245.

9. Precisei importunar meu leitor com estas diversas citações dos próprios termos de que se serve nosso autor, a fim de que se pudesse lá

encontrar, da maneira que ele próprio descreve, sua "autoridade paterna", de tal forma ela se encontra disseminada, aqui e ali, em seus escritos; ele supõe que, antes de tudo, Adão estava investido desta autoridade, e que desde então ela pertence por pleno direito a todos os príncipes. Esta "autoridade paterna" ou este "direito de paternidade", no sentido do nosso autor, é, pois, um direito de soberania divino e inalterável, em virtude do qual o pai ou o príncipe exercem um poder absoluto, arbitrário, sem limites e que não se pode limitar, sobre a vida, a liberdade, o destino de seus filhos ou súditos, de tal maneira que podia tomar ou alienar seus bens e vender, castrar ou utilizar suas pessoas como bem entendesse, porque todos são seus escravos, enquanto ele é o senhor e o proprietário de todas as coisas e sua vontade ilimitada lhes serve de lei.

10. Como nosso autor investiu Adão de um poder tão temível e fundamenta sobre esta hipótese todos os governos e o poder de todos os príncipes, poder-se-ia esperar que ele fornecesse a prova disso com argumentos claros e evidentes, adequados à importância da causa. Dessa maneira, como teriam perdido todo o resto, os homens poderiam conhecer, na escravidão, provas tão irrefutáveis de sua necessidade que se sentiriam convencidos em sua alma e consciência; e isso os obrigaria a se submeterem pacificamente à dominação absoluta que seus governantes teriam o direito de exercer sobre eles; pois, se não fosse este o caso, o que nosso autor podia fazer ou pretender fazer erigindo este poder ilimitado, exceto adular a ambição e a vaidade dos homens, tão propensa a se inflar e dilatar com a possessão de um poder qualquer? Além disso fazer com que estes acreditem que o consentimento de seus irmãos humanos promoveu empregos em que detêm um poder iminente, mas limitado,

que aquele que lhes foi dado lhes atribui tudo isto que esta dádiva não comportava, como se eles pudessem fazer tudo o que lhes agradasse, porque estão qualificados para fazer mais que os outros; e, desta maneira, tentar fazer com que eles realizem atos que não se aplicam nem ao seu bem nem ao bem daqueles que estão sob sua guarda, o que acarretará forçosamente grandes infelicidades?

11. Como nosso autor fundamenta sua poderosa monarquia absoluta sobre a soberania de Adão, como sobre uma base segura, eu esperava vê-lo estabelecer e provar, em seu *Patriarcha,* esta hipótese principal de que ele parte, com todos os argumentos exigidos por uma tese fundamental deste gênero; e que a verdade, que serve de centro de gravidade para toda a questão, receba provas suficientes para justificar a confiança pela qual é aceita. Entretanto, percorrendo o conjunto da obra, não recolhi grande coisa que se dirija neste sentido; o fato é supostamente aceito sem provas, e eu mal podia acreditar em meus olhos quando, à leitura atenta deste tratado, constatei que uma construção tão poderosa se encontrava edificada sobre a simples suposição desta premissa; pois é quase inacreditável que, em um discurso onde ele pretende refutar o "princípio errôneo da liberdade natural" do homem, ele o faça postulando simplesmente a "autoridade de Adão", sem apresentar a menor prova. Ele chega mesmo a afirmar categoricamente "que Adão possuía uma autoridade real", p. 12, "um domínio e uma disposição absolutos sobre a vida e a morte", p. 13, "uma monarquia universal", p. 33, "um poder absoluto de vida e de morte", p. 35. Ele reitera frequentemente afirmações deste tipo, mas o que é estranho é o fato de que em todo o seu *Patriarcha* eu não encontro o simulacro de uma única razão para estabelecer estes fundamentos

que ele dá ao governo, nem nada que possa parecer um argumento, exceto as palavras que se seguem: "Como confirmação deste direito natural do poder real, constatamos que o *Decálogo* formula nestes termos a lei que obriga obediência aos reis, 'Honra teu pai', como se todo poder residisse em sua origem na pessoa do pai". Assim sendo, por que eu não poderia acrescentar que o *Decálogo* formula a lei que obriga obediência aos reinos nestes termos "Honra tua mãe", como se todo o poder residisse na pessoa da mãe? Da forma como Sir Robert o apresenta, o argumento vale tanto para uma como para a outra, mas retornarei a isso mais adiante.

12. Tudo o que observo é que nosso autor não se alonga muito, nem em seu primeiro capítulo nem em qualquer dos seguintes, para provar o "poder absoluto de Adão", que lhe serve de grande príncipe; no entanto, como se houvesse estabelecido isso por uma demonstração segura, começa seu segundo capítulo com estas palavras: "Administrando estas provas e razões extraídas da autoridade da Escritura". Confesso que não consegui ver onde se encontram estas "provas e razões da soberania de Adão", salvo aquela de "Honra teu pai" mencionada acima; ou então, sua afirmação "Nestes termos encontramos o testemunho manifesto, ou seja, de Belarmino, que a criação tornou o homem príncipe de sua posteridade", deve ser considerada como constituinte de provas e razões extraídas da Escritura, ou de qualquer prova, graças a uma dedução de um novo tipo, nas palavras que imediatamente se seguem: e na verdade, conclui ele, "a autoridade real de Adão" está suficientemente estabelecida em sua pessoa.

13. Se neste capítulo, ou não importa onde em toda a obra, ele apresentou outras provas da "autoridade real de Adão", além da frequência com que ele a afirma, o que passa por um argumento na

opinião de alguns, convido quem quiser se encarregar de me mostrar o local e a página, para que eu possa me convencer de meu erro e reconhecer meu descuido. Se não se encontrar qualquer argumentação deste tipo, imploro àqueles que tanto exaltaram este livro que se perguntem se não estão dando ao mundo a ocasião de suspeitar que eles defendem a monarquia absoluta, não pela força das razões e dos argumentos, mas porque cedem àquela do interesse e estão então resolvidos a aplaudir qualquer autor que escreva a favor de uma tal doutrina, dando-lhe ou não uma justificativa racional. Espero que mal saibam que homens providos de razão e desprovidos de preconceitos se lançam a ganhar sua confiança, porque, em um discurso destinado a estabelecer "o poder monárquico absoluto de Adão" em oposição à "liberdade natural" da humanidade, este grande doutor que eles invocam no assunto disse tão pouco para prová-lo que seria mais natural concluir que não há muita coisa a ser dita.

14. Contudo, eu não queria me poupar nenhum esforço para conhecer plenamente o pensamento de nosso autor; então consultei suas *Observações sobre Aristóteles, Hobbes etc.*, a fim de ver se ele se servia de argumentos, quaisquer que fossem eles, para apoiar sua querida tese da "soberania de Adão", em suas controvérsias com os outros, uma vez que foi tão parcimonioso em seu tratado sobre o *Poder natural dos reis*. Nas observações sobre o *Leviatan* do Sr. Hobbes, creio que ele agrupou, em resumo, a totalidade dos argumentos dos quais o vi se servir onde quer que seja em seus escritos: "Se Deus criou apenas Adão, e depois, de uma parte de seu corpo, fez a mulher, e se, a partir de um e de outro, toda a humanidade se encontra engendrada como uma parte deles mesmos e se multiplica; se Adão recebeu de Deus o domínio não somen-

te sobre sua mulher e sobre os filhos que nasceram deles, mas também sobre a terra inteira para submetê-la e sobre todas as criaturas que aqui vivem, de tal maneira que, durante toda a vida de Adão, nenhum homem pudesse reivindicar ou possuir o que quer que seja, salvo em virtude de uma doação, de uma cessão ou de uma autorização emanando dele, eu me pergunto etc." O. p. 165. Aqui encontramos o resumo de todos os argumentos para a "soberania de Adão" e contra a "liberdade natural" que se encontram disseminados em seus escritos. Ei-los: "a criação de Adão por Deus", o "poder" que Ele lhe deu sobre Eva e o "poder" que ele possuía, como "pai, sobre seus filhos"; eu os examinarei a todos, um por um.

Capítulo III
DO TÍTULO DE ADÃO À SOBERANIA PELA CRIAÇÃO

15. No prefácio de suas *Observações sobre a Política de Aristóteles,* Sir Robert nos diz: "não se pode supor que a humanidade seja naturalmente livre, sem negar que Adão tenha sido criado"; assim sendo, eu não vejo como a criação de Adão pôde lhe conceder um poder soberano sobre o que quer que fosse, pois ela consistia apenas, para ele, em receber o ser diretamente da onipotência e da mão de Deus; não compreendo então porque a "hipótese da liberdade natural equivale à negação da criação de Adão" e seria de muita ajuda se alguém me explicasse isto, porque nosso autor não se dignou ele próprio de fazê-lo. Não experimento qualquer dificuldade em supor que a humanidade seja naturalmente livre, ainda que eu sempre tenha acreditado que "Adão foi criado"; ele foi criado, ou começou a existir, em virtude de uma ação di-

reta do poder divino, sem a intervenção de pais ou sem que seres da mesma espécie devessem ter existido antes dele para gerá-lo; e isso, no momento determinado por Deus; e, da mesma maneira, antes dele, o leão, o rei dos animais, começou a existir em virtude do poder criador de Deus; em consequência, se o único fato de um ser existir em virtude deste poder, sem nada além, é suficiente para lhe conferir a soberania, nosso autor raciocinando desta forma vem provar que o leão pode fazer valer um direito tão bom quanto aquele de Adão e, certamente, mais antigo. Não! pois Adão extraía seu direito de "Deus, que o havia designado", diz o autor em outra parte. Neste caso, não foi o fato da "criação", isoladamente, que concedeu o poder a Adão; é então possível "supor que a humanidade seja livre sem negar que Adão foi criado", porque foi o ato pelo qual Deus o "designou" que o fez rei.

16. Vejamos como ele concilia sua "criação" e sua "designação". "Em virtude da designação divina", diz Sir Robert, "desde que Adão foi criado, ele se tornou rei do mundo, mesmo que não tivesse ainda súditos; é verdade que não podia existir governo efetivo enquanto não houvesse súditos, mas Adão extraía da lei da natureza o direito de governar sua posteridade; Adão era então rei desde o momento de sua criação, em potência, mas não em ato". Lamento que o autor não nos diga o que ele entende por "designação divina". Pode-se explicar por uma "designação divina" tudo o que a Providência determina, tudo o que prescreve a lei da natureza, ou tudo o que ensina a revelação direta; mas suponho que não se saberia tratar-se aqui do primeiro sentido, ou seja, da determinação da Providência; pois isso equivaleria a dizer que Adão exerceu uma realeza "de fato desde que foi criado", porque "a lei da natureza" lhe "concedia o direito de governar

sua posteridade". A Providência não podia lhe conferir uma realeza "de fato" sobre o mundo, em uma época em que não existia nem governo nem súditos para serem governados, o que nosso autor reconhece aqui. Ele chega até a dar à expressão "monarca do mundo" um sentido diferente, pois entende às vezes por isso um indivíduo que seria proprietário da totalidade do mundo, com exceção do resto da humanidade, como o faz em seu Prefácio, à página que já citei; ele diz: "uma vez que Adão recebeu a ordem de multiplicar sua raça, de povoar a terra e dela tornar-se senhor, e recebeu a soberania sobre todas as criaturas, tornou-se, por isso mesmo, o monarca do mundo inteiro; desde então, nenhum de seus descendentes pode ter o direito de possuir o que quer que seja, a menos que tenha dele este direito, por meio de uma concessão, uma permissão ou uma sucessão".

Suponhamos então que ele deixe de entender, por "monarca", o proprietário "do mundo" e, por "designação", uma verdadeira doação divina e uma cessão especial efetuada em prol de Adão sob a forma de uma revelação (Gn 1,28); são as definições que o próprio Sir Robert sustenta na passagem que eu comento; neste caso, seu argumento se apresenta da seguinte maneira; "desde que Adão foi criado, tornou-se proprietário do mundo, porque a lei da natureza lhe concedia o direito de governar sua posteridade". Este raciocínio encerra dois erros claros. Primeiro, é falso que Deus tenha efetuado esta cessão em favor de Adão logo após tê-lo criado; na verdade, ainda que o texto que a isso se refere venha imediatamente em seguida àquele que relata a sua criação, é evidente que Deus não podia se dirigir a Adão nestes termos antes de ter feito Eva e de tê-la conduzido para junto dele; pergunta-se como ele podia ser "rei em virtude de uma designação especial desde o momento de sua criação"; mais ainda porque o texto, se não me engano, qualifica de "concessão original do governo" as palavras que Deus pronuncia, dirigindo-se a Eva, na passagem Gn 3,16; este acontecimento é posterior à queda; quando ocorreu, algum tempo havia decorrido desde a "criação" de Adão e a situação deste havia mudado muito; não percebo então como nosso autor pode dizer neste sentido que Adão "tornou-se rei do mundo em virtude de uma designação especial desde o momento de sua criação". Em segundo lugar, se era verdade que foi uma doação divina que constituiu "a designação especial de Adão como monarca do mundo desde o momento de sua criação", a razão que se enuncia aqui não bastaria para prová-lo; seria sempre a sustentação de um raciocínio falso, pois se Deus "designou Adão como monarca do mundo" por meio de uma doação especial, "é porque a lei da natureza concedia a Adão o direito de governar sua posteridade"; na verdade, se Deus já havia concedido a Adão o direito de governar em virtude da natureza, não teria por que fazer-lhe uma doação especial, ou, pelo menos, a primeira dádiva não poderia constituir prova da segunda.

17. Por outro lado, isto não resolve muito se, por "designação divina", entendemos a lei da natureza (ainda que seja uma maneira muito dura de designá-la neste contexto), e por "monarca do mundo", o chefe político soberano do mundo; pois, neste caso, a frase que examinamos se apresenta sob a seguinte forma: "em virtude da lei da natureza, desde o momento de sua criação, Adão foi encarregado de governar sua posteridade"; o que equivale dizer que ele "governava em virtude da lei da natureza, porque governava em virtude da lei da natureza". Mesmo que se suponha que concedêssemos que o homem seja "natural-

mente encarregado de governar" seus filhos, isso não poderia provar que Adão tenha se tornado "monarca desde o momento de sua criação"; na verdade, se o homem é naturalmente encarregado em virtude de sua qualidade de pai, acredito que é difícil conceber como Adão podia ser "naturalmente encarregado de governar" antes de ser pai, ele que não podia extrair o direito de governar senão de sua qualidade de pai; ou então, é preciso sustentar que ele era pai antes de ser pai, ou que possuía um direito antes de possuí-lo.

18. A esta objeção, fácil de prever, nosso autor responde, com muita lógica, que Adão "foi encarregado do governo em potência, mas não em ato"; eis um meio bem elegante de governar sem governo, de ser pai sem filhos e de ser rei sem súditos. Da mesma maneira, Sir Robert era autor antes de ter escrito seu livro; não "em ato", é verdade, mas "em potência", porque, depois que ele o tivesse publicado, "a lei da natureza lhe teria concedido o direito" de ser autor, assim como Adão "possuía o direito de governar seus filhos" antes de tê-los gerado; se isso resolvia o caso de ser assim "monarca do mundo", ou seja, monarca absoluto "em potência, mas não em ato". Sir Robert pode conferir graciosamente este direito a qualquer um de seus amigos se ele lhe parecer conveniente, e não sou eu quem o desejará; todavia, mesmo que estes termos "ato" e "potência" designassem outra coisa além da habilidade de nosso autor na arte da distinção, não estariam em seu devido lugar aqui. A questão não é saber se Adão exercia efetivamente o governo, mas se estava efetivamente investido do direito de governar; "o direito da natureza", diz nosso autor, "habilitava" Adão a governar. O que vem a ser então este direito da natureza? O direito que pertence aos pais de exercer poder sobre a pessoa dos filhos porque ele os

gerou; *geratione jus acquiritur parentibus in liberos,* diz nosso autor, que cita Grotius, O. 223. Assim, o direito acompanha o fato da procriação, do qual procede; e, segundo esta maneira de raciocinar, ou de distinguir, que é a de nosso autor, Adão estava investido de seu direito desde o momento de sua criação, mas "somente em potência e não em ato"; ou seja, "em bom inglês", ele não tinha direito algum.

19. Para se falar em termos menos eruditos, mas mais inteligíveis, pode-se dizer que Adão tinha a possibilidade de tornar-se "chefe político", porque era possível que tivesse filhos e adquirisse, desta maneira, o direito natural, fosse qual fosse, que resulta disso; mas que relação existe entre isso e "a criação de Adão", que permite afirmar que "ele se tornou monarca do mundo desde o momento de sua criação"? Visto isso, poder-se-ia também dizer que Noé se tornou monarca do mundo desde o momento de sua criação, porque ele tinha a possibilidade de sobreviver à humanidade inteira, com exceção de sua própria posteridade, o que, depois da definição de nosso autor, é suficiente para fazer um monarca, um "monarca em potência". Confesso, de minha parte, não perceber onde existe e como se pretende uma relação necessária entre "a criação de Adão" e seu "direito de governar", o que obrigaria a concluir que "não se pode supor que a humanidade seja naturalmente livre sem negar que Adão foi criado"; nem como é possível reunir as palavras "em virtude da designação especial etc.", O. 254, qualquer que seja a explicação que se dê, de maneira que elas tenham um sentido um pouco mais aceitável, ou, pelo menos, que provem a afirmação sobre a qual estão assentadas, "ou seja, que Adão se tornou rei desde o momento de sua criação"; um rei, diz nosso autor, "não em ato, mas em potência"; ou seja, na realidade rei nenhum.

20. Temo ter cansado a paciência de meu leitor detendo-me sobre esta passagem mais tempo do que parece exigir o peso dos argumentos que ela encerra; mas foi a maneira de escrever de nosso autor que me arrastou irresistivelmente; ele amontoa várias suposições umas em cima das outras e o faz em termos ambíguos e gerais; a mistura e a confusão que disso resulta são tais que não se pode apontar os erros que ele comete sem examinar os diferentes significados que os termos dos quais ele se serve são suscetíveis de receber e sem averiguar de que maneira, se tomamos qualquer uma de suas acepções, eles conseguem se entrosar entre elas e conter alguma verdade; na passagem que tratamos aqui, nada poderia impedir a refutação da tese do autor, ou seja, a afirmação de que "Adão se tornou rei desde o momento de sua criação", sem examinar primeiro o sentido das palavras "desde o momento de sua criação"; deve-se compreender que elas se referem, pois é possível, ao momento em que Adão começou a governar, como implica o membro de frase precedente: "desde o momento de sua criação, ele se tornou monarca", ou que se referem ao fato gerador do poder de Adão, pois o texto diz, p. 11, "a criação fez do homem o príncipe de sua descendência"? Como se pode julgar que é verdade que Adão seja rei de certa maneira, se não se averigua primeiro em que sentido se deve interpretar a palavra rei? Trata-se, como a redação do início desta passagem dá a entender, dos "direitos de prerrogativa privada" de Adão, que este tinha por uma concessão divina especial enquanto "monarca do mundo nomeado" por Deus? Ou a ideia de rei evoca o "poder paterno" que Adão exercia sobre sua descendência e que lhe era "devido em virtude do direito da natureza"? É preciso então dar à palavra rei um ou outro destes dois sentidos, ou nem um

nem outro, e compreender que a criação fez de Adão um príncipe de uma maneira diferente daqueles dois? Ainda que em nenhum sentido seja verdadeiro afirmar que "Adão tenha se tornado rei desde o momento de sua criação", esta tese nos é aqui apresentada como uma conclusão que seria deduzida daquela que a precede; então, na realidade, não é senão uma afirmação gratuita, justaposta a outras da mesma espécie, que reúne ousadamente, como em um raciocínio, termos de sentido impreciso e duvidoso, onde não existe nem prova nem encadeamento; este procedimento é costumeiro em nosso autor; como acabo de dar aqui um resumo ao leitor, eu me absterei, tanto quanto o assunto me permitir, de voltar a esta questão; se aqui eu toquei no assunto, foi para fazer ver ao mundo como ideias incoerentes e hipóteses que não vêm acompanhadas de nenhuma prova, se as reunirmos de uma bela maneira, numa linguagem bem apresentada e num estilo aceitável, podem passar por raciocínios sólidos e sensatos, até o dia em que alguém as examinar com atenção.

Capítulo IV
DO TÍTULO DE ADÃO À SOBERANIA POR DOAÇÃO (Gn 1,28)

(Parágrafos 21-43) Filmer afirma que Deus deu o mundo a Adão, ordenando-lhe submeter a terra e povoá-la; a doação passa aos filhos na medida em que estes possuem os direitos de seu pai; mas é preciso distinguir a doação do mundo a título de propriedade daquele do poder real sobre os homens. Ora, o texto de Gn 1,28, em primeiro lugar não tornou Adão monarca da espécie humana, e, em segundo, concedeu-lhe um simples direito de co-propriedade sobre as criaturas inferiores. Os seres vivos dados por Deus são os animais privados de razão, terrestres, aquáticos ou aéreos, o gado, os animais selvagens e os répteis; eles não incluem o homem; senão a sujeição seria pior que a escravidão e o rei poderia comer seu povo.

A doação das espécies inferiores à espécie humana foi feita a todos os homens e não apenas a Adão. A Bíblia emprega o plural, porque Deus se dirigia também a Eva. Se Deus falava no plural antes de ter criado Eva, Ele se dirigia à humanidade coletivamente. O próprio Filmer declara que Deus deu a terra aos filhos dos homens. Como podia concluir que apenas Adão era o rei do mundo? Procura em seguida negar a copropriedade dos filhos de Noé: estes não teriam recebido o mundo senão na qualidade de subordinados ou de sucessores. Entretanto, a ordem de se multiplicar, dada por Deus aos homens, não interessava senão àqueles filhos de Noé que por sua vez se tornaram pais. Noé não recebeu mais direitos que Adão sobre seus filhos, mas Deus estendeu o campo de seu direito de propriedade sobre o mundo, autorizando-o a se alimentar de animais selvagens. Isso não confere nenhum poder sobre as pessoas. Todos da mesma maneira podem se alimentar de animais selvagens e nenhum dispõe de um privilégio que lhe permitisse reduzir os outros à obediência pela fome.

Capítulo V
DO TÍTULO DE ADÃO À SOBERANIA PELA SUJEIÇÃO DE EVA

(Parágrafos 44-49) Filmer imagina que Deus confiou o governo a Adão quando diz a Eva: "Teu desejo te colocará ao lado de teu esposo e ele te comandará". Entretanto, Deus amaldiçoava Eva e pouco se preocupava em conferir-lhe poderes. Condenou Adão ao trabalho e não colocou um cetro em suas mãos. A passagem citada não diz respeito senão à situação da mulher diante de seu marido.

Capítulo VI
DO TÍTULO DE ADÃO À SOBERANIA PELA PATERNIDADE

(Parágrafos 50-72) A tese principal de Filmer é que Adão possuía um direito natural de domínio sobre seus filhos em virtude da própria paternidade: tal seria a fonte de toda a autoridade real, homem algum nascendo livre. Grotius ensina que os pais adquirem um poder sobre seus filhos em virtude da geração. Entretanto, ele não pretende que se tratasse de um poder absoluto. Filmer o faz dizer isso. O argumento habitual é outro: os pais dão a vida aos filhos, portanto são senhores desta vida; mas aquele que dá nem sempre tem o direito de retomar.

O pai na verdade não dá a vida, de que ele não compreende sequer a natureza. Deus é o autor e o doador da vida e mais ainda da alma. O homem se acasala por desejo e, frequentemente, perpetua a raça contra a sua vontade. Se o pai tem direitos, a mãe compartilha deles. Os pais que abandonam seus filhos agem contra a natureza, o que não fazem nem os leões nem os lobos. Alguns chegam a comê-los. O homem cai mais baixo que os animais selvagens, se deixa de seguir a razão; e sua extravagância faz crer aos outros que ele é capaz de os comandar. Filmer apresenta hábitos criminosos como provas da autoridade paterna.

Filmer invoca o Decálogo: "Honra teu pai". Se tivesse acrescentado "e tua mãe", teria visto que não se tratava de um poder monárquico. A Escritura associa quase sempre a mãe ao pai. Ela ordena a obediência aos "pais". O Quinto Mandamento não autoriza o pai a dispensar o filho de honrar sua mãe. O direito natural concede aos dois um direito igual à honra. Igualmente, o avô paterno não pode dispensar o neto de honrar o pai. A obrigação não se situa no plano da obediência política, onde o soberano pode dispensar um súdito de obedecer a outro.

Filmer disse que o pai pode alienar seu poder em benefício de um terceiro. Supondo-se que ele pudesse alienar seu direito ao respeito, o que não é garantido, uma vez admitido que o magistrado supremo é ao mesmo tempo pai, nenhum súdito pode exercer autoridade sobre seus próprios filhos; ou, inversamente, todos os súditos que são pais seriam soberanos. Na realidade, Deus deu a terra aos homens e lhes ordenou obedecer e honrar seus pais; não conferiu aos pais nenhum poder de vida e de morte.

O homem possui portanto uma liberdade natural. Todos aqueles que compartilham a mesma natureza, as mesmas faculdades e os mesmos poderes são iguais por natureza e devem participar dos mesmos direitos e privilégios comuns, até aquele que um superior pudesse reclamar para si, seja uma designação divina manifesta, seja consentimento de seu subordinado. Isso destrói todo o raciocínio de Filmer. Em outro momento, Filmer se contradiz sem cessar com respeito ao ponto da respectiva autoridade dos pais e dos avós, pelas razões indicadas. Ele não atribui sempre a paternidade às mesmas pessoas: aos "pais", aos "filhos" durante a vida de seu pai, aos "pais de família", aos "pais" perpetuamente, à "herança de Adão", à "posteridade de Adão", aos "primeiros pais, todos filhos ou netos de Noé", aos "primeiros pais", a todos os reis, a todos aqueles que detêm o poder supremo, aos "herdeiros destes primeiros ancestrais, que eram no início os pais naturais de todo o povo", a um rei eletivo, àqueles, em pequeno ou em grande número, que governam a sociedade política, a um usurpador. Não importa, por conseguinte, quem pode ser "pai".

Capítulo VII
DA PATERNIDADE E DA PROPRIEDADE CONSIDERADAS EM CONJUNTO COMO FONTES DA SOBERANIA

(Parágrafos 73-77) Filmer justapõe duas proposições: apenas a afirmação da propriedade privada de Adão sobre o mundo permite evitar os absurdos da teoria da liberdade natural; o poder paterno é a fonte de todo poder. Como conciliá-los? Pela morte de Adão, seus bens passam ao filho mais velho, supondo-se que a regra da primogenitura se aplique à sucessão, mas o herdeiro dos bens apesar disso não se torna o pai dos filhos que não gerou. Todos os filhos de Adão permanecem pais de seus próprios filhos. Do ponto de vista da propriedade, Caim e Abel possuíam territórios e rebanhos distintos, já durante a vida de Adão. Igualmente, Noé dividiu o mundo entre seus três filhos. Filmer nega que a vontade popular possa constituir uma fonte de poder como a paternidade, pois esta dupla soberania conduziria a lutas sem fim. Entretanto, o resultado é o mesmo, quando se invoca do mesmo modo a propriedade e a paternidade.

Capítulo VIII
DA TRANSMISSÃO DO PODER MONÁRQUICO SOBERANO DE ADÃO

(Parágrafos 78-80) Filmer começa por dizer que ninguém podia possuir nada, exceto em virtude de uma doação ou de uma permissão de Adão, ou como sucessor deste; mas, pouco a pouco, termina por aceitar todos os procedimentos de transmissão da autoridade, inclusive a usurpação.

Capítulo IX
DA MONARQUIA COMO HERANÇA RECEBIDA DE ADÃO

(Parágrafos 81-103) Ainda que todo poder devesse ser monárquico, ainda seria preciso saber quem é rei e quem não é. Caso contrário, não haveria diferença entre os piratas e os príncipes legítimos. Somente a força garantiria a obediência. Mesmo que Adão detivesse uma poderosa monarquia absoluta, Filmer deveria ainda provar: primeiro, que este poder não cessou com Adão, mas passou integralmente para algum outro; segundo, que os reis e governantes atuais da terra recebem dele seu título em virtude de alguma transferência regular.

A propriedade vinha de uma doação, a paternidade do fato de gerar. Se a doação não estivesse acompanhada de uma cláusula expressa de transmissibilidade, não passaria aos sucessores de Adão por morte deste, mas retornaria a Deus. Na realidade, Deus deu ao homem o desejo de autopreservação e a inteligência para utilizar, para este fim, as criaturas inferiores. Deus deu também o desejo de perpetuar a espécie, através do qual os filhos têm o direito de dividir os bens dos pais e de herdá-los. Os pais não são proprietários por sua própria conta, mas devem prover as necessidades de sua progenitura. Por sua morte, esta obrigação cessa, mas seus efeitos devem continuar a se estender o máximo de tempo possível, de onde resulta um direito de sucessão natural em benefício dos filhos. Por isso a propriedade privada não retorna ao conjunto da humanidade por morte do proprietário. Por isso, também, o filho do morto, e não seu pai, é seu herdeiro. Todos os filhos de Adão foram seus herdeiros, sem que nenhum pudesse extrair disso o direito de comandar os outros.

Foi difundida a opinião de que existe um direito natural de primogenitura, tanto para os bens quanto para o poder. No entanto, a propriedade existe no interesse do proprietário, enquanto o poder existe no interesse daqueles sobre os quais ele é exercido. A criança pode reclamar de seu pai os meios de viver, mas não aqueles de comandar. Se a soberania procede do consentimento, vale-se da mesma regra que prevê sua transmissão. Se provém de uma doação divina, é preciso uma doação semelhante em benefício do novo titular. Se está fundamentada sobre a procriação, nenhum homem pode reivindicá-la diante de seus irmãos. Não existe direito natural de primogenitura, quer se trate do poder ou dos bens.

O herdeiro de Adão não podia receber de seu pai qualquer autoridade sobre Eva.

Os pais não podem alienar o poder que têm sobre seus filhos, mas, quando muito, se encontrar despojados dele. O pai adotivo adquire o título principal à piedade filial, mas não o poder paterno, que o pai natural simplesmente perdeu.

A paternidade não se transmite para o herdeiro. Pelo modo que Filmer definiu a paternidade e a propriedade de Adão, estes direitos eram intransmissíveis.

Capítulo X
DO HERDEIRO DO PODER MONÁRQUICO DE ADÃO

(Parágrafos 104-105) Filmer diz que em toda multidão há um homem que, por natureza, tem o direito de ser o rei dos outros como herdeiro de Adão, e que, por natureza, todo homem é rei ou súdito. Suponhamos que se reúna uma multidão composta precisamente de todos os reis e príncipes da terra. Logicamente, o mesmo princípio deveria se aplicar. Dessa maneira, todos reivindicariam para si um direito igual. É preciso admitir, ou que os reis não recebem sua autoridade de Adão por sucessão segundo a regra da primogenitura, ou que no mundo existe apenas um rei legítimo. Este pode ser o chefe de qualquer casa, desconhecendo-se que esteja ligada a outra. Ao contrário, se Adão tivesse mais de um herdeiro, todos os homens seriam igualmente seus herdeiros, sendo seus filhos ou os descendentes destes.

Capítulo XI
QUEM É ESTE HERDEIRO?

(Parágrafos 106-109) A questão que sempre desencadeou as guerras não é a de saber se há um poder no mundo nem qual é sua origem, mas a de decidir quem vai exercê-lo. Exaltar a soberania sem mostrar o titular é provocar desordens.

Filmer atribui um caráter de direito divino, não somente à autoridade, mas a sua transmissão, se bem que, para ele, toda usurpação seria um sacrilégio; mas ele nos indica o herdeiro legítimo? Ele nos fala da transferência do poder civil, pela instituição divina, ao pai mais velho. Literalmente, isso significa a pessoa mais idosa. Nada precisa a ideia da instituição divina ou aquela do poder civil. Não se consegue perceber bem quais são as regras sucessórias "por instituição divina". Filmer não define o herdeiro de Adão. Afirma que a exclusão de toda outra constituição além da monarquia e a atribuição exclusiva do poder a Adão, e depois ao seu herdeiro, são três mandados de Deus. Entretanto, todos os homens descendem de Adão.

Ele sustenta que o irmão mais velho comanda os mais novos. Deus disse a Caim sobre seu irmão Abel; "Seu desejo te será submetido e tu o comandarás"; mas Deus estabelecia como condição que Caim se conduzisse bem. Além disso, Caim e Abel eram proprietários de territórios distintos. Adão teve outros filhos além de Caim e Abel.

Ele invoca a bênção de Isaac a Jacó: "Sê o senhor de teus irmãos e que os filhos de tua mãe se inclinem diante de ti"; mas esta bênção não dizia respeito ao direito de primogenitura, que precisamente Jacó havia comprado de Esaú por via contratual. No tempo dos patriarcas, o direito de primogenitura não se estendia a toda a fortuna do pai; limitava-se a uma porção dupla. Cada filho mais moço devia receber sua parte. Jacó não era o mais velho, mas o mais novo. Esaú jamais se submeteu à autoridade de Jacó: partiu para se estabelecer no Monte Seir. Nenhum dos dois irmãos comandou o outro após a morte do pai. Cada um fundou uma nação separada: os edomitas e os israelitas.

A se referir à primogenitura, apenas o mais velho devia herdar. Se eram necessárias regras auxiliares, por exemplo quando o pai morre sem deixar filhos, estas não são conhecidas de maneira precisa. O importante é que eu saiba a que senhor devo obedecer. Eu jamais obedeço ao "poder paterno", mas a qualquer um que esteja dele investido. Não estabelecendo o direito, Filmer se restringe à posse e termina por consagrar os direitos de um usurpador, um Cade ou um Cromwell. Faltam precisões. Quem deve herdar, o neto por uma filha ou o sobrinho por um irmão? A filha ou o tio? O neto por uma filha mais moça ou a filha de uma filha mais velha? O filho mais velho de uma concubina ou o filho mais moço da esposa? Quais são os efeitos da legitimação? Quem deve herdar, o mais velho deficiente mental ou o mais moço reconhecido por sua sabedoria? A partir de que grau de loucura intervém a prescrição dos direitos? Quem está em julgamento? Será que o filho do herdeiro proscrito por sua loucura tem preferência sobre o filho daquele que reinou? Todos estes problemas estão presentes na história. Não faltam exemplos na Inglaterra e na Escócia.

Partindo de Adão, não se pode saber quem é rei hoje em dia. A situação seria a mesma se Adão houvesse recebido o poder de perdoar os pecados ou de curar as enfermidades. O direito civil não pode servir para determinar o herdeiro, pois é uma instituição divina inicial que rege a sucessão, e portanto um direito anterior e superior a todo governo. É pretensioso presumir que Deus impõe uma regra sucessória sem indicar quem herda. A proibição do incesto é acompanhada da definição dos relacionamentos de parentesco que impedem o casamento. De modo contrário, a Escritura não determina quem é o mais velho, porque não estabelece em parte alguma a regra da primogenitura.

Filmer afirma, sem provar, que os patriarcas recebiam de Adão um poder soberano. A condenação à morte, pronunciada por Judá contra sua nora Tamar, não prova que ele tenha sido soberano. Não é porque ele a pronunciou, que tinha o direito de fazê-lo. Além disso, Judá era um filho mais moço de Jacó; se ele detinha a autoridade paterna de Adão, isso ocorreu durante a vida de seu próprio pai e de seus irmãos. Abraão comandava um exército de 318 homens e Esaú, um de 400 homens. Para isso precisariam ser herdeiros de Adão? Um fazendeiro das índias Ocidentais pode reunir mais que isso. Estes números correspondem simplesmente à autoridade que um homem exerce sobre sua família e sobre seus servidores. O direito de fazer a guerra e de concluir a paz não prova a soberania; os fazendeiros, os capitães dos navios, devem às vezes exercê-los. Isto seria uma marca de soberania, que não resultaria em nenhum elo com aquela de Adão. Abraão não vivia como um monarca universal. Ele mantinha com Lot relações de amizade baseadas na igualdade. Ele enviou a grande distância seus criados para encontrar uma esposa para seu filho. Não possuiu terra de sua propriedade durante muito tempo. O exemplo de Esaú, invocado por Filmer, é ainda mais interessante. Como querer insistir ao mesmo tempo que Esaú fosse rei e súdito de Jacó? O poder patriarcal continuou depois do Dilúvio porque ainda havia patriarcas, mas Filmer não estabelece em parte alguma que estes o tenham sido pelos direitos de Adão.

Os filhos de Noé dividiram a terra. Ignora-se de que maneira as nações modernas descendem deles. A divisão efetuada entre Sem, Cam e Jafé fundaram a independência mútua de todas as famílias. A dispersão, ocorrida depois do fracasso do empreendimento unitário da torre de Babel, reforçou esta independência. Entretanto, nada indica que tenha havido correspondência entre a autoridade paterna e a autoridade real. A língua não pode servir para identificar uma e outra. A divisão linguística e nacional da humanidade não nos ensina nada sobre os governos ou sobre as formas de governo. Nessa época, a Escritura sugere mais a existência de uma república que de uma monarquia absoluta. O conjunto da população tomava as decisões. Filmer fixa em 72 o número de povos distintos que foram formados após o episódio de Babel e supõe que Deus tenha tido o cuidado de manter a autoridade paterna: no entanto, pelo menos não existia mais herdeiro de Adão. Filmer considera Nemrod o patriarca seguinte, mas lhe censura haver procurado estender seu domínio através da conquista. Ora, o poder não ultrapassa os limites da família, exceto por conquista ou por convenção. Em seguida, Filmer enumera um grande número de reinados e acrescenta que cada cidade possuía um rei. A realeza não pertencia portanto apenas ao herdeiro único de Adão. Os escalões intermediários da sucessão permanecem desconhecidos. Não obstante eles existem, e a autoridade patriarcal não experimentou interrupções durante a estada dos Israelitas no Egito. Filmer conta a história dos judeus, mas não prova que os patriarcas fossem reis, nem que patriarcas ou reis recebessem seu direito de Adão. Fala também dos reis gregos. Critica os argumentos extraídos da antiguidade helênica pagã, mas se utiliza deles quando lhe é conveniente.

Em seguida, diz que Deus escolheu Moisés e Josué como príncipes dos judeus. Sustenta que Deus restabeleceu o direito antigo e original de sucessão ao governo paterno quando concedeu reis aos israelitas. Deus nada declarou neste sentido. Na verdade, para "restaurar" o direito antigo seria preciso que o novo rei recebesse as mesmas atribuições que o patriarca. Ora, sabe-se que os reis de Israel detinham um poder muito superior àquele de Abraão. Além disso, Davi era descendente de um ramo mais jovem. Se os irmãos mais moços herdarem em virtude da primogenitura, todo mundo pode invocar o direito da primogenitura, até Filmer. Eis uma maneira estranha de consolidar os títulos das coroas.

Filmer diz que, designando um rei, Deus habilita a posteridade dele a sucedê-lo; mas trata-se de toda a posteridade ou de um único descendente? Ele evita tomar partido, pois os reis são sucedidos, em muitos casos, sem que haja respeito à ordem sucessória; em virtude de um desígnio divino não reconhecido ou que consagrava uma ordem diferente. Deus nem sempre intervinha: Jefté foi escolhido pelo povo. De uma maneira geral, os juízes detinham apenas um poder que dizia respeito à vida, que não passavam a seus filhos. O final do Livro dos Juízes, que contém a narrativa das lutas entre os levitas e os benjaminitas, mostra que o governo dos judeus não foi monárquico em todas as épocas. É falso que Deus tenha previsto tacitamente a transmissão sucessória a um herdeiro único, todas as vezes que conferia um poder. Se fizermos uma estimativa, o povo judeu só teve reis hereditários em menos de um terço dos 1750 anos de sua história.

Segundo tratado sobre o governo civil

I

Ensaio sobre a origem, os limites e os fins verdadeiros do governo civil

1. O ensaio anterior mostrou que:

1º Adão não tinha, nem por direito natural de paternidade nem por específica doação de Deus, tal autoridade sobre seus filhos ou domínio sobre o mundo, como se pretendeu.

2º Se ele os tivesse, ainda assim seus herdeiros não teriam direito a eles.

3º Se seus herdeiros tivessem, na ausência de uma lei da natureza ou lei específica de Deus que permita identificar qual o herdeiro legítimo em cada caso particular, o direito de sucessão, e consequentemente o de governar, não poderia ser determinado com certeza.

4º Mesmo se ele tivesse sido determinado, não se sabe mais qual a linhagem mais antiga da posteridade de Adão e, depois de tanto tempo, entre as raças humanas e as famílias do mundo, nenhuma está acima das outras para pretender ser a mais antiga e, portanto, aspirar ao direito de herança.

Creio que, uma vez estabelecidas todas essas premissas, é impossível aos governantes que vivem atualmente sobre a terra tirar qualquer proveito ou derivar a menor sombra de qualquer autoridade daquela que se supõe a fonte de todo o poder, "os direitos de prerrogativa privada de Adão e sua autoridade paterna". Assim, a menos que se queira fornecer argumentos àqueles que acreditam que todo governo terrestre é produto apenas da força e da violência, e que em sua vida em comum os homens não seguem outras regras senão as dos animais selvagens, em que o mais forte é quem manda, e assim justificando para sempre a desordem e a maldade, o tumulto, a sedição e a rebelião (coisas contra as quais protestam tão veementemente os seguidores dessa hipótese), será preciso necessariamente descobrir uma outra gênese para o governo, outra origem para o poder político e outra maneira para designar e conhecer as pessoas que dele estão investidas, além daquelas que Sir Robert Filmer nos ensinou.

2. Com este fim, creio que não é fora de propósito indicar o que eu entendo por poder político; e deve-se distinguir o poder de um magistrado sobre um súdito daquele de um pai sobre seus filhos, de um patrão sobre seu empregado, de um marido sobre sua esposa e de um senhor sobre seu escravo. Considerando-se que uma mesma pessoa, levando-se em conta todos os seus relacionamentos, exercesse simultaneamente todos esses poderes distintos, isso pode nos ajudar a distinguir uns dos outros e mostrar a diferença entre o dirigente de uma sociedade política, um pai de família e o capitão de uma galera.

3. Por poder político, então, eu entendo o direito de fazer leis, aplicando a pena de morte, ou, por via de consequência, qualquer pena menos severa, a fim de regulamentar e de preservar a propriedade, assim como de empregar a força da comunidade para a execução de tais leis e a defesa da república contra as depredações do estrangeiro, tudo isso tendo em vista apenas o bem público.

II

Do estado de natureza

4. Para compreender corretamente o poder político e traçar o curso de sua primeira instituição, é preciso que examinemos a condição natural dos homens, ou seja, um Estado em que eles sejam absolutamente livres para decidir suas ações, dispor de seus bens e de suas pessoas como bem entenderem, dentro dos limites do direito natural, sem pedir a autorização de nenhum outro homem nem depender de sua vontade.

Um Estado, também, de igualdade, onde a reciprocidade determina todo o poder e toda a competência, ninguém tendo mais que os outros; evidentemente, seres criados da mesma espécie e da mesma condição, que, desde seu nascimento, desfrutam juntos de todas as vantagens comuns da natureza e do uso das mesmas faculdades, devem ainda ser iguais entre si, sem subordinação ou sujeição, a menos que seu senhor e amo de todos, por alguma declaração manifesta de sua vontade, tivesse destacado um acima dos outros e lhe houvesse conferido sem equívoco, por uma designação evidente e clara, os direitos de um amo e de um soberano.

5. O judicioso Hooker considera esta igualdade natural dos homens como tão evidente em si mesma e fora de dúvida, que fundamenta sobre ela a obrigação que têm de se amarem mutuamente, sobre a qual ele baseia os deveres que uns têm para

com os outros e de onde ele extrai os grandes preceitos da justiça e da caridade. Ele diz: "O mesmo convite da natureza levou os homens a reconhecer seu dever, tanto no amor ao próximo quanto no amor a si mesmo, pois deve ser aplicada uma medida comum a todas as coisas iguais. Se não posso me impedir de desejar que me façam o bem, se espero mesmo que todos ajam assim para comigo na medida dos desejos mais exigentes que um homem possa formular para si mesmo, como pretenderia obter satisfação, ainda que em parte, sem buscar por meu lado tentar satisfazer nos outros o mesmo desejo, por que eles compartilham sem dúvida da mesma fraqueza e da mesma natureza? Tudo o que lhes fosse oferecido desprezando este desejo forçosamente iria feri-los tanto quanto a mim. Portanto, se pratico o mal, devo esperar sofrer, pois os outros não têm motivo para me dedicar um amor maior que aquele que lhes demonstro. Meu desejo de ser amado em toda a dimensão do possível por meus iguais naturais me impõe a obrigação natural de lhes dedicar plenamente a mesma afeição. Ninguém ignora os diferentes preceitos e cânones para a direção da vida, que a razão natural extraiu desta relação de igualdade que existe entre nós mesmos e aqueles que são como nós" (*Eccl. Pol. 1*).

6. Entretanto, ainda que se tratasse de um "estado de liberdade", este não é um "estado de permissividade": o homem desfruta de uma liberdade total de dispor de si mesmo ou de seus bens, mas não de destruir sua própria pessoa, nem qualquer criatura que se encontre sob sua posse, salvo se assim o exigisse um objetivo mais nobre que a sua própria conservação. O "estado de natureza" é regido por um direito natural que se impõe a todos, e com respeito à razão, que é este direito, toda a humanida-

de aprende que, sendo todos iguais e independentes, ninguém deve lesar o outro em sua vida, sua saúde, sua liberdade ou seus bens; todos os homens são obra de um único Criador todo-poderoso e infinitamente sábio, todos servindo a um único senhor soberano, enviados ao mundo por sua ordem e a seu serviço; são portanto sua propriedade, daquele que os fez e que os destinou a durar segundo sua vontade e de mais ninguém. Dotados de faculdades similares, dividindo tudo em uma única comunidade da natureza, não se pode conceber que exista entre nós uma "hierarquia" que nos autorizaria a nos destruir uns aos outros, como se tivéssemos sido feitos para servir de instrumento às necessidades uns dos outros, da mesma maneira que as ordens inferiores da criação são destinadas a servir de instrumento às nossas.

Cada um é "obrigado não apenas a conservar sua própria vida" e não abandonar voluntariamente o ambiente onde vive, mas também, na medida do possível e todas as vezes que sua própria conservação não está em jogo, "velar pela conservação do restante da humanidade", ou seja, salvo para fazer justiça a um delinquente, não destruir ou debilitar a vida de outra pessoa, nem o que tende a preservá-la, nem sua liberdade, sua saúde, seu corpo ou seus bens.

7. Para que se possa impedir todos os homens de violar os direitos do outro e de se prejudicar entre si, e para fazer respeitar o direito natural que ordena a paz e a "conservação da humanidade", cabe a cada um, neste Estado, assegurar a "execução" da lei da natureza, o que implica que cada um esteja habilitado a punir aqueles que a transgridem com penas suficientes para punir as violações. Pois de nada valeria a lei da natureza, assim como todas as outras leis que dizem respeito aos homens neste mundo,

se não houvesse ninguém que, no estado de natureza, tivesse poder para executar essa lei e assim preservar o inocente e refrear os transgressores. E se qualquer um no estado de natureza pode punir o outro por qualquer mal que ele tenha cometido, todos podem fazer o mesmo. Pois nesse estado de perfeita igualdade, onde naturalmente não há superioridade ou jurisdição de um sobre o outro, o que um pode fazer para garantir essa lei, todos devem ter o direito de fazê-lo.

8. Assim, no estado de natureza, um homem adquire um poder sobre o outro; mas não um poder absoluto ou arbitrário para tratar um criminoso segundo as exaltações apaixonadas ou a extravagância ilimitada de sua própria vontade quando está em seu poder; mas apenas para inflingir-lhe, na medida em que a tranquilidade e a consciência o exigem, a pena proporcional a sua transgressão, que seja bastante para assegurar a reparação e a prevenção. Pois estas são as únicas duas razões por que um homem pode legalmente ferir outro, o que chamamos de punição. Ao transgredir a lei da natureza, o ofensor declara estar vivendo sob outra lei diferente daquela da razão e equidade comuns, que é a medida que Deus determinou para as ações dos homens, para sua segurança mútua; e assim, tornando-se perigoso para a humanidade, ele enfraqueceu e rompeu o elo que os protege do dano e da violência. Tratando-se de uma violação dos direitos de toda a espécie, de sua paz e de sua segurança, garantidas pela lei da natureza, todo homem pode reivindicar seu direito de preservar a humanidade, punindo ou, se necessário, destruindo as coisas que lhe são nocivas; dessa maneira, pode reprimir qualquer um que tenha transgredido essa lei, fazendo com que se arrependa de tê-lo feito e o impedindo de continuar a fazê-lo, e através de seu exemplo, evitando que

outros cometam o mesmo erro. E neste caso e por este motivo, todo homem tem o direito de punir o transgressor e ser executor da lei da natureza.

9. Não duvido que esta doutrina vá parecer muito estranha a alguns homens: mas antes que a condenem, desejo que me respondam com que direito um príncipe ou um Estado podem matar ou punir um estrangeiro, por qualquer crime que ele tenha cometido em seu país? É certo que suas leis, mesmo em virtude de qualquer sanção que recebam da vontade promulgada do legislativo, não se aplicam a um estrangeiro: não se dirigem a ele, e mesmo que assim fosse, ele não seria obrigado a respeitá-las. A autoridade legislativa, pela qual elas vigoram sobre os súditos daquela sociedade política, não tem poder sobre ele. Aqueles que detêm o poder supremo de fazer leis na Inglaterra, na França ou na Holanda, são para um indígena como qualquer um no restante do mundo, homens sem autoridade. Por isso, se pela lei da natureza cada homem não tem o poder de punir as ações que a transgridem, ainda que sensatamente ele julgue que a situação o requeira, não vejo como os magistrados de qualquer comunidade podem punir um estrangeiro de outro país; pois, diante dele, não têm mais poder que aquele que cada homem pode naturalmente ter sobre outro.

10. Além do crime que consiste em violar a lei e se eximir da obediência à reta razão, pelo qual um homem degenera e declara que rompeu com os princípios da natureza humana, tornando-se uma criatura nociva, há em geral um dano injusto causado a uma ou outra pessoa, isto é, algum outro homem é prejudicado por aquela transgressão; neste caso, além do direito de punir, que ela compartilha com os outros homens, a pessoa lesada possui um direito próprio de buscar a reparação por parte do autor da infra-

ção. E qualquer outra pessoa que ache isso justo, pode também juntar-se à vítima e ajudá-la a recuperar do ofensor o quanto ela considere suficiente para reparar o dano sofrido.

11. Diante destes dois direitos distintos – o primeiro de punir o crime, a título de prevenção e para impedir que ele se reproduza, direito de punição que pertence a todos; o segundo, de obter a reparação, que pertence apenas à vítima – o magistrado, a quem foi conferido o direito comum de punir em virtude de suas próprias funções, pode frequentemente perdoar a punição das infrações criminais, por sua própria autoridade, se o bem público não exige a aplicação da lei; mas não pode perdoar a reparação devida à vítima pelo dano sofrido. Aquele que sofreu o dano tem o direito próprio de exigir a reparação, e somente ele pode a ela renunciar. Pertence à vítima o poder de se apropriar dos bens ou dos serviços do ofensor, pelo direito de autopreservação, assim como todo homem tem o poder de punir o crime e evitar que ele seja novamente cometido, pelo direito que tem de proteger toda a humanidade, realizando todo ato razoável a seu alcance para atingir este objetivo. Por isso todo homem no estado de natureza tem o poder de matar um assassino, tanto para impedir outros de fazer o mesmo dano, que nenhuma reparação pode compensar, pelo exemplo da punição que atinge a todos, mas também para proteger os homens dos ataques de um criminoso que, havendo renunciado à razão, ao regulamento comum e à medida que Deus deu ao gênero humano, através da violência injusta e da carnificina que cometeu a outro homem, declarou guerra a todo o gênero humano e por isso pode ser destruído como um leão ou um tigre, uma daquelas bestas selvagens em cuja companhia o homem não pode conviver

ou ter segurança. A grande lei da natureza está fundamentada nisso: "Quem derramar o sangue humano, pela mão humana perderá o seu". E Caim estava tão plenamente convencido de que todo homem tinha o direito de destruir um tal criminoso que, após assassinar seu irmão, gritou: "Quem me encontrar, me matará", tão claramente isso estava inscrito nos corações de toda a humanidade.

12. Pela mesma razão, no estado de natureza, um homem pode punir as violações menos graves desta lei. Talvez seja perguntado: com a morte? Eu responderei: toda transgressão pode ser punida a esse ponto, e com a mesma severidade, tanto quanto for suficiente para infligir um dano proporcional ao ofensor, dar-lhe motivo de arrependimento e infundir nos outros um terror que os impeça de imitá-lo. Toda ofensa suscetível de ser cometida no estado de natureza, pode, no estado de natureza, sofrer uma punição tão grande e no mesmo grau que o é em uma sociedade política. Embora esteja além de meu presente propósito entrar aqui em detalhes sobre a lei da natureza ou suas medidas de punição, é certo que esta lei existe, absolutamente inteligível e clara para uma criatura racional dedicada a seu estudo, como o são as leis positivas da comunidade civil; ou melhor, possivelmente mais claras, pois a razão é mais fácil de ser compreendida que os sonhos e as maquinações intrincadas dos homens, buscando traduzir em palavras interesses contrários e ocultos; pois assim realmente se constitui grande parte das leis civis dos países, que só são justas na medida em que se baseiam na lei da natureza, pela qual devem ser regulamentadas e interpretadas.

13. A esta estranha doutrina, ou seja, que no estado de natureza cada um tem o poder executivo da lei da natureza, espero que seja objetado o

fato de que não é razoável que os homens sejam juízes em causa própria, pois a autoestima os tornará parciais em relação a si e a seus amigos: e por outro lado, que a sua má natureza, a paixão e a vingança os levem longe demais ao punir os outros; e nesse caso só advirá a confusão e a desordem; e certamente foi por isso que Deus instituiu o governo para conter a parcialidade e a violência dos homens. Eu asseguro tranquilamente que o governo civil é a solução adequada para as inconveniências do estado de natureza, que devem certamente ser grandes quando os homens podem ser juízes em causa própria, pois é fácil imaginar que um homem tão injusto a ponto de lesar o irmão dificilmente será justo para condenar a si mesmo pela mesma ofensa. Mas eu gostaria que aqueles que fizeram esta objeção lembrem-se de que os monarcas absolutos são apenas homens, e, admitindo-se que o governo é a única solução para estes males que necessariamente advêm dos homens julgarem em causa própria, e por isso o estado de natureza não deve ser tolerado, eu gostaria de saber que tipo de governo será esse, e quanto melhor ele é que o estado de natureza, onde um homem que comanda uma multidão tem a liberdade de julgar em causa própria e pode fazer com todos os seus súditos o que lhe aprouver, sem o menor questionamento ou controle daqueles que executam a sua vontade; e o que quer que ele faça, quer seja levado pela razão, quer pelo erro ou pela paixão, deve-se obedecê-lo? É muito melhor o estado de natureza, onde os homens não são obrigados a se submeter à vontade injusta de outro homem: e, onde aquele que julga, se julga mal em causa própria ou em qualquer outro caso, tem de responder por isso diante do resto da humanidade.

14. Muitas vezes se pergunta, como uma poderosa objeção: Há, ou algum dia houve, ho-

mens em tal estado de natureza? A isto pode bastar responder, no momento, que todos os príncipes e chefes de governos independentes, em todo o mundo, encontram-se no estado de natureza, e que assim, sobre a terra, jamais faltou ou jamais faltará uma multidão de homens nesse estado. Citei todos os governantes de comunidades independentes, estejam ou não vinculadas a outras. Pois não é toda convenção que põe fim ao estado de natureza entre os homens, mas apenas aquela pela qual todos se obrigam juntos e mutuamente a formar uma comunidade única e constituir um único corpo político; quanto às outras promessas e convenções, os homens podem fazê-las entre eles sem sair do estado de natureza. As promessas e os intercâmbios etc., realizados entre dois homens numa ilha ou entre um suíço e um índio, nas florestas da América, os obriga, embora eles estejam entre eles em um perfeito estado de natureza. Pois a verdade e o respeito à palavra dada pertencem aos homens enquanto homens, e não como membros da sociedade.

15. Aos que argumentam que nunca houve homem algum no estado de natureza, não me contentarei em contradizer opondo a autoridade do judicioso Hooker (*Eccl. Pol.* 1, 10) quando ele diz: "as leis aqui mencionadas", ou seja, as leis da natureza, "obrigam os homens de maneira absoluta, porque eles são homens, ainda que na ausência de relações estabelecidas, ao acordo solene entre eles sobre o que farão ou não farão; mas como somos incapazes por nós mesmos de buscar uma quantidade suficiente de objetos necessários ao gênero de vida que nossa natureza deseja, uma vida à medida da dignidade do homem, e assim suprir os defeitos e as imperfeições que nos são inerentes quando vivemos sozinhos e solitários, somos naturalmente induzidos a buscar a comunhão com outros e sua

companhia; esta foi a causa de os homens terem se unido em sociedades políticas". Mas além disso eu afirmo que todos os homens se encontram naturalmente nesse estado e ali permanecem, até o dia em que, por seu próprio consentimento, eles se tornem membros de alguma sociedade política; e não duvido que no decorrer deste discurso eu possa esclarecer bem este ponto.

III

Do estado de guerra

16. O estado de guerra é um estado de inimizade e de destruição; por isso, se alguém, explicitamente ou por seu modo de agir, declara fomentar contra a vida de outro homem projetos, não apaixonados e prematuros, mas calmos e firmes, isto o coloca em um estado de guerra diante daquele a quem ele declarou tal intenção, e assim expõe sua vida ao poder do outro, que pode ele mesmo retirá-la, ou ao de qualquer outro que se una a ele em sua defesa e abrace sua causa; é razoável e justo que eu tenha o direito de destruir aquele que me ameaça com a destruição. Segundo a lei fundamental da natureza, que o ser humano deve ser preservado na medida do possível, se nem todos podem ser preservados, deve-se dar preferência à segurança do inocente; você pode destruir o homem que lhe faz guerra ou que se revelou inimigo de sua existência, pela mesma razão que se pode matar um lobo ou um leão: porque homens deste tipo escapam aos laços da lei comum da razão, não seguem outra lei senão aquela da força e da violência, e assim podem ser tratados como animais selvagens, criaturas perigosas e nocivas que certamente o destruirão sempre que o tiverem em seu poder.

17. Por isso, aquele que tenta colocar outro homem sob seu poder absoluto entra em um es-

tado de guerra com ele; esta atitude pode ser compreendida como a declaração de uma intenção contra sua vida. Assim sendo, tenho razão em concluir que aquele que me colocasse sob seu poder sem meu consentimento me usaria como lhe aprouvesse quando me visse naquela situação e prosseguiria até me destruir; pois ninguém pode desejar ter-me em seu poder absoluto, a não ser para me obrigar à força a algo que vem contra meu direito de liberdade, ou seja, fazer de mim um escravo. Escapar de tal violência é a única garantia de minha preservação; e a razão me leva a encará-lo como um inimigo à minha preservação, que me privaria daquela liberdade que a protege; de forma que aquele que tenta me escravizar coloca-se por conseguinte em um estado de guerra comigo. Aquele que no estado de natureza retirasse a liberdade que pertence a qualquer um naquele estado, necessariamente se supõe que tem intenção de retirar tudo o mais, pois a liberdade é a base de todo o resto; assim como aquele que no estado de sociedade retirasse a liberdade pertencente aos membros daquela sociedade ou da comunidade política, seria suspeito de tencionar retirar deles tudo o mais, e portanto seria tratado como em estado de guerra.

18. Isso autoriza todo homem a matar um ladrão que não lhe fez nenhum mal e não declarou outra intenção contra sua vida, exceto a de mantê-lo sob seu poder pela força para roubar-lhe seu dinheiro ou o que quiser dele; porque ao usar a força onde não tem este direito, para me ter sob seu poder, explicando sua atitude segundo sua vontade, não tenho razão alguma para pensar que este indivíduo, tendo-me sob seu poder e pronto a me privar de minha liberdade, renunciaria a me privar de todo o resto. E por isso me é lícito tratá-lo como alguém que se colocou em

um estado de guerra para comigo, ou seja, matá-lo, se eu puder; pois qualquer pessoa que se introduz em um estado de guerra e se torna agressor, está justamente se expondo a este risco.

19. E temos aqui a clara diferença entre o estado de natureza e o estado de guerra, que, embora alguns homens confundam, são tão distintos um do outro quanto um estado de paz, boa vontade, assistência mútua e preservação, de um estado de inimizade, maldade, violência e destruição mútua. Homens vivendo juntos segundo a razão, sem um superior comum na terra com autoridade para julgar entre eles, eis efetivamente o estado de natureza. Mas a força, ou uma intenção declarada de força, sobre a pessoa de outro, onde não há superior comum na terra para chamar por socorro, é estado de guerra; e é a inexistência de um recurso deste gênero que dá ao homem o direito de guerra ao agressor, mesmo que ele viva em sociedade e se trate de um concidadão. Assim, este ladrão, a quem não posso fazer nenhum mal, exceto apelar para a lei, se ele me roubar tudo o que possuo, seja meu cavalo ou meu casaco, eu posso matá-lo para me defender quando ele me ataca à mão armada; porque a lei, estabelecida para garantir minha preservação contra os atos de violência, quando não pode agir de imediato para proteger minha vida, cuja perda é irreparável, me dá o direito de me defender e assim o direito de guerra, ou seja, a liberdade de matar o agressor; porque este não me deixa tempo para apelar para nosso juiz comum e torna impossível qualquer decisão que permita uma solução legal para remediar um caso em que o mal pode ser irreparável. A vontade de se ter um juiz comum com autoridade coloca todos os homens em um estado de natureza; o uso da força sem direito sobre a

pessoa de um homem provoca um estado de guerra, haja ou não um juiz comum.

20. Quando a força deixa de existir, cessa o estado de guerra entre aqueles que vivem em sociedade, e ambos os lados são igualmente submetidos à justa determinação da lei; porque agora eles têm acesso a um recurso, tanto para reparar o mal sofrido quanto para prevenir todo o mal futuro. Mas onde não existe tal recurso, como no estado de natureza, devido à inexistência de leis positivas e de juízes competentes com autoridade para julgar, uma vez iniciado o estado de guerra, ele continua, e a parte inocente tem o direito de destruir a outra quando puder, até que o agressor proponha a paz e deseje a reconciliação em tais termos que possa reparar quaisquer erros que já tenha cometido e assegurar o futuro da vítima. E mesmo onde exista um recurso legal e juízes estabelecidos, se, por uma perversão manifesta da justiça ou clara distorção das leis, sua solução é negada com a finalidade de proteger ou de garantir a violência ou o dano de alguns homens ou de um partido, é difícil imaginar outra situação além de um estado de guerra. Pois onde entra em jogo a violência e danos são causados, ainda que por mãos daqueles que deveriam administrar a justiça, continua se tratando de violência e danos, apesar do nome, das aparências ou das formas de lei; pois a lei tem por finalidade proteger e reparar os inocentes, através de sua aplicação justa a tudo o que está sob sua tutela; quando isso não é realizado de *boa-fé*, é o mesmo que entrar em guerra contra as vítimas, às quais, não tendo ninguém a quem recorrer na terra, só resta apelar ao céu.

21. Evitar este estado de guerra (que exclui todo apelo, exceto ao céu, e onde até a menor diferença corre o risco de chegar, por não haver autoridade para decidir entre os contendores) é uma das

razões principais porque os homens abandonaram o estado de natureza e se reuniram em sociedade. Pois onde há uma autoridade, um poder sobre a terra, onde se pode obter reparação através de recurso, está excluída a continuidade do estado de guerra e a controvérsia é decidida por aquele poder. Se houvesse sobre a terra qualquer tribunal deste tipo, qualquer jurisdição superior para determinar o direito entre Jefté e os amonitas, eles jamais chegariam a um estado de guerra; mas vemos que ele foi obrigado a apelar ao céu. "O Senhor é Juiz", disse ele, "julgue hoje entre os filhos de Israel e os filhos de Amon" (Jz 11,27), e depois prosseguiu e, confiando em seu apelo, conduziu seu exército para a batalha. E por isso, em tais controvérsias, quando surge a pergunta "Quem será o juiz?", ela não pode significar "Quem decidirá a controvérsia". Todos sabem que Jefté aqui nos diz que "o Senhor é Juiz" e deverá julgar. Quando não há juiz na terra, o apelo é dirigido a Deus, no céu. Essa pergunta não pode então significar "Quem será o juiz se alguém se coloca em estado de guerra para comigo? Poderia eu, como Jetfé, apelar ao céu?" Disso só eu mesmo posso ser o juiz em minha própria consciência, até o dia do Juízo Final, quando responderei perante o juiz supremo de todos os homens.

IV

Da escravidão

22. A liberdade natural do homem deve estar livre de qualquer poder superior na terra e não depender da vontade ou da autoridade legislativa do homem, desconhecendo outra regra além da lei da natureza. A liberdade do homem na sociedade não deve estar edificada sob qualquer poder legislativo exceto aquele estabelecido por consentimento na comunidade civil; nem sob o domínio de qualquer vontade ou constrangimento por qualquer lei, salvo o que o legislativo decretar, de acordo com a confiança nele depositada. Portanto, a liberdade não é o que Sir Robert Filmer nos diz, O.A. (*observations on Aristotle*) 55, "uma liberdade para cada um fazer o que quer, viver como lhe agradar e não ser contido por nenhuma lei". Mas a liberdade dos homens submetidos a um governo consiste em possuir uma regra permanente à qual deve obedecer, comum a todos os membros daquela sociedade e instituída pelo poder legislativo nela estabelecido. É a liberdade de seguir minha própria vontade em todas as coisas não prescritas por esta regra; e não estar sujeito à vontade inconstante, incerta, desconhecida e arbitrária de outro homem: como a liberdade natural consiste na não submissão a qualquer obrigação exceto a da lei da natureza.

23. Esta liberdade diante do poder arbitrário absoluto é tão necessária e está tão estreitamente ligada à preservação do homem que não pode ser

perdida exceto por aquilo que ao mesmo tempo destrói sua preservação e sua vida. Pois o homem, incapaz de dispor de sua própria vida, não poderia, por convenção ou por seu próprio consentimento, se transformar em escravo de outro, nem reconhecer em quem quer que seja um poder arbitrário absoluto para dispor de sua vida quando lhe aprouver. Ninguém pode conceder mais poder do que ele próprio tem; e aquele que não pode tirar sua própria vida, não pode conceder a outro tal poder. Mesmo que ele incorra na pena capital por sua própria falta, por qualquer ação que mereça a morte, aquele por quem ele perdeu a vida (quando o tem em seu poder), pode retardar o cumprimento de sua pena e utilizá-lo a seu próprio serviço; e isso não lhe causa qualquer dano. Mas quando ele considera que a pena imposta pela escravidão ultrapassa o valor de sua vida, tem o direito de resistir à vontade de seu senhor e provocar para si a morte que ele deseja.

24. Esta é a perfeita condição da escravidão, que nada mais é que o estado de guerra continuado entre um conquistador legítimo e seu prisioneiro. Desde que façam um pacto entre eles, se concordam que um deles exercerá um poder limitado, que o outro obedecerá, o estado de guerra e a escravidão deixam de existir enquanto este pacto durar. Pois, como foi dito, ninguém pode concordar em conceder a outro um poder que não tem sobre si mesmo, ou seja, o poder de dispor de sua própria vida.

Admito que encontramos entre os judeus, assim como em outras nações, homens que se venderam; mas, evidentemente, isto só ocorreu em relação ao trabalho servil, não à escravidão. Porque é certo que a pessoa vendida não estava sob um poder absoluto, arbitrário e despótico, e o senhor não tinha poder para matá-lo, qualquer que fosse a situação, porque em uma data determinada ele era obrigado a deixá-lo abandonar livremente o seu serviço; longe de poder dispor arbitrariamente da vida de um tal servidor, o senhor não podia sequer mutilá-lo propositalmente, pois a perda de um olho ou de um dente implicaria no retorno de sua liberdade (Ex 21).

V

Da propriedade

25. Quando consideramos a razão natural, segundo a qual os homens, desde o momento do seu nascimento, têm o direito a sua preservação e, consequentemente, a comer, a beber e a todas as outras coisas que a natureza proporciona para sua subsistência; ou a Revelação, que nos relata que Deus deu o mundo a Adão, a Noé e a seus filhos, fica muito claro que Deus, como diz o Rei Davi, Salmo 115,16, "Deu a terra aos filhos dos homens", a toda a humanidade. Mas, supondo-se isso, alguns parecem ter grande dificuldade em perceber como alguém pôde se tornar proprietário de alguma coisa. Não vou me contentar em responder que, se é difícil explicar a propriedade, partindo-se de uma suposição de que Deus deu o mundo a Adão e a sua posteridade em comum, é impossível que qualquer homem, exceto um monarca universal, tenha qualquer propriedade, partindo-se de uma suposição de que Deus deu o mundo a Adão e a seus herdeiros na sucessão, excluindo-se todo o resto de sua descendência. Irei mais longe, para mostrar como os homens podem ter adquirido uma propriedade em porções distintas do que Deus deu à humanidade em comum, mesmo sem o acordo expresso de todos os coproprietários.

26. Deus, que deu o mundo aos homens em comum, deu-lhes também a razão, para que se

servissem dele para o maior benefício de sua vida e de suas conveniências. A terra e tudo o que ela contém foi dada aos homens para o sustento e o conforto de sua existência. Todas as frutas que ela naturalmente produz, assim como os animais selvagens que alimenta, pertencem à humanidade em comum, pois são produção espontânea da natureza; e ninguém possui originalmente o domínio privado de uma parte qualquer, excluindo o resto da humanidade, quando estes bens se apresentam em seu estado natural; entretanto, como foram dispostos para a utilização dos homens, é preciso necessariamente que haja um meio qualquer de se apropriar deles, antes que se tornem úteis ou de alguma forma proveitosos para algum homem em particular. Os frutos ou a caça que alimenta o índio selvagem, que não conhece as cercas e é ainda proprietário em comum, devem lhe pertencer, e lhe pertencer de tal forma, ou seja, fazer parte dele, que ninguém mais possa ter direito sobre eles, antes que ele possa usufruí-los para o sustento de sua vida.

27. Ainda que a terra e todas as criaturas inferiores pertençam em comum a todos os homens, cada um guarda a propriedade de sua própria pessoa; sobre esta ninguém tem qualquer direito, exceto ela. Podemos dizer que o trabalho de seu corpo e a obra produzida por suas mãos são propriedade sua. Sempre que ele tira um objeto do estado em que a natureza o colocou e deixou, mistura nisso o seu trabalho e a isso acrescenta algo que lhe pertence, por isso o tornando sua propriedade. Ao remover este objeto do estado comum em que a natureza o colocou, através do seu trabalho adiciona-lhe algo que excluiu o direito comum dos outros homens. Sendo este trabalho uma propriedade inquestionável do trabalhador, nenhum homem, exceto ele, pode ter o direito ao que o trabalho lhe acres-

centou, pelo menos quando o que resta é suficiente aos outros, em quantidade e em qualidade.

28. Aquele que se alimentou com bolotas que colheu sob um carvalho, ou das maçãs que retirou das árvores na floresta, certamente se apropriou deles para si. Ninguém pode negar que a alimentação é sua. Pergunto então: Quando começaram a lhe pertencer? Quando os digeriu? Quando os comeu? Quando os cozinhou? Quando os levou para casa? ou Quando os apanhou? E é evidente que se o primeiro ato de apanhar não os tornasse sua propriedade, nada mais poderia fazê-lo. Aquele trabalho estabeleceu uma distinção entre eles e o bem comum; ele lhes acrescentou algo além do que a natureza, a mãe de tudo, havia feito, e assim eles se tornaram seu direito privado. Será que alguém pode dizer que ele não tem direito àquelas bolotas do carvalho ou àquelas maçãs de que se apropriou porque não tinha o consentimento de toda a humanidade para agir dessa forma? Poderia ser chamado de roubo a apropriação de algo que pertencia a todos em comum? Se tal consentimento fosse necessário, o homem teria morrido de fome, apesar da abundância que Deus lhe proporcionou. Sobre as terras comuns que assim permanecem por convenção, vemos que o fato gerador do direito de propriedade, sem o qual essas terras não servem para nada, é o ato de tomar uma parte qualquer dos bens e retirá-la do estado em que a natureza a deixou. E este ato de tomar esta ou aquela parte não depende do consentimento expresso de todos. Assim, a grama que meu cavalo pastou, a relva que meu criado cortou, e o ouro que eu extraí em qualquer lugar onde eu tinha direito a eles em comum com outros, tornaram-se minha propriedade sem a cessão ou o consentimento de ninguém. O trabalho de

removê-los daquele estado comum em que estavam fixou meu direito de propriedade sobre eles.

29. Se fosse exigido o consentimento expresso de todos para que alguém se apropriasse individualmente de qualquer parte do que é considerado bem comum, os filhos ou os criados não poderiam cortar a carne que seu pai ou seu senhor lhes forneceu em comum, sem determinar a cada um sua porção particular. Ainda que a água que corre na fonte pertença a todo mundo, quem duvida que no cântaro ela pertence apenas a quem a tirou? Seu trabalho a tirou das mãos da natureza, onde ela era um bem comum e pertencia igualmente a todos os seus filhos, e a transformou em sua propriedade.

30. Assim, esta lei da razão dá ao índio o veado que ele matou; admite-se que a coisa pertence àquele que lhe consagrou seu trabalho, mesmo que antes ela fosse direito comum de todos. E entre aqueles que contam como a parte civilizada da humanidade, que fizeram e multiplicaram leis positivas para a determinação da propriedade, a lei original da natureza, que autoriza o início da apropriação dos bens antes comuns, permanece sempre em vigor; graças a ela, os peixes que alguém pesca no oceano, esta grandeza comum a toda a humanidade, ou aquele âmbar cinzento que se recolheu, tornam-se propriedade daquele que lhes consagraram tantos cuidados através do trabalho que os removeu daquele estado comum em que a natureza os deixou. E mesmo entre nós, a lebre que alguém está caçando pertence àquele que a persegue durante a caça. Pois tratando-se de um animal considerado sempre um bem comum, não pertencendo individualmente a ninguém, quem consagrou tanto trabalho para encontrá-lo ou persegui-lo e assim o removendo do estado de natureza em que ele era um bem comum, criou sobre ele um direito de propriedade.

31. Talvez surja uma objeção que, se a colheita das bolotas ou de outros frutos da terra etc., estabelece um direito a eles, então qualquer um pode tomar tudo para si, se esta for a sua vontade. A isto eu respondo que não é bem assim. A mesma lei da natureza que nos concede dessa maneira a propriedade, também lhe impõe limites. "Deus nos deu tudo em abundância" (1Tm 6,17), e a inspiração confirma a voz da razão. Mas até que ponto ele nos fez a doação? Para usufruirmos dela. Tudo o que um homem pode utilizar de maneira a retirar uma vantagem qualquer para sua existência sem desperdício, eis o que seu trabalho pode fixar como sua propriedade. Tudo o que excede a este limite é mais que a sua parte e pertence aos outros. Deus não criou nada para que os homens desperdiçassem ou destruíssem. Considerando-se então a abundância das provisões naturais que há tanto tempo existem no mundo, o número restrito dos consumidores e a pequena parte daquela provisão que a indústria de um único homem pode estender e aumentar em detrimento dos outros – especialmente conservando dentro dos limites estabelecidos pela razão aquilo que pode servir ao seu uso – é preciso admitir que a propriedade adquirida dessa maneira corria pouco risco, naquela época, de suscitar querelas ou discórdias.

32. Mas visto que a principal questão da propriedade atualmente não são os frutos da terra e os animais selvagens que nela subsistem, mas a terra em si, na medida em que ela inclui e comporta todo o resto, parece-me claro que esta propriedade, também ela, será adquirida como a precedente. A superfície da terra que um homem trabalha, planta, melhora, cultiva e da qual pode utilizar os produtos, pode ser considerada sua propriedade. Por meio do seu trabalho, ele a limita e a separa do bem comum. Não

bastará, para provar a nulidade de seu direito, dizer que todos os outros podem fazer valer um título igual, e que, em consequência disso, ele não pode se apropriar de nada, nada cercar, sem o consentimento do conjunto de seus coproprietários, ou seja, de toda a humanidade. Quando Deus deu o mundo em comum a toda a humanidade, também ordenou que o homem trabalhasse, e a penúria de sua condição exigia isso dele. Deus e sua razão ordenaram-lhe que submetesse a terra, isto é, que a melhorasse para beneficiar sua vida, e, assim fazendo, ele estava investindo uma coisa que lhe pertencia: seu trabalho. Aquele que, em obediência a este comando divino, se tornava senhor de uma parcela de terra, a cultivava e a semeava, acrescentava-lhe algo que era sua propriedade, que ninguém podia reivindicar nem tomar dele sem injustiça.

33. Nenhum outro homem podia se sentir lesado por esta apropriação de uma parcela de terra com o intuito de melhorá-la, desde que ainda restasse bastante, de tão boa qualidade, e até mais que indivíduos ainda desprovidos pudessem utilizar. Se bem que, na realidade, a cerca que um homem colocasse em seu benefício não reduziria nunca a parte dos outros. Deixar uma quantidade igual que outro homem fosse capaz de utilizar, equivaleria a não tomar nada. Ninguém pode se sentir lesado por outra pessoa beber, ainda que em uma quantidade exagerada, se lhe é deixado todo um rio da mesma água para matar sua sede. O que vale para a água, vale da mesma forma para a terra, se há quantidade suficiente de ambas.

34. Deus deu o mundo aos homens em comum; mas desde que lhos deu para seu benefício e para que dele retirassem as comodidades da vida de que fossem capazes, não se poderia supor que Ele pretendesse que ela permanecesse sempre comum e

inculta. Ele a deu para o uso industrioso e racional (e o trabalho deveria ser o título), não para satisfazer o capricho ou a ambição daquele que se mete em querelas e disputas. Aquele que tinha a sua disposição, para fazer frutificar, um lote tão bom quanto aqueles que já haviam sido tomados, não tinha o direito de se queixar nem devia se imiscuir no trabalho que o outro já havia posto em funcionamento; se assim o fizesse, é claro que desejava o benefício do sacrifício do outro, a que não tinha direito, nem à terra que Deus lhe havia dado em comum com os outros para nela trabalhar, pois os espaços disponíveis eram iguais à superfície já tomada e às vezes até superavam os meios de utilização do interessado e o campo de sua indústria.

35. É verdade que, quando se trata de terra comum na Inglaterra, ou em qualquer outro país onde o governo estende sua competência a um grande número de pessoas, a quem não falta dinheiro nem emprego, ninguém pode cercar ou se apropriar de qualquer parcela sem o consentimento de todos os seus coproprietários; porque a terra permanece comum por convenção, ou seja, pela lei da terra, que não deve ser violada. E embora ela seja comum em relação a alguns homens, isso não ocorre em relação à toda a humanidade; mas constitui a propriedade conjunta deste país ou desta região. Além disso, para o restante dos coproprietários, o que subsistiria após uma divisão não teria o mesmo valor que tinha área quando todos podiam se servir dela; visto que no início era bem diferente, quando foi povoada pela primeira vez a vasta terra comum que era o mundo. O direito que regia os homens favorecia a apropriação. Deus lhes ordenava trabalhar e a necessidade os forçava a isso. O trabalho constituía a propriedade; não se podia privá-los dela, uma vez que fixassem este trabalho em algum lugar. Assim sendo,

percebemos que existe um elo entre o fato de subjugar e cultivar a terra e adquirir o domínio sobre ela. Um garantia o título do outro. Da mesma forma que Deus, ao dar a ordem para subjugar as coisas, habilitou o homem a se apropriar delas. A condição da vida humana, que necessita de trabalho e de materiais para serem trabalhados, introduz forçosamente as posses privadas.

36. A medida da propriedade natural foi bem-estabelecida pela extensão do trabalho do homem e pela conveniência da vida. Nenhum trabalho humano podia subjugar ou se apropriar de tudo; seu prazer só podia consumir uma pequena parte; dessa maneira, era impossível para qualquer homem usurpar o direito de outro, ou adquirir para uso próprio uma propriedade em prejuízo de seus vizinhos, que ainda podiam se apropriar de um domínio tão vasto e produtivo (depois do outro ter tomado o seu) quanto antes de ter sido apropriado. Esta medida restringia a posse de todo homem a uma proporção bastante moderada, pois no início do mundo ele só podia tomar para si o que não prejudicasse ninguém, e nesses primórdios do mundo os homens se arriscavam mais a se perder vagando sozinho pelos imensos espaços virgens da terra do que restritos por vontade própria em uma terra a ser cultivada. E ainda podemos nos servir da mesma medida, sem causar prejuízo a ninguém, por mais povoado que pareça o mundo. Suponhamos que um homem, ou uma família, no estado em que se achavam no início, quando os filhos de Adão ou de Noé povoaram o mundo, cultivassem terras sem dono, situadas no interior da América. Veremos que as posses que ele poderia conseguir, tendo em base os procedimentos de medida que indicamos, não seriam muito extensas, nem nos dias de hoje, a ponto de prejudicar o resto da humanidade, ou dar-lhe razão de queixa ou se conside-

rar prejudicada pelo abuso deste homem, ainda que a raça humana tenha se espalhado por todos os cantos do mundo, e exceda infinitamente o seu pequeno número inicial. Sem o trabalho, a superfície do solo tem tão pouco valor que me afirmaram que na Espanha chegase ao ponto de permitir que um homem are a terra, semeie e colha sem ser perturbado, em uma terra sobre a qual ele não tem qualquer título exceto o uso que faz dela. Melhor ainda, os habitantes consideram-se devedores dele, pois com seu trabalho em uma terra negligenciada e consequentemente desperdiçada, aumentou a reserva de grãos que eles precisavam. Mas seja o que for, e eu não vou mais insistir nisso, ouso corajosamente afirmar que a mesma regra de propriedade, ou seja, que cada homem deve ter tanto quanto pode utilizar, ainda permaneceria válida no mundo sem prejudicar ninguém, visto haver terra bastante para o dobro dos habitantes, se a invenção do dinheiro e o acordo tácito entre os homens para estabelecer um valor para ele não tivesse introduzido (por consentimento) posses maiores e um direito a elas; como isso se deu, irei aos poucos mostrando mais amplamente.

37. O certo é que no início do mundo, antes do desejo do homem de possuir mais que o necessário ter alterado o valor intrínseco das coisas, o que depende apenas de sua utilidade para a vida do homem; ou ter concordado que um pedaço pequeno de metal amarelo que podia ser guardado sem que se deteriorasse ou apodrecesse devia valer uma grande peça de carne ou um monte de trigo, mesmo que cada homem tivesse o direito de se apropriar por seu trabalho de todos os bens naturais de que pudesse se servir, não havia o risco de ir longe demais nem causar dano aos outros, pois a mesma abundância permanecia à disposição de qualquer um que utilizasse a mesma indús-

tria. A isto eu acrescentaria que aquele que se apropria da terra por meio de seu trabalho não diminui, mas aumenta a reserva comum da humanidade. Pois as provisões que servem para o sustento da vida humana, produzidas por um acre de terra cercado e cultivado, são dez vezes maiores que aquelas produzidas por um acre de terra de igual riqueza, mas inculta e comum. Por isso, pode-se dizer que aquele que cerca a terra e retira de dez acres uma abundância muito maior de produtos para o conforto de sua vida do que retiraria de cem acres incultos, dá na verdade noventa acres à humanidade. Pois graças ao seu trabalho, dez acres lhe dão tantos frutos quanto cem acres de terras comuns. Eu aqui estimo o rendimento da terra cultivada a uma cifra muito baixa, avaliando seu produto em dez para um, quando está muito mais próximo de cem para um. Porque eu gostaria que me respondessem se, nas florestas selvagens e nas terras incultas da América, abandonadas à natureza sem qualquer aproveitamento, agricultura ou criação, mil acres de terra forneceriam a seus habitantes miseráveis uma colheita tão abundante de produtos necessários à vida quanto dez acres de terra igualmente fértil o fazem em Devonshire, onde são bem cultivadas?

Antes da apropriação da terra, aquele que colhia todos os frutos silvestres, que matava, caçava ou domesticava todos os animais selvagens que podia; aquele que aplicava sua atividade aos produtos espontâneos da natureza e modificava de uma maneira qualquer o estado em que ela os havia criado, colocando neles o seu trabalho, adquiria assim a propriedade sobre eles. Mas se esses bens viessem a perecer em sua propriedade sem o devido uso; se os frutos apodrecessem ou a caça ficasse putrefata antes de poder ser consumida, ele infringia a lei comum da natureza e era passível de punição: ele estaria invadindo a terra de seu vizinho, pois seu direito cessava com a necessidade de utilizar estes bens e a possibilidade de deles retirar os bens para sua vida.

38. As mesmas delimitações quantitativas regiam também a posse da terra. Tudo o que o homem plantava, colhia, armazenava e consumia antes de se deteriorar pertencia-lhe por direito; todo o gado e os produtos que podia cercar, alimentar e utilizar também eram seus. Mas se a grama apodrecesse no solo de seu cercado ou os frutos de sua plantação perecessem antes de serem colhidos e consumidos, esta parte da terra, não importa se estivesse ou não cercada, podia ser considerada como inculta e podia se tornar posse de qualquer outro. Assim, no início, Caim podia tomar e se apropriar de tanta terra quanto ele pudesse cultivar, e ainda deixava o bastante para Abel alimentar seus carneiros; poucos acres eram suficientes para as posses de ambos. Mas à medida que as famílias aumentavam e a indústria ampliava suas reservas, suas posses se ampliaram segundo suas necessidades; mas isto não vinha acompanhado, em geral, da propriedade permanente das terras de que se serviam os interessados, até que um dia eles se uniram, estabeleceram-se em conjunto e construíram cidades; então, por consentimento, pouco a pouco começaram a fixar as fronteiras de seus diferentes territórios, entraram em acordo sobre os limites entre eles e seus vizinhos e, através de leis internas, estabeleceram as propriedades dos membros daquela sociedade. Vemos, então, que naquela parte do mundo que foi primeiro habitada, e por isso provavelmente a melhor povoada, mesmo em uma época tão distante quanto aquela de Abraão, os homens perambulavam livremente de um lado a outro com seu gado e seus rebanhos, que eram a fonte de seu sus-

tento; e isso Abraão fazia em um país onde era um estrangeiro, evidência de que grande parte da terra era comum. Os habitantes não lhe atribuíam um valor nem reclamavam a propriedade de uma quantidade de terra maior que aquela por eles utilizada. Mas quando não houve mais espaço suficiente no mesmo lugar para que seus rebanhos se alimentassem juntos, eles, por consentimento, como o fizeram Abraão e Lot (Gn 13,5), separaram e ampliaram suas pastagens nas regiões que mais lhes apraziam. E pela mesma razão Esaú separou-se de seu pai e de seu irmão e se fixou no Monte Seir (Gn 36,6).

39. E assim, sem supor qualquer dominação e propriedade privada de Adão sobre todo o mundo, exclusiva de todos os outros homens, pois isso não pode ser de forma alguma provado nem qualquer propriedade de outra pessoa foi dessa maneira estabelecida; mas supondo-se que o mundo tenha sido dado aos filhos dos homens em comum, percebemos como o trabalho poderia proporcionar aos homens direitos distintos a várias parcelas dele para seu uso particular, quando não houvesse dúvida quanto ao seu direito nem espaço para disputas.

40. Também não é tão estranho, como talvez pudesse parecer antes da consideração, que a propriedade do trabalho fosse capaz de desenvolver uma importância maior que a comunidade da terra. Pois na verdade é o trabalho que estabelece em tudo a diferença de valor; basta considerar a diferença entre um acre de terra plantada com fumo ou cana, semeada com trigo ou cevada, e um acre da mesma terra deixado ao bem comum, sem qualquer cultivo, e perceberemos que a melhora realizada pelo trabalho é responsável por grandíssima parte do seu valor. Creio estar propondo uma avaliação moderada, se disser

que dentre os produtos da terra úteis à vida do homem nove décimos provêm do trabalho; da mesma forma, se quisermos avaliar corretamente os bens segundo o uso que deles fazemos, e dividir as várias despesas decorrentes deste uso – o que se deve apenas à natureza e o que se deve ao trabalho – veremos que na maior parte delas noventa e nove por cento correm exclusivamente por conta do trabalho.

41. Não há demonstração mais clara deste fato que as várias nações americanas, que são ricas em terra e pobres em todos os confortos da vida; a natureza lhes proviu tão generosamente quanto a qualquer outro povo com os elementos básicos da abundância – ou seja, um solo fértil, capaz de produzir abundantemente o que pode servir de alimento, vestuário e prazer –, mas na falta de trabalho para melhorar a terra, não tem um centésimo das vantagens de que desfrutamos. E um rei de um território tão vasto e produtivo se alimenta, se aloja e se veste pior que um diarista na Inglaterra.

42. Para tornar isso um pouco mais claro, basta traçar os caminhos sucessivos de alguns produtos que servem em geral à vida, antes de chegarem a ser utilizados por nós, e ver quanto de seu valor eles recebem da indústria humana. O pão, o vinho e os tecidos são coisas de uso diário e encontradas em abundância; entretanto, as bolotas, a água, as folhas ou as peles poderiam nos servir de alimento, bebida e roupas se o trabalho não nos fornecesse aqueles produtos mais úteis. O que faz o pão valer mais que as bolotas, o vinho mais que a água e os tecidos ou a seda mais que as folhas, as peles ou o musgo, deve-se inteiramente ao trabalho e à indústria. De um lado temos aqui os alimentos e as roupas que a natureza por si só nos fornece; de outro, os bens que nossa indústria e nosso esforço nos prepara; quem quiser estimar o quanto eles ex-

cedem o outro em valor quando qualquer um deles for avaliado, verá que o trabalho é responsável pela maior parte do valor das coisas de que desfrutamos neste mundo. E o solo que produz as matérias-primas raramente entra na avaliação, ou entra com uma parte muito pequena; tão pequena que mesmo entre nós, a terra abandonada, que não recebe os melhoramentos do pasto, da agricultura ou do plantio é chamada de "baldia", o que na verdade ela é, e veremos que o proveito que tiramos dela é pouco mais que nada.

Isso demonstra a que ponto se prefere uma quantidade de homens a extensões de domínios; e que a grande arte do governo consiste em melhorar as terras e utilizá-las corretamente. Assim, o príncipe sábio, o semideus, que estabelecerá leis de liberdade para proteger e encorajar a indústria honesta da humanidade diante da opressão do poder e da estreiteza partidária, rapidamente se tornará forte demais para seus vizinhos, mas sobre isso falaremos depois.

Voltemos ao nosso propósito.

43. Um acre de terra que produz aqui vinte alqueires de trigo, e outro na América que, com a mesma plantação, daria o mesmo, possuem sem dúvida o mesmo valor intrínseco. Entretanto, em um ano, a humanidade tira talvez de um deles cinco libras de lucro, e do outro menos de um centavo, se todo o produto que um índio retirou dele fosse avaliado e vendido aqui; posso realmente dizer que não chegaria a um milésimo. Assim sendo, é o trabalho que dá à terra a maior parte de seu valor, sem o qual ela não valeria quase nada; é a ele que devemos a maior parte de todos os seus produtos úteis, pois toda aquela palha, o farelo e o pão daquele acre de trigo vale mais que o produto de um acre de uma terra boa que permanece inculta, e é tudo

efeito do trabalho. Não são somente o esforço do trabalhador, a labuta do ceifador e do debulhador, o suor do padeiro, que devem ser levados em conta no pão que comemos; o trabalho daqueles que domesticaram os bois, que forjaram o ferro e lavraram as pedras, que abateram as árvores e serraram a madeira empregada no arado, no moinho, no forno e em quaisquer outros utensílios, que são em grande número requisitados para este grão, desde a semente a ser semeada até sua transformação em pão, devem ser considerados na avaliação do trabalho e tomados como um efeito dele. A natureza e a terra forneceram apenas a matéria-prima intrinsecamente menos valiosa. Se fosse possível identificá-los, poderia ser feito um estranho catálogo com os objetos produzidos pela indústria e utilizados para se fazer cada fatia de pão, antes de ela chegar ao nosso consumo: ferro, madeira, couro, casca de árvore, vigas, pedra, tijolos, carvão, cal, tecidos, tintas, piche, alcatrão, mastros, cordas e todos os materiais utilizados no navio que trouxe qualquer um dos produtos usados por qualquer dos operários para uma fase qualquer do trabalho, o que seria impossível - pelo menos longo demais - relacionar.

44. Tudo isso evidencia que, embora as coisas da natureza sejam dadas em comum, o homem, sendo senhor de si mesmo e proprietário de sua própria pessoa e das ações de seu trabalho, tem ainda em si a justificação principal da propriedade; e aquilo que compôs a maior parte do que ele aplicou para o sustento ou o conforto de sua existência, à medida que as invenções e as artes aperfeiçoaram as condições de vida, era absolutamente sua propriedade, não pertencendo em comum aos outros.

45. Assim, no começo, por pouco que se servisse dele, o trabalho conferia um direito de

propriedade sobre os bens comuns, que permaneceram por muito tempo os mais numerosos, e até hoje é mais do que a humanidade utiliza. No início, a maior parte dos homens contentava-se com o que a natureza oferecia para as suas necessidades; e embora depois, em algumas partes do mundo (onde o aumento do número de pessoas e das reservas, com o uso do dinheiro, tornaram a terra escassa e por isso de algum valor), as várias comunidades tenham estabelecido os limites de seus distintos territórios e, por leis internas tenham regulamentado as propriedades particulares de sua sociedade, e desta forma, por convenção e acordo, determinado a propriedade iniciada pelo trabalho e pela indústria – e os tratados que foram feitos entre vários estados e reinados, seja expressa ou tacitamente, renunciando a toda reivindicação e direito sobre a terra em posse do outro, puseram de lado, por consentimento comum, todas as suas pretensões a seu direito comum natural, que originalmente tinham em relação àqueles países; e assim, por um acordo positivo, estabeleceram um direito de propriedade entre eles em partes e parcelas distintas da terra – embora ainda existam vastas extensões de terra cujos habitantes não se juntaram ao resto da humanidade para concordar com o uso da moeda comum; elas permanecem baldias, e são mais do que as pessoas que ali habitam utilizam ou podem utilizar, e assim ainda continuam sendo terra comum; mas isso ocorre raramente naquela parte da humanidade que consentiu no uso do dinheiro.

46. A maior parte das coisas realmente úteis à vida do homem, aquelas que a necessidade de sobreviver incitou os primeiros camponeses do mundo a explorar, como fazem agora os americanos, são em geral coisas de duração efêmera, que, se não forem consumidas pelo uso, deterioram e perecem por si mes-

mas: o ouro, a prata e os diamantes são coisas às quais o capricho ou a convenção atribuem um valor maior que a sua utilidade real e sua necessidade para o sustento da vida. Agora, de todas as coisas boas que a natureza proveu em comum, cada um tem o direito, como foi dito, de tomar tanto quanto possa utilizar; cada um se tornaria proprietário de tudo o que seu trabalho viesse a produzir; tudo pertenceria a ele, desde que sua indústria pudesse atingi-lo e transformá-lo a partir de seu estado natural. Aquele que colhesse cem alqueires de bolotas ou de maçãs adquiriria assim uma propriedade sobre eles; a mercadoria era sua desde o momento em que a havia colhido. Ele só tinha de se preocupar em consumi-la antes que estragasse, senão isto significaria que ele havia colhido mais que a sua parte e, portanto, roubado dos outros; e, na verdade, era uma coisa tola, além de desonesta, acumular mais do que ele poderia utilizar. Se ele distribuísse a outras pessoas uma parte desses frutos, para que não perecessem inutilmente em suas mãos, esta parte ele também estaria utilizando; e se ele também trocasse ameixas que iriam perecer em uma semana, por nozes que durariam um ano para serem comidas, não estaria lesando ninguém; ele não estaria desperdiçando a reserva comum nem destruindo parte dos bens que pertenciam aos outros enquanto nada se estragasse inutilmente em suas mãos. Se ele trocasse suas nozes por um pedaço de metal cuja cor lhe agradara, ou trocasse seus carneiros por conchas, ou a lã por uma pedra brilhante ou por um diamante, e os guardasse com ele durante toda a sua vida, não estaria violando os direitos dos outros; podia guardar com ele a quantidade que quisesse desses bens duráveis, pois o excesso dos limites de sua justa propriedade não estava na dimensão de suas posses, mas na destruição inútil de qualquer coisa entre elas.

47. Assim foi estabelecido o uso do dinheiro – alguma coisa duradoura que o homem podia guardar sem que se deteriorasse e que, por consentimento mútuo, os homens utilizariam na troca por coisas necessárias à vida, realmente úteis, mas perecíveis.

48. Como os diferentes graus de indústria dos homens podiam fazê-los adquirir posses em proporções diferentes, esta invenção do dinheiro deu-lhes a oportunidade de continuar a aumentá-las. Imaginemos uma ilha isolada de todo o comércio possível com o resto do mundo, onde só houvesse cem famílias – mas houvesse carneiros, cavalos e vacas, além de outros animais úteis, frutos comestíveis e terra suficiente para dar milho para cem mil vezes mais, mas nada, na ilha, que não fosse tão comum ou tão perecível que pudesse tomar o lugar do dinheiro – que razão alguém poderia ter para aumentar suas posses além das necessidades de sua família e para um suprimento abundante para seu consumo, seja no que sua própria indústria produzisse, ou que eles pudessem trocar por outros produtos igualmente perecíveis e úteis? No lugar onde não existe nada durável e raro, que tenha bastante valor para ser guardado, nada incita os homens a estender suas posses sobre terras mais vastas, mesmo que estas sejam férteis e estejam disponíveis para ele. Eu pergunto quem atribuiria um valor a dez mil ou a cem mil acres de uma terra excelente, fácil de cultivar e, além disso, bem provida de gado, mas situada no coração da América, se lá não existe nenhuma possibilidade de comerciar com outras partes do mundo e extrair dinheiro da venda dos produtos? Não teria valido a pena cercar essa terra e nós veríamos retornar ao estado natural selvagem e comum tudo aquilo que fosse mais do que o estritamente necessário para fornecer para ele e sua família, os bens vitais.

49. Assim, no início, toda a terra era uma América, e mais ainda que hoje, pois em parte alguma se conhecia o dinheiro. Encontre qualquer coisa que tenha o uso e o valor de dinheiro entre seus vizinhos e você verá que o mesmo homem começará a aumentar suas posses.

50. Mas uma vez que o ouro e a prata, sendo de pouca utilidade para a vida do homem em relação ao alimento, ao vestuário e aos meios de transporte, retira seu valor apenas da concordância dos homens, de que o trabalho ainda proporciona em grande parte a medida, é evidente que o consentimento dos homens concordou com uma posse desproporcional e desigual da terra; através de um consentimento tácito e voluntário, eles descobriram e concordaram em uma maneira pela qual um homem pode honestamente possuir mais terra do que ele próprio pode utilizar seu produto, recebendo ouro e prata em troca do excesso, que podem ser guardados sem causar dano a ninguém; estes metais não se deterioram nem perecem nas mãos de seu proprietário. Esta divisão das coisas em uma igualdade de posses particulares, os homens tornaram praticável fora dos limites da sociedade e sem acordo, apenas atribuindo um valor ao ouro e à prata, e tacitamente concordando com o uso do dinheiro. Pois nos governos as leis regulam o direito de propriedade, e a posse da terra é determinada por constituições positivas.

51. Assim, eu acho que é muito fácil conceber sem qualquer dificuldade como o trabalho pôde constituir, no início, a origem de um título de propriedade sobre os bens comuns da natureza, e como o uso que se fazia dele lhe servia de limite. Então, não podia existir qualquer motivo para se disputar um título, nem qualquer dúvida a respeito da dimensão da posse que ele

autorizava. O direito e a conveniência andavam juntos. Como cada homem tinha o direito a tudo em que podia aplicar o seu trabalho, não tinha a tentação de trabalhar mais do que para o que pudesse usar. Isso não deixava espaço para controvérsia quanto ao título, nem para usurpação do direito dos outros. A parte que cada um talhava para si era facilmente reconhecível; era tão inútil quanto desonesto talhar uma parte grande demais ou tomar mais que o necessário.

VI

Do poder paterno

52. Talvez possa ser censurado, criticado como fora de propósito em um discurso desta natureza o fato de eu divulgar palavras e denominações que circulam no mundo, e talvez não seja impróprio oferecer novas acepções quando as velhas podem induzir os homens a erros, como é provável ter ocorrido com este do pátrio poder, que parece situar o poder dos pais sobre seus filhos inteiramente sobre o pai, como se a mãe não o compartilhasse. Ora, se consultarmos a razão ou a revelação, veremos que ela tem um igual direito. Isto justificaria perguntar se não seria mais exato chamá-lo de poder dos pais? Pois sejam quais forem os deveres que a natureza e o direito de geração impõem às crianças, certamente as obriga da mesma forma sobre as suas duas causas concorrentes. Então, vemos que a lei positiva de Deus sempre os reúne sem distinção quando ordena a obediência aos filhos. "Honra teu pai e tua mãe" (Ex 20,12); "Quem amaldiçoar o pai ou a mãe" (Lv 20,9); "Respeite cada um de vós o pai e a mãe" (Lv 19,3); "Filhos, obedecei vossos pais" (Ef 6,1), é como se exprimem o Antigo e o Novo testamentos.

53. Se este simples fato tivesse sido devidamente considerado, mesmo sem que se aprofundasse muito na questão, isso talvez pudesse ter evitado que os homens incorressem em erros tão crassos quando

delegaram este poder dos pais; que, embora pudesse, sem forçar seu sentido, tomar o nome de dominação absoluta e autoridade real, quando, sob o título de poder paterno, parecia reservado ao pai, no entanto soou um pouco estranho, e seu próprio nome trai o absurdo, se este poder supostamente absoluto sobre as crianças fosse chamado poder dos pais; e, além disso, descobriu-se que ele pertence também à mãe. Pois convirá muito pouco aos propósitos daqueles homens que defendem o absoluto poder e autoridade da paternidade, como o chamam, que a mãe tenha qualquer participação nele. E seria de muito pouca serventia à monarquia que tanto defendem, se pelo próprio nome parecesse que aquela autoridade fundamental de cuja origem eles derivariam seu governo de apenas uma pessoa não estivesse colocada em uma, mas em duas pessoas ao mesmo tempo. Mas deixemos de lado esta questão de nomes.

54. Embora eu tenha dito anteriormente (Capítulo II) que, por natureza, todos os homens são iguais, não se pode supor que eu me referisse a todos os tipos de igualdade. A idade ou a virtude podem dar aos homens uma precedência justa. A excelência dos talentos e dos méritos pode colocar alguns acima do nível comum. O nascimento pode sujeitar alguns, e a aliança ou os benefícios podem sujeitar outros, reconhecendo-se aqueles a quem a natureza, a gratidão ou outros aspectos possam obrigar. E no entanto tudo isso coincide com a igualdade de todos os homens com respeito à jurisdição ou ao domínio de um sobre o outro, ou seja, a igualdade que apresentei como característica disso que se está tratando e que consiste, para cada homem, em ser igualmente o senhor de sua liberdade natural, sem depender da vontade nem da autoridade de outro homem.

55. Admito que as crianças não nascem neste estado de plena igualdade, embora tenham nascido para isso. Seus pais têm uma espécie de governo e jurisdição sobre eles quando eles vêm ao mundo e durante algum tempo depois, mas é apenas temporário. Os laços desta sujeição são como as fraldas que eles vestem e protegem a fragilidade de sua infância. A idade e a razão, à medida que elas crescem, pouco a pouco as liberta delas, até o dia em que caem completamente e deixam o homem absolutamente livre.

56. Adão foi criado como um homem perfeito, seu corpo e sua mente em completa posse de sua força e de sua razão, e assim foi capaz, desde o primeiro instante, de promover seu próprio sustento e preservação, e governar suas ações de acordo com os ditames da lei da razão nele implantada por Deus. A partir dele o mundo foi povoado com seus descendentes, que nasceram todos bebês, frágeis e desamparados, sem conhecimento ou compreensão. Mas para suprir os defeitos deste estado imperfeito até o momento em que o progresso do crescimento e a idade o tivessem removido, Adão e Eva, e depois deles todos os pais, estavam sujeitos pela lei da natureza a uma obrigação de preservar, alimentar e educar as crianças que tivessem gerado; não como criaturas produzidas por eles, mas pela obra de seu próprio Criador, o Todo-poderoso, a quem deviam delas prestar contas.

57. Uma mesma lei devia reger Adão e toda a sua posteridade, a lei da razão. Mas como sua descendência veio ao mundo de uma maneira diferente da dele, por um nascimento natural que a produzia ignorante e desprovida do uso da razão, ela não se encontrou imediatamente sob essa lei. Pois ninguém pode estar sujeito a uma lei que não é promulgada para ele; e como apenas a razão promulga e faz co-

nhecer a lei, não se pode admitir que ela se aplique a quem não chegou à idade da razão. Os filhos de Adão, que não eram regidos por esta lei da razão desde o seu nascimento, não eram de início livres. A lei, em sua verdadeira noção, não é tanto a limitação, mas a direção de um agente livre e inteligente em seu próprio interesse, e só prescreve visando o bem comum daqueles que lhe são submetidos. Se eles pudessem ser mais felizes sem ela, a lei desapareceria como um objeto inútil; não é confinando alguém que lhe tornamos inacessíveis os lodaçais e os precipícios. De forma que, mesmo que possa ser errada, a finalidade da lei não é abolir ou conter, mas preservar e ampliar a liberdade. Em todas as situações de seres criados aptos à lei, onde não há lei, não há liberdade. A liberdade consiste em não se estar sujeito à restrição e à violência por parte de outras pessoas; o que não pode ocorrer onde não há lei: e não é, como nos foi dito, uma liberdade para todo homem agir como lhe apraz. (Quem poderia ser livre se outras pessoas pudessem lhe impor seus caprichos?) Ela se define como a liberdade, para cada um, de dispor e ordenar sobre sua própria pessoa, ações, possessões e tudo aquilo que lhe pertence, dentro da permissão das leis às quais está submetida, e, por isso, não estar sujeito à vontade arbitrária de outra pessoa, mas seguir livremente a sua própria vontade.

58. Portanto, o poder que os pais exercem sobre seus filhos procede daquele dever, que lhes é imposto, de cuidar de sua descendência durante a condição imperfeita da infância. Deve formar sua mente e governar as ações de sua ainda ignorante imaturidade, até que a razão assuma seu lugar e os liberte dessa preocupação. É isso que as crianças desejam e é essa a obrigação dos pais. Deus, que dotou o homem do entendimento para dirigir suas ações, deu-lhe também,

como um atributo a ele vinculado, uma liberdade de vontade e uma liberdade de agir, dentro dos limites fixados pela lei que o rege. Mas enquanto ele estiver em um estado em que não tem entendimento de sua própria pessoa para dirigir sua vontade, não tem qualquer vontade própria para seguir. Aquele que compreende por ele deve também desejar por ele, comandar sua vontade e dirigir suas ações; mas quando chega ao estado que tornou seu pai um homem livre, o filho também se torna um homem livre.

59. Isto está presente em todas as leis a que o homem está sujeito, sejam naturais ou civis. O homem está sujeito à lei da natureza? O que o torna livre dessa lei? O que lhe dá a livre-disposição de sua propriedade segundo seu próprio desejo dentro do âmbito daquela lei? Eu respondo: Um estado de maturidade em que se supõe que ele seja capaz de conhecer aquela lei, e assim manter suas ações dentro de seus limites. Quando adquiriu esse estado, supõe-se que ele tem conhecimento de até que ponto aquela lei será seu guia e até onde ele pode fazer uso de sua liberdade, e assim a atinge; até então deve ser guiado por outra pessoa que se presume conhecer até que ponto a lei permite uma liberdade. Se um tal estado racional e uma tal idade de discernimento o tornam livre, o mesmo deve tornar livre também seu filho. Um homem está sujeito à lei da Inglaterra? O que o torna isento dessa lei? Ou seja, ter a liberdade de dispor de suas ações e posses segundo sua própria vontade, dentro da permissão dessa lei? A capacidade para conhecer essa lei, o que se supõe que ocorre aos vinte e um anos de idade, e em alguns casos antes. Se isto tornou o pai livre, tornará o filho também livre. Até agora vimos que a lei não permite que o filho tenha vontade, mas deve ser orientado pela vontade de seu pai ou guardião, que deve entender

por ele. E se o pai morre sem apontar um substituto de sua confiança, se não designou um tutor para orientar seu filho durante sua minoridade, enquanto ele carece de entendimento, a lei se encarrega disso. Outra pessoa deve orientá-lo e ter vontade por ele, até que ele atinja um estado de liberdade e sua inteligência tenha captado a arte de reger a sua vontade. Mas depois disso pai e filho são igualmente livres, tanto quanto tutor e pupilo após a minoridade; igualmente sujeitos à mesma lei, sem que o pai tenha qualquer domínio sobre a vida, a liberdade ou os bens de seu filho; e não faz nenhuma diferença se eles vivem simplesmente no estado de natureza e submissos ao direito natural, ou sob as leis positivas de um governo estabelecido.

60. Mas se, por defeitos que podem surgir no curso normal da natureza, uma pessoa não atinge tal grau de razão em que se poderia supor que ela fosse capaz de conhecer a lei e viver dentro de suas regras, ela jamais será capaz de ser um homem livre, jamais poderá dispor de sua própria vontade (porque desconhece os limites dela e não tem o entendimento que deve guiá-la) e deverá ser mantida sob a tutela e a orientação de outros durante todo o tempo que seu próprio entendimento for incapaz desse encargo. Por isso os loucos e os idiotas jamais se libertam da tutela de seus pais: "as crianças que ainda não atingiram a idade de possuí-la; e os deficientes que são excluídos por um defeito natural que os impede para sempre de possuí-la; em terceiro lugar, os loucos, que de imediato são incapazes de se guiar segundo a razão normal, têm por seu guia a reta razão que orienta outros homens que exercem sobre eles uma tutela, e que vão buscar e descobrir o bem para eles", diz Hooker (*Eccl. Pol*, liv. i, sec. 7). Tudo isso parece se reduzir à obrigação que Deus e a natureza impuseram aos homens e também

às outras criaturas para proteger sua descendência até que ela seja capaz de arranjar-se por si mesma, e quase nunca importará em um exemplo ou prova da autoridade real dos pais.

61. Assim, nascemos livres, como nascemos dotados de razão; mas isso não significa que possamos dispor do exercício de nenhuma dessas duas faculdades; a idade que traz a primeira, traz consigo também a segunda. Vemos, então, como a liberdade natural e a sujeição aos pais podem caminhar juntas, e são ambas baseadas no mesmo princípio. Uma criança é livre em virtude do direito de seu pai, pelo entendimento de seu pai, que deverá orientá-la até que ela adquira o seu. A liberdade que um homem atinge na idade do discernimento, assim como a sujeição de uma criança a seus pais enquanto não atinge aquela idade, são tão consistentes e tão discerníveis que a maior parte dos defensores mais cegos da monarquia pelo direito de paternidade não poderia ignorar essa distinção, nem os mais obstinados negar esta compatibilidade. Se sua doutrina fosse absolutamente verdadeira, se mesmo hoje se conhecesse o herdeiro legítimo de Adão e se ele reinasse sobre seu trono, investido de todo o poder ilimitado de que fala Sir Robert Filmer, se ele morresse logo após o nascimento de seu herdeiro, será que a criança não deveria, por mais livre e por mais soberana que pudesse ser, ficar submetida a sua mãe e a sua ama, a tutores e orientadores, até que a idade e a educação lhe trouxesse a razão e a capacidade de governar a si própria e aos outros? As necessidades de sua vida, a saúde de seu corpo e a informação de sua mente exigiriam que ela fosse dirigida pela vontade de outros e não pela sua própria; e embora se possa pensar que essa contenção e sujeição sejam prejudiciais ou inconsistentes com aquela liberdade

ou soberania a que ela tem direito, não deixariam seu império nas mãos daqueles que têm a tutela de sua minoridade? Esta tutela sobre ela só a prepararia melhor e mais cedo para o cargo. Se alguém me perguntasse quando meu filho terá idade para ser livre, eu responderei: "na mesma idade em que seu monarca tiver idade para governar". Como diz o judicioso Hooker (*Eccl. Pol.* Liv. 1, sec. 6), "É muito mais fácil discernir em que momento se pode dizer que um homem progrediu suficientemente no uso da razão para ser capaz de se comportar segundo as leis que devem guiar suas ações, do que para qualquer um determiná-lo pela habilidade ou pelos conhecimentos".

62. As próprias sociedades políticas se apercebem e reconhecem que há um momento em que os homens estão prontos para começar a agir como homens livres e, por isso, até chegar este momento, elas não exigem nenhum juramento de fidelidade ou de obediência, ou nenhum outro ato público de homenagem ou de submissão ao governo de seu país.

63. Assim, a liberdade de um homem e sua faculdade de agir segundo sua própria vontade estão fundamentadas no fato de ele possuir uma razão, capaz de instruí-lo naquela lei pela qual ele vai ser regido, e fazer com que saiba a que distância ele está da liberdade de sua própria vontade. Deixá-lo entregue a uma liberdade desenfreada antes que tenha a razão para guiá-lo não é conceder-lhe o privilégio de ter sua natureza livre, mas lançá-lo no meio de selvagens e abandoná-lo em um estado miserável e inferior ao dos homens, como sendo o seu. É isso que coloca nas mãos dos pais a autoridade de governar a minoridade de seus filhos. Deus lhes confiou a tarefa de cuidar dessa maneira de sua descendência e depositou neles pendores de ternura e de solicitude apro-

priados para equilibrar este poder, e para aplicá-lo, na medida em que sua sabedoria o designar, pelo bem das crianças, enquanto elas dele necessitarem.

64. Mas que razão pode provocar a transformação deste cuidado que os pais devem a sua descendência em uma dominação arbitrária absoluta por parte do pai? O poder do pai não deve ultrapassar aquela disciplina que ele considera mais eficaz para proporcionar força e saúde ao corpo dos filhos, vigor e retidão às suas mentes, o que melhor prepara seus filhos para serem mais úteis a si mesmos e aos outros; e, se a condição assim o exigir, fazer com que trabalhem, quando forem capazes, para prover seu próprio sustento. Mas neste poder também a mãe, juntamente com o pai, tem sua parte.

65. O pai não detém este poder em virtude de um direito natural particular, mas somente por ser guardião de seus filhos, e quando ele abandona este cuidado, perde seu poder sobre eles, o que segue paralelo a sua alimentação e educação, às quais está inseparavelmente ligado, e pertence tanto ao pai adotivo de uma criança abandonada quanto ao pai natural de outra. A isso se reduz o poder que o simples fato da procriação proporciona ao homem sobre sua descendência; quando o cuidado termina também se extingue o poder, e este é todo o direito que ele tem ao nome e à autoridade de pai. E o que acontece com este poder paterno naquela parte do mundo em que a mulher tem mais de um marido ao mesmo tempo? Ou naquelas partes da América onde, quando o marido e a mulher se separam, o que acontece frequentemente, as crianças são entregues à mãe, a seguem e estão completamente sob seus cuidados e sob seu encargo? Se o pai morre enquanto os filhos são pequenos, em toda parte eles não devem naturalmente à mãe durante sua minoridade a mesma obediência, que deviam a seu pai

quando ele estava vivo? Quem pretenderá que a mãe tenha um poder legislativo sobre seus filhos? Que ela possa estabelecer regras que os obriga perpetuamente, pelas quais eles devem orientar todos os interesses de sua propriedade, e limitar sua liberdade durante todo o curso de suas vidas? Ou que ela possa fazer cumprir a observação dessas regras com penas capitais? Este é o poder próprio do magistrado, de que o pai não tem nem mesmo a sombra. A autoridade que exerce sobre seus filhos é apenas temporária, e não atinge sua vida ou sua propriedade; é apenas uma ajuda à fragilidade e à imperfeição de sua minoridade, uma disciplina necessária a sua educação; e embora um pai possa dispor de suas próprias possessões como lhe apraz quando seus filhos estão em risco de morrer pela miséria, seu poder não se estende às vidas ou aos bens, que sua própria indústria ou a generosidade de outra pessoa tornou seus; nem também a sua liberdade, uma vez que chegaram à libertação da idade do discernimento. Então o império do pai cessa, e daí em diante ele não pode dispor da liberdade do seu filho, mais do que pode dispor daquela de qualquer outro homem; e fica-se bem distante de uma jurisdição absoluta ou perpétua, pois um homem pode se subtrair a ela com licença da autoridade divina, deixando o pai e a mãe para se ligar a sua mulher.

66. Mas embora haja um momento em que a criança se torna tão livre da sujeição à vontade e à autoridade de seu pai quanto seu próprio pai é livre da sujeição à vontade de qualquer outra pessoa, e ambos não estão sob outra restrição exceto aquela comum aos dois, seja ela a lei da natureza ou a lei civil de seu país, esta liberdade não isenta um filho da honra que ele, pela lei de Deus e da natureza, deve prestar a seus pais. Quando Deus tornou os pais

instrumentos em seu grande desígnio de continuidade do gênero humano, e ensejo da vida de seus filhos, assim como impôs sobre eles a obrigação de alimentar, preservar e criar sua descendência, também colocou sobre as crianças uma obrigação perpétua de honrar seus pais, que, contendo em si uma estima e reverência íntimas que devem ser demonstradas através de todas as expressões exteriores, que afasta o filho de qualquer coisa que possa prejudicar ou afrontar, perturbar ou implicar em risco à felicidade ou à vida daqueles de quem ele recebeu a sua; e os engaja em todas as ações de defesa, alívio, assistência e conforto daqueles através dos quais ele veio à vida, e tornou-se capaz de desfrutá-la. Nenhum estado e nenhuma liberdade pode isentar os filhos desta obrigação. Mas isto está muito longe de conceder aos pais um poder de comando sobre seus filhos, ou uma autoridade para fazer leis e dispor como lhes aprouver de suas vidas ou liberdades. Uma coisa é dever honra, respeito, gratidão e assistência; outra é exigir uma obediência e uma submissão absolutas. A honra devida aos pais, um monarca em seu trono deve a sua mãe, e isto não diminui sua autoridade nem o sujeita ao seu domínio.

67. A sujeição de um menor investe o pai de uma autoridade temporária que termina com a minoridade da criança; e a honra que a criança deve aos pais lhes proporciona um direito perpétuo a um respeito, reverência, apoio e obediência maiores ou menores, segundo o pai colocou mais ou menos cuidado, gastos e bondade em sua educação. Isto não termina com a minoridade, mas permanece em todas as obrigações e condições da vida de um homem. O fato de não distinguir estes dois poderes que o pai possui, o direito de instrução durante a minoridade, e o direito à honra durante toda a sua vida, talvez seja

responsável por grande parte dos erros nesta questão. Falando estritamente, o primeiro deles é um privilégio para os filhos e dever dos pais, mais do que uma prerrogativa de poder paterno. A alimentação e a educação dos filhos é uma incumbência tão forçosa dos pais para o bem de seus filhos que nada pode eximi-los de cuidar disso. Embora o poder de comandar e punir siga ao lado disso, Deus urdiu nos princípios da natureza humana uma tal ternura por sua descendência que há pouco receio de que os pais possam usar seu poder com muito rigor; o excesso raramente ocorre no lado da severidade, a forte tendência da natureza inclinando-se para o outro lado. Por isso Deus todo-poderoso, ao expressar sua atitude amável para com os israelitas, diz-lhes que não obstante os haja punido, puniu-os como um pai pune seu filho (Dt 8,5) – isto é, com ternura e afeição – e não os manteve sob disciplina mais severa do que aquela que seria absolutamente a melhor para eles, e mais doçura teria manifestado menos bondade. Este é o poder a qual os filhos são mandados obedecer, a fim de não aumentarem ou malrecompensarem os esforços e os cuidados de seus pais.

68. Por outro lado, a honra e o apoio material, tudo a que a gratidão obriga em contrapartida aos benefícios recebidos, os filhos o devem sem dispensa possível, e isso é privilégio próprio dos pais. Trata-se aqui da vantagem dos pais, como antes se tratava daquele do filho; mas a educação, que cabe aos pais, é acompanhada por um poder quase universal, devido à ignorância e às fragilidades da infância, que requerem a restrição e a correção, ou seja, o exercício de um governo e uma espécie de dominação. O dever que está contido na palavra honra requer menos obediência, ainda que se imponha menos obediência aos filhos menores do que aos maiores. Quem pode acreditar na

ordem “Filhos, obedecei a vossos pais”, que exige de um homem que tem filhos a mesma submissão a seus pais que seus filhos devem a ele, ou que em virtude deste preceito ele deveria obedecer a todas as ordens de seu pai, se este, abusando da autoridade, comete a indelicadeza de tratá-lo ainda como a um menino?

69. Assim, a primeira parte do poder, ou melhor, do dever do pai, que é a educação, lhe pertence até que termine na época determinada. Quando a tarefa da educação está completa, ela termina por si mesma e é também previamente alienável. Pois um homem pode colocar em outras mãos a instrução de seu filho; e aquele que fez de seu filho aprendiz de outro homem, desobrigou-o durante aquele período de grande parte de sua obediência, tanto a ele quanto a sua mãe. No entanto, a segunda parte, toda a obrigação de honra, permanece intacta; nada pode cancelar este dever. Ele é tão inseparável de ambos, pai e mãe, que a autoridade do pai não pode despojar a mãe desse direito, nem qualquer homem pode dispensar seu filho de honrar aquela que o gerou. Mas ambos estão muito distantes de um poder de fazer leis e obrigá-los de penalidades que podem atingir os bens, a liberdade, a integridade física e a própria vida. O poder de comandar termina com a minoridade; e ainda que depois disso o filho continue a dever aos pais honra e respeito, apoio material e proteção, e tudo o mais que a gratidão possa obrigar um homem em contrapartida aos benefícios que ele seja naturalmente suscetível de receber, isso não coloca nenhum cetro nas mãos do pai, nenhum poder soberano de comando. Ele não tem domínio sobre os bens ou os atos de seu filho, e nenhum direito de lhe impor toda a sua vontade; entretanto, em algumas situações que não sejam inconvenientes ao filho ou a sua família, o filho pode esperar ser tratado respeitosamente.

70. Um homem deve honra e respeito a outro mais velho ou a um sábio, proteção a seu filho ou ao seu amigo, alívio e ajuda aos infelizes e gratidão a um benfeitor, em tal grau que tudo o que ele tem e tudo o que pode fazer não pode pagar suficientemente por isso; mas nada disso lhe dá autoridade ou direito de fazer leis para as pessoas que lhe são devedoras. E é claro que isso não se deve apenas ao simples título de pai, não somente porque, como foi dito, é devido também à mãe, mas porque também estas obrigações aos pais e a gradação do que se impõe aos filhos podem variar segundo os cuidados e a bondade, os problemas e os custos que são dispensados em maior ou menor extensão em benefício de um ou outro dos filhos.

71. Compreende-se, assim, de que maneira os pais podem conservar um poder sobre seus filhos e exigir sua submissão, nas sociedades em que eles mesmos são súditos, da mesma forma que aqueles que estão no estado de natureza. Isso não seria possível se todo o poder fosse apenas paterno, e se se tratasse de uma única e mesma coisa; neste caso, toda a autoridade paterna pertenceria ao príncipe e nenhum súdito poderia detê-la naturalmente. Mas esses dois poderes, político e pátrio, são tão diferentes e tendem a fins tão pouco semelhantes que todo súdito que é um pai tem tanto poder sobre seus filhos quanto o príncipe tem sobre os seus, e todo príncipe que tem pais deve a eles tanto respeito e obediência filiais quanto o mais humilde de seus súditos deve aos seus; por isso não contém nenhuma parcela ou grau daquele tipo de dominação que um príncipe ou um magistrado tem sobre seus súditos.

72. Embora a obrigação dos pais de educar seus filhos e a obrigação dos filhos de honrar seus pais contenham, de um lado, todo o poder, e de outro, toda a submissão que caracterizam esta relação,

o pai em geral detém um outro poder, que lhe proporciona um poder sobre a obediência de seus filhos; ele o divide com o resto dos homens, mas passa, no mundo, como um aspecto da jurisdição paterna, pois os pais têm quase sempre a ocasião de exercê-lo na intimidade de sua família, enquanto fora os exemplos são mais raros e despertam menos atenção. Eu me refiro ao poder que em geral os homens têm de transmitir seus bens a quem lhes aprouver. Normalmente, em uma proporção determinada pela lei e pelos costumes de cada país, os bens do pai representam, para os filhos, a esperança de uma herança, mas é costume que o pai tenha a faculdade de distribuí-los de forma mais parcimoniosa ou generosa, segundo o comportamento deste ou daquele filho se adaptou a sua vontade ou ao seu humor.

73. Este não é um vínculo pequeno sobre a obediência dos filhos. E estando sempre vinculada à posse da terra uma submissão ao governo do país do qual essa terra é parte, admite-se comumente que um pai poderia obrigar sua posteridade àquele governo do qual ele mesmo era um súdito e a que seu contrato os obriga; então, tratando-se apenas uma condição necessária anexada à terra que se encontra submissa a este governo, atinge apenas aqueles que aceitam tomar a terra naquela condição, e este não é um elo ou um compromisso natural, mas uma submissão voluntária. A natureza dá aos filhos de todo homem a mesma liberdade que proporciona a ele próprio, ou a qualquer de seus ancestrais, e, enquanto permanecerem neste estado de liberdade, podem escolher a que sociedade vão se juntar, a que comunidade civil vão se submeter. Mas se eles quiserem desfrutar da herança de seus ancestrais, devem ficar sujeitos às mesmas cláusulas e termos a que eles se submeteram e satisfazer a todas as condições vinculadas a tal posse. Na

verdade, através deste poder os pais obrigam seus filhos a lhes prestar obediência, mesmo depois de ultrapassarem a minoridade, e também é muito comum sujeitá-los a este ou aquele poder político. Mas a nenhum desses por qualquer direito peculiar de paternidade, exceto pelo prêmio que têm em suas mãos para obrigar e recompensar tal submissão; e não é mais poder que um francês tem sobre um inglês, que, na expectativa de um bem que lhe deixará, certamente terá uma forte influência sobre sua obediência; é certo que, se o inglês quiser desfrutar da herança quando a receber, é preciso que aceite as condições que regem a posse da terra em questão, no país em que ela está situada, seja ele a França ou a Inglaterra.

74. Concluindo. Mesmo se o poder do pai de comandar não ultrapasse a minoridade de seus filhos, e isso em um grau apenas determinado pela disciplina e a orientação daquela idade, e mesmo que aquela honra e respeito, e tudo o que os latinos chamam de piedade, que eles indispensavelmente devem a seus pais durante toda a sua vida e em todos os estados, com todo aquele apoio e proteção que lhes são devidos, isso não dá ao pai o poder de governar – ou seja, de fazer leis e infligir punições a seus filhos; entretanto, ainda que ele não adquira assim nenhum domínio sobre seus bens nem sobre a atividade de seu filho, basta que nos reportemos, em espírito, ao início do mundo, ou mesmo em nosso tempo, às regiões em que a população é muito dispersa, o que permite às famílias se instalarem separadamente em locais mais afastados sem dono, transferirem-se e irem habitar em outros locais desocupados, para imaginar a que ponto é fácil passar do papel de pai àquele de príncipe da casa[87]. O pai detém a autoridade em sua família, desde o início da infância de seus filhos; quando estes crescem,

como dificilmente podem viver juntos sem algum governo, não é surpreendente que, expressa ou tacitamente, eles encarreguem disso o pai, que parece permanecer simplesmente em suas funções, sem qualquer mudança. Nada mais é requerido para isso senão permitir que o pai exerça sozinho, em sua família, aquele poder executivo da lei da natureza de que todo homem livre naturalmente dispõe, e através dessa permissão conceder-lhe um poder monárquico sobre a família, enquanto os filhos ali permanecerem. Não obstante, o pai só tem este poder por causa do consentimento de seus filhos, e não por qualquer direito paterno, como evidencia um fato indubitável: se ocorresse, por acaso ou por questões de negócios, que um estrangeiro penetrasse na família e matasse um dos filhos ou cometesse qualquer outro delito, o pai podia condená-lo e matá-lo, ou infligir-lhe qualquer outra punição, como o faria a qualquer um de seus filhos; ora, ele não podia tratar assim qualquer um que não fosse seu filho em virtude de uma autoridade paterna qualquer, mas somente em virtude do poder executivo da lei da natureza, que todo homem possuía por direito; e apenas ele podia punir o estrangeiro em sua família, onde os filhos estavam destituídos do exercício do mesmo poder para dar lugar à dignidade e à autoridade que desejavam que ele mantivesse sobre o restante da família.

75. Era então fácil e quase natural para os filhos, por um consentimento tácito e dificilmente evitável, consentir em abrir caminho para a autoridade e o governo do pai. Durante toda a sua infância eles se acostumaram a seguir sua orientação e a submeter-lhe suas pequenas diferenças; uma vez homens, quem melhor que ele para dirigi-los? Suas pequenas propriedades e sua cobiça, ainda mais limitada, raramente suscitavam maiores controvérsias; e quando crescessem, onde pode-

riam encontrar um árbitro mais qualificado que o homem cujo cuidado havia assegurado, no passado, seu sustento e sua educação, e que experimentava ternura por todos eles? Não surpreende que eles não tivessem feito distinção entre minoridade e maioridade, nem ansiassem por seus vinte e um anos ou por qualquer outra idade para se tornarem aptos para dispor livremente de seus bens e de sua vida, quando não desejassem sair de sua tutela. O governo a que permaneciam submetidos, enquanto durasse, continuava mais a protegê-los que a restringi-los; e em parte alguma eles poderiam encontrar maior segurança para a sua paz, liberdades e bens, que sob o governo de um pai.

76. Assim, por uma imperceptível transformação, os pais naturais das famílias tornaram-se também seus monarcas políticos; e se tivessem a oportunidade de viver muito e deixar herdeiros capazes e dignos para várias gerações, teriam podido estabelecer as fundações de reinados hereditários ou eletivos, regidos por diversas constituições ou autoridades senhoriais e conformar segundo o acaso, as ideias ou as situações. Entretanto, se os príncipes têm seus títulos em seu direito de paternidade, se o fato dos pais terem em geral nas mãos o governo bastava para provar que estão naturalmente investidos da autoridade política, se este argumento é válido, ele prova, suficientemente, que todos os príncipes, e apenas os príncipes, deviam ser sacerdotes, porque, no início, o pai de família era tanto sacerdote quanto governante em sua própria casa.

VII

Da sociedade política ou civil

77. Tendo Deus feito do homem uma criatura tal que, segundo seu julgamento, não era bom para ele ficar sozinho, submeteu-o a fortes obrigações de necessidade, comodidade e inclinação para levá-lo a viver em sociedade, assim como o dotou de entendimento e linguagem para mantê-la e desfrutá-la. A primeira sociedade existiu entre marido e mulher, e serviu de ponto de partida para aquela entre pais e filhos; à qual, com o tempo, foi acrescentada aquela entre patrão e servidor. Embora todas estas sociedades possam se reunir, o que em geral elas fazem, para constituir uma única família, cujo senhor ou senhora detém alguma autoridade conveniente a uma família, cada uma delas, ou todas reunidas, não equivalem a uma sociedade política, como veremos ao examinar os diversos objetivos, vínculos e limites de cada uma.

78. A sociedade conjugal resulta de um pacto voluntário entre o homem e a mulher, e embora consista principalmente em uma comunhão dos corpos, fundamentada sobre um direito recíproco, como o exige seu objetivo principal, a procriação, esta sociedade se acompanha de uma ajuda e de uma assistência mútuas e, além disso, também de uma comunhão de interesses, necessária não somente para unir seu cuidado e sua afeição, mas também a sua descendência comum,

que tem o direito de ser alimentada e mantida por eles até ser capaz de prover suas próprias necessidades.

79. Como a união entre o homem e a mulher tem por fim não somente a procriação, mas a perpetuação da espécie, esta relação entre o homem e a mulher deve continuar, mesmo depois da procriação, quanto tempo for necessário para a alimentação e o sustento dos jovens, que devem ser mantidos por aqueles que os geraram até que sejam capazes de se deslocar e de se prover por si mesmos. Esta regra, que o Criador infinitamente sábio impôs à obra de suas mãos, percebemos ser obedecida prontamente pelas criaturas inferiores. Entre os animais vivíparos, que se alimentam de erva, a união do macho e da fêmea não dura muito mais que o próprio ato da copulação, porque a teta da fêmea é suficiente para alimentar seus filhotes até que eles sejam capazes de pastar; o macho apenas gera, mas não se ocupa nem da fêmea nem dos filhotes, para cujo sustento ele não contribui em nada. Entre os animais selvagens a união dura um pouco mais, pois a mãe não saberia garantir sua subsistência e alimentar sua numerosa prole de maneira satisfatória graças apenas ao produto de sua própria caça, um modo de vida mais laborioso e também mais perigoso do que se alimentar da erva; a ajuda do macho é necessária à manutenção de sua família, que não pode sobreviver até ser capaz de caçar sozinha, a não ser pelo cuidado conjunto do macho e da fêmea. O mesmo pode ser observado em todas as aves (exceto algumas aves domésticas cuja abundância de alimentos excusa o macho de alimentar e cuidar da jovem ninhada); entre eles, os filhotes têm de se alimentar dentro do ninho, e, até serem capazes de se servirem de suas próprias asas para garantirem por si sós sua subsistência, o macho e a fêmea continuam a viver juntos.

80. Aqui reside a razão principal, senão a única, pela qual o homem e a mulher são vinculados em uma união mais longa do que as outras criaturas, ou seja, porque a mulher é capaz de conceber, e *de facto* em geral ainda está atendendo a um filho e fica grávida de outro, bem antes de a criança precedente deixar de depender da ajuda de seus pais para sobreviver e poder conseguir se arranjar sozinha; assim, o pai, que é responsável pelo cuidado daqueles que gerou, tem por obrigação continuar em sociedade conjugal com a mesma mulher durante mais tempo do que as outras criaturas, cujos filhotes são capazes de sobreviverem sozinhos antes do próximo período da procriação, e assim têm seus elos conjugais dissolvidos por si e ficam em liberdade até que o himeneu, em sua época anual habitual, as convoque novamente para escolher novos parceiros. Não se pode deixar de admirar aí a sabedoria do grande Criador, que tendo dotado o homem de uma capacidade de armazenar para o futuro e também de suprir a necessidade presente, tornou necessário que a sociedade do homem e da mulher fosse mais duradoura que aquela do macho e da fêmea entre as outras criaturas, de forma que assim sua indústria podia ser estimulada e seus interesses melhor unidos para acumular provisões e mercadorias para sua descendência comum, tarefa a que muito tumultuariam as associações incertas ou a facilidade e a frequência das dissoluções da sociedade conjugal.

81. Mas embora estes sejam, para a humanidade, entraves que tornam o elo conjugal mais sólido e mais durável entre o homem do que entre as outras espécies animais, seria o caso de perguntar o que impede tornar este contrato, em que a procriação e a educação estão asseguradas e a herança regulamentada, suscetível de dissolução por consentimento mútuo,

ou a um prazo determinado, ou sob certas condições, assim como qualquer outro trato voluntário, pois nem a natureza da situação, nem sua finalidade, exigem que ela dure toda a vida; falo aqui daqueles que não estão submetidos a qualquer lei positiva que ordena que todos os contratos deste gênero sejam perpétuos.

82. Marido e mulher, embora tenham um interesse comum, possuem entendimentos diferentes, e não podem evitar, às vezes, de terem também vontades diferentes; é preciso então que uma determinação final - isto é, a regra - seja colocada em algum lugar, e esta cai naturalmente sobre o homem, como sendo o mais capaz e o mais forte. Mas isso só vale para as questões de seus interesses e bens comuns; a mulher mantém a posse livre e completa de tudo aquilo que por contrato é seu direito peculiar, e seu marido não tem sobre sua vida mais poder do que ela possui sobre a dele. O poder do marido está tão distante daquele de um monarca absoluto, que a mulher em muitos casos é livre para se separar dele, se assim o autoriza o direito natural ou o contrato entre eles, seja este contrato feito por eles próprios em um estado de natureza, ou pelos costumes ou leis do país em que vivem; e as crianças, após uma tal separação, ficam com o pai ou com a mãe, segundo determina tal contrato.

83. Todos os fins do casamento devem ser atingíveis sob um governo político, assim como no estado de natureza; o magistrado civil não limita o direito ou o poder dos esposos, necessários a esses objetivos - ou seja, procriação, ajuda e assistência mútuas enquanto estão juntos - decidindo apenas qualquer controvérsia sobre a questão que possa ocorrer entre o homem e a mulher. Caso contrário, se este poder de vida e de morte e esta soberania absolutos pertencessem naturalmente ao marido, jamais poderia existir

casamento em nenhum país em que o marido não esteja investido de uma autoridade absoluta deste tipo. Entretanto, os fins do casamento não exigem a atribuição de um tal poder ao marido. O estado característico da sociedade conjugal não lhe confere este poder; mesmo a comunidade dos bens, o poder exercido sobre eles, a assistência recíproca, a obrigação mútua do sustento e os outros aspectos da sociedade matrimonial podem ser suscetíveis de modificações e regulados por aquele contrato que inicialmente os uniu naquela sociedade, nada sendo necessário a qualquer sociedade que não seja necessário aos fins para os quais foi feita.

84. A sociedade entre pais e filhos e os diferentes direitos e poderes que lhes pertencem, respectivamente, eu já considerei tão extensamente no capítulo anterior que não há necessidade de mais comentários aqui. Creio ter ficado claro que é bem diferente de uma sociedade política.

85. Senhor e servo são nomes tão antigos quanto a história, mas dados a indivíduos de condições bem diferentes; um homem livre torna-se servidor de outro quando lhe vende um certo tempo de serviço que realiza em troca de um salário que deve receber; e embora isso em geral o coloque dentro da família de seu senhor e recaia sob o jugo da disciplina geral que a comanda, isso proporciona ao senhor um poder temporário sobre ele, mas não maior do que aquele contido no contrato entre eles. Mas há uma outra categoria de servidores, a que damos o nome particular de escravos, que, sendo cativos aprisionados em uma guerra justa, estão pelo direito de natureza sujeitos à dominação absoluta e ao poder absoluto de seus senhores. Como eu disse, estes homens tiveram suas vidas capturadas, e com elas suas liberdades, perderam seus bens – e estão, no estado de escravidão, privados de

qualquer propriedade – e não podem nesse estado não poder ser considerados parte da sociedade civil, cujo principal fim é a preservação da propriedade.

86. Consideremos então um chefe de família, cercado de todos aqueles que ocupam um lugar subordinado em sua casa: esposa, filhos, empregados e escravos, unidos sob o governo doméstico de uma família; apesar de toda a semelhança que esta possa apresentar com uma pequena comunidade civil, pela ordem ali reinante, os empregos e mesmo o número dos participantes, ainda permanece muito diferente por sua constituição, seu poder e suas finalidades; ora, a se pensar em uma monarquia, cujo *pater familias* seria o monarca, esta monarquia absoluta não exerceria senão um poder muito fragmentado e efêmero; pois está evidente, como já vimos antes, que o chefe da família tem um poder muito distinto e diferentemente limitado, tanto no tempo quanto na extensão, sobre aquelas várias pessoas que fazem parte dela, com exceção dos escravos (e, haja ou não escravos, isto não muda em nada a natureza da família e a extensão de sua autoridade paterna), não tem poder legislativo de vida e morte sobre qualquer um de seus membros, nem nenhum poder do qual não compartilhe também a mãe de família. E ele certamente não tem poder absoluto sobre o conjunto da família, uma vez que tem um poder muito limitado sobre cada indivíduo em particular. Mas como uma família ou qualquer outro agrupamento humano difere daquele que constitui propriamente a sociedade política, é preciso examinar sobretudo em que consiste a sociedade política em si.

87. O homem nasceu, como já foi provado, com um direito à liberdade perfeita e em pleno gozo de todos os direitos e privilégios da lei da natureza, assim como qualquer outro homem ou gru-

po de homens na terra; a natureza lhe proporciona, então, não somente o poder de preservar aquilo que lhe pertence - ou seja, sua vida, sua liberdade, seus bens - contra as depredações e as tentativas de outros homens, mas de julgar e punir as infrações daquela lei em outros, quando ele está convencido que a ofensa merece, e até com a morte, em crimes em que ele considera que a atrocidade a justifica. Mas como nenhuma sociedade política pode existir ou subsistir sem ter em si o poder de preservar a propriedade, e, para isso, punir as ofensas de todos os membros daquela sociedade, só existe uma sociedade política onde cada um dos membros renunciou ao seu poder natural e o depositou nas mãos da comunidade em todos os casos que os excluem de apelar por proteção à lei por ela estabelecida; e assim, excluído todo julgamento particular de cada membro particular, a comunidade se torna um árbitro; e, compreendendo regras imparciais e homens autorizados pela comunidade para fazê-las cumprir, ela decide todas as diferenças que podem ocorrer entre quaisquer membros daquela sociedade com respeito a qualquer questão de direito e pune aquelas ofensas que qualquer membro tenha cometido contra a sociedade com aquelas penalidades estabelecidas pela lei; desse modo, é fácil discernir aqueles que vivem daqueles que não vivem em uma sociedade política. Aqueles que estão reunidos de modo a formar um único corpo, com um sistema jurídico e judiciário com autoridade para decidir controvérsias entre eles e punir os ofensores, estão em sociedade civil uns com os outros; mas aqueles que não têm em comum nenhum direito de recurso, ou seja, sobre a terra, estão ainda no estado de natureza, onde cada um serve a si mesmo de juiz e de executor, o que é, como mostrei antes, o perfeito estado de natureza.

88. E assim a comunidade social adquire o poder de estabelecer a punição merecida em correspondência a cada infração cometida entre os membros daquela sociedade, que é o poder de fazer leis, assim como também o poder de punir qualquer dano praticado a um de seus membros por qualquer um que a ela não pertença, que é o poder de guerra e de paz; ela o exerce para preservar, na medida do possível, os bens de todos aqueles que fazem parte daquela sociedade. Cada vez que um homem entra na sociedade civil e se torna membro de uma comunidade civil, renuncia a seu poder de punir ofensas contra a lei da natureza na realização de seu próprio julgamento particular, mas tendo delegado ao legislativo o julgamento de todas as ofensas que podem apelar ao magistrado, delegou também à comunidade civil o direito de requerer sua força pessoal, sempre que quiser, para a execução dos julgamentos da comunidade civil; que, na verdade, são seus próprios julgamentos, pois são feitos por ele ou por seu representante. Descobrimos aqui a origem dos poderes legislativo e executivo da sociedade civil, que é julgar, através de leis estabelecidas, a que ponto as ofensas devem ser punidas quando cometidas na comunidade social, e também determinar por meio de julgamentos ocasionais fundamentados nas presentes circunstâncias do fato, a que ponto as injustiças de fora devem ser vingadas, em ambos os casos empregando toda a força de todos os membros sempre que for necessário.

89. Por isso, todas as vezes que um número qualquer de homens se unir em uma sociedade, ainda que cada um renuncie ao seu poder executivo da lei da natureza e o confie ao público, lá, e somente lá, existe uma sociedade política ou civil. E isso acontece todas as vezes que homens que estão no estado de natureza, em qualquer número, entram em sociedade para fa-

zerem de um mesmo povo um corpo político único, sob um único governo supremo; ou todas as vezes que um indivíduo se une e se incorpora a qualquer governo já estabelecido. Esta sua atitude autoriza a sociedade ou seu corpo legislativo, que é a mesma coisa, a fazer leis por sua conta, quando o bem público o exigir, e requerer sua assistência para fazê-las executar (assim como decretos dos quais ele mesmo seria o autor). Os homens passam assim do estado de natureza para aquele da comunidade civil, instituindo um juiz na terra com autoridade para dirimir todas as controvérsias e reparar as injúrias que possam ocorrer a qualquer membro da sociedade civil; este juiz é o legislativo, ou os magistrados por ele nomeados. E onde houver homens, seja qual for seu número e sejam quais forem os elos que os unem, que não possam recorrer à decisão de um tal poder, eles ainda estão no estado de natureza.

90. Isto revela de maneira evidente que a monarquia absoluta, que alguns homens consideram como a única forma de governo do mundo, é na verdade inconsistente com a sociedade civil, e por isso não poderia constituir de forma alguma um governo civil. Porque a sociedade civil tem por finalidade evitar e remediar aquelas inconveniências do estado de natureza que se tornam inevitáveis sempre que cada homem julga em causa própria, instituindo uma autoridade conhecida a que todos daquela sociedade podem apelar sobre qualquer injúria recebida ou controvérsia que possa surgir, e que todos da sociedade devem obedecer[88]; em todo lugar em que há pessoas que não têm a possibilidade de apelar a uma autoridade e decidir qualquer diferença entre eles, essas pessoas ainda estão no estado de natureza. Tal é também a condição do príncipe absoluto, diante daqueles que estão sob sua dominação.

91. Pois, supondo-se que o príncipe detenha nele próprio a totalidade do poder, legislativo e executivo, quando se busca obter a reparação e a indenização de injúrias ou inconveniências das quais o príncipe é o autor, ou que foram causadas por sua ordem, não se pode conseguir nenhum juiz, nem quem quer que seja que possa julgar com autoridade, sem injustiça ou parcialidade. Tal homem, seja qual for seu título – Czar ou Grande Senhor ou qualquer outro que se queira – permanece no estado de natureza, com todos sob sua dominação, assim como o resto da humanidade. Onde existam dois homens que não possuem uma regra permanente e um juiz comum para apelar na terra para que sejam dirimidas as controvérsias de direito entre eles, estes ainda estão no estado de natureza, e sujeitos a todas as suas inconveniências, com apenas esta lamentável diferença que distingue o súdito, ou antes o escravo, do príncipe absoluto[89]: aquele que na condição ordinária de sua natureza permanece livre para julgar seu direito e defendê-lo com o máximo de suas forças, sempre que sua propriedade for invadida pela vontade e por ordem de seu monarca, não somente ele não tem a quem apelar, como aqueles que vivem na sociedade devem ter, mas, se fosse degradado do estado comum das criaturas racionais, ser-lhe-ia negada a liberdade de julgar ou defender seu direito; assim sendo, está exposto a toda a miséria e inconveniências que um homem pode temer daquele que, além de estar no desenfreado estado de natureza, está também corrompido pela lisonja e armado de poder.

92. Aquele que acha que o poder absoluto purifica o sangue do homem e corrige a baixeza da natureza humana precisa ler a história de nosso século, ou de qualquer outro, para se convencer do contrário. Aquele que fosse insolente e nocivo nas flo-

restas da América, provavelmente não estaria melhor em um trono; onde, talvez, a ciência e a religião seriam consultados para justificar tudo o que ele quisesse fazer a seus súditos, e a espada silenciaria todos aqueles que ousassem questioná-la. Para saber de que vale a proteção proporcionada pela monarquia absoluta, que pais de seus povos ele transforma em príncipes, e que extremos de felicidade e de segurança esta forma de governo permite à sociedade civil, quando chega ao máximo da perfeição, basta consultar o último relato sobre o Ceilão para vê-lo com facilidade.

93. Certamente, nas monarquias absolutas, assim como nas outras formas de governo do mundo, os súditos podem invocar a lei e solicitar juízes para a decisão de quaisquer controvérsias e a contenção de qualquer violência que pudesse ocorrer entre os próprios súditos, um contra o outro. Todos acham isso necessário e acreditam que aquele que tenta abolir este recurso merece ser considerado inimigo declarado da sociedade e da humanidade. Mas se este provém de um verdadeiro amor pela humanidade e pela sociedade, e essa caridade que todos devemos uns aos outros, há razão para duvidar. Todo homem que preza seu próprio poder, seu lucro ou sua grandeza, não apenas pode, mas naturalmente deve, impedir os animais de ferir ou destruir um outro que trabalha e se esforça apenas para seu prazer e sua vantagem; se o senhor cuida deles, não é porque os ama, mas porque ama a si mesmo e por causa do lucro que eles lhe trazem. Por isso, se for perguntado que segurança, que barreira existe em tal estado contra a violência e a opressão deste chefe absoluto, a verdadeira questão dificilmente aparece. Estão prontos a lhe dizer que o simples fato de reclamar por segurança merece a morte. Eles admitem que devem existir critérios, leis e juízes entre os súditos, para lhes

garantir a paz e a segurança mútua; mas quanto ao chefe, ele deve ser absoluto e está acima de todas as contingências; porque tem o poder de causar mais sofrimento e mais injustiça, e tem razão em se servir dele. Questionar como se pode estar protegido do agravo ou da injúria naquele lado onde se encontra a mão mais forte, é dar ouvidos à voz do faccioso e do rebelde. Como se, no dia em que os homens deixaram o estado de natureza para entrar na sociedade, tivessem concordado em ficar todos submissos à contenção das leis, exceto um, que ainda conservaria toda a liberdade do estado de natureza, ampliada pelo poder, e se tornaria desregrado devido à impunidade. Isto equivale a acreditar que os homens são tolos o bastante para se protegerem cuidadosamente contra os danos que podem sofrer por parte das doninhas ou das raposas, mas ficam contentes e tranquilos em serem devorados por leões.

94. Mas, seja o que for que os aduladores possam dizer para divertir os espíritos, isso nunca impede os homens de experimentar os sentimentos; e quando percebem que um homem, não importa sua condição, está fora dos limites da sociedade civil a que eles pertencem, e que não têm a quem apelar na terra contra qualquer dano que possam receber de sua parte, estão inclinados a considerar que estão no estado de natureza em relação a ele; e, logo que possam, cuidarão de se beneficiar daquela proteção e segurança da sociedade civil, que se propunha ser sua instituição oficial e visando apenas aqueles que nela entraram. Por isso, embora talvez no início (como será visto mais extensamente na sequência deste discurso) algum homem dotado de grandes qualidades tenha se destacado dos outros, e em uma homenagem tácita a sua bondade e às suas virtudes, como uma espécie de autoridade natural, aceitou o encargo de exercer a

autoridade suprema e de arbitrar suas diferenças, sem outra proteção além da certeza de sua integridade e sabedoria; mas quando o tempo confirmou e (como alguns homens nos convenceriam) até consagrou os costumes que tiveram sua fonte na inocência negligente e imprevidente das primeiras épocas, pondo em cena sucessores de outra têmpera, o povo, percebendo que seus bens não estavam em segurança sob o governo que existia então[90] (quando o governo não tem outra finalidade além da preservação da propriedade), jamais poderia se sentir seguro quanto ao resto, nem se considerar em sociedade civil, até que a legislatura fosse depositada em órgãos coletivos, chamados Senado, Parlamento, ou o nome que se quiser. Por este meio, cada pessoa considerada individualmente, igual às outras, mesmo às mais humildes, ficou sujeita a leis que ela mesma estabelecia, como parte integrante do legislativo; e ninguém, por sua própria autoridade, podia escapar à força da lei estabelecida ou por qualquer pretensão de superioridade solicitar isenção de seus próprios erros ou daqueles de seus dependentes. Nenhum homem na sociedade civil pode ser imune às suas leis. Se houver um homem que se veja no direito de fazer o que lhe apraz, sem que se possa evocar qualquer recurso sobre a terra para reparar ou limitar todo o mal que ele fará, gostaria que me dissessem se não é verdade que ele permanece no estado de natureza sob sua forma perfeita e que portanto não pode se integrar de maneira nenhuma à sociedade civil; a menos que alguém me diga que estado de natureza e sociedade civil são uma única e mesma coisa, mas ainda não encontrei ninguém tão defensor da anarquia para afirmá-lo[91].

VIII

Do início das sociedades políticas

95. Se todos os homens são, como se tem dito, livres, iguais e independentes por natureza, ninguém pode ser retirado deste estado e se sujeitar ao poder político de outro sem o seu próprio consentimento. A única maneira pela qual alguém se despoja de sua liberdade natural e se coloca dentro das limitações da sociedade civil é através de acordo com outros homens para se associarem e se unirem em uma comunidade para uma vida confortável, segura e pacífica uns com os outros, desfrutando com segurança de suas propriedades e melhor protegidos contra aqueles que não são daquela comunidade. Esses homens podem agir desta forma porque isso não prejudica a liberdade dos outros, que permanecem como antes, na liberdade do estado de natureza. Quando qualquer número de homens decide constituir uma comunidade ou um governo, isto os associa e eles formam um corpo político em que a maioria tem o direito de agir e decidir pelo restante.

96. Quando qualquer número de homens, através do consentimento de cada indivíduo, forma uma comunidade, dão a esta comunidade uma característica de um corpo único, com o poder de agir como um corpo único, o que significa agir somente segundo a vontade e a determinação da maioria. Pois o

que move uma comunidade é sempre o consentimento dos indivíduos que a compõem, e como todo objeto que forma um único corpo deve se mover em uma única direção, este deve se mover na direção em que o puxa a força maior, ou seja, o consentimento da maioria; do contrário, é impossível ele atuar ou subsistir como um corpo, como uma comunidade, como assim decidiu o consentimento individual de cada um; por isso cada um é obrigado a se submeter às decisões da maioria. E por isso, naquelas assembleias cujo poder é extraído de leis positivas, em que a lei positiva que os habilita a agir não fixa o número estabelecido, vemos que a escolha da maioria passa por aquela do conjunto, e importa na decisão sem contestação, porque tem atrás de si o poder do conjunto, em virtude da lei da natureza e da razão.

97. E assim cada homem, consentindo com os outros em instituir um corpo político submetido a um único governo, se obriga diante de todos os membros daquela sociedade a se submeter à decisão da maioria e a concordar com ela; do contrário, se ele permanecesse livre e regido como antes pelo estado de natureza, este pacto inicial, em que ele e os outros se incorporaram em uma sociedade, não significaria nada e não seria um pacto. Será que ele teria a aparência de um pacto? Que novo compromisso seria este, se o interessado não estava vinculado a outros decretos da sociedade além daqueles que ele achava que lhe convinha e nos quais realmente consentiu? Esta seria uma liberdade tão completa quanto a que ele ou qualquer outro possuía antes do pacto, no estado de natureza, em que nada o impede de consentir em uma decisão qualquer e de se submeter a ela, se lhe parecer conveniente.

98. Se, racionalmente, o consentimento da maioria não deve ser encarado como um ato do conjunto e a decisão de cada indivíduo, nada exceto

o consentimento de cada indivíduo pode transformar qualquer coisa em ato do conjunto, pois os problemas de saúde e os impedimentos dos negócios, apesar de em número serem muito inferiores ao total de uma comunidade civil, necessariamente deixará muitos ausentes da assembleia pública. Se acrescentarmos a isso a variedade de opiniões e a diversidade dos interesses que inevitavelmente ocorrem em todos os grupos humanos, a inserção na sociedade em tais condições seria apenas como a entrada de Catão no teatro, *tantum ut exiret.* Uma constituição deste gênero tornaria o poderoso Leviatã mais efêmero que as criaturas mais frágeis, e ele seria incapaz de sobreviver ao dia de seu nascimento; e isto seria inadmissível, e menos ainda que criaturas racionais só desejassem e constituíssem sociedades para depois dissolvê-las. Pois quando a maioria não pode decidir pelo resto, as pessoas não podem agir como um único corpo e este imediatamente entra em dissolução.

99. Por isso é preciso admitir que todos aqueles que saem de um estado de natureza para se unir em uma comunidade abdiquem de todo o poder necessário à realização dos objetivos pelos quais eles se uniram na sociedade, em favor da maioria da comunidade, a menos que uma estipulação expressa não exija o acordo de um número superior à maioria. Para isso basta um acordo que preveja a união de todos em uma mesma sociedade política, e os indivíduos que se inserem em uma comunidade política não necessitam de outro pacto. Assim, o ponto de partida e a verdadeira constituição de qualquer sociedade política não é nada mais do que o consentimento de um número qualquer de homens livres, cuja maioria é capaz de se unir e se incorporar em uma tal sociedade. Esta é a única origem possível de todos os governos legais do mundo.

100. A isto eu encontro duas objeções;

Primeira: A história não conhece exemplos de um grupo de homens independentes e iguais entre si, que tenham se reunido e desta forma fundado e instituído um governo.

Segunda: Juridicamente, é impossível aos homens tê-lo feito, porque todos os homens nasceram sob um governo, e por isso devem a ele submeter-se e não têm a liberdade de fundar um novo.

101. Para a primeira existe uma resposta: Não há por que se admirar da história nos fornecer poucas informações sobre os homens que viviam juntos no estado de natureza. As inconveniências dessa condição, e o amor e a necessidade da sociedade, aproximaram, em um número qualquer, todos aqueles que desejavam ficar juntos, mas eles necessariamente teriam de se unir e se associar se desejavam continuar juntos. E se não pudermos supor que os homens jamais tenham se encontrado no estado de natureza, por não termos ouvido falar de muitos em tal estado, podemos também supor que os soldados de Salmanasar ou de Xerxes jamais tenham sido crianças, porque pouco sabemos deles até se tornarem homens e se incorporarem aos exércitos. Em toda parte, o governo antecede aos registros, e é raro aparecerem constituições em um povo, até que a sociedade civil tenha durado tempo bastante para proporcionar, por meio de outras artes mais necessárias, sua segurança, bem-estar e abundância. É então que se começa a procurar a história de seus fundadores e a estudar suas origens, pois sua memória perdeu-se. As sociedades civis, assim como os indivíduos, em geral não têm lembrança de seu nascimento e de sua infância. E se sabem qualquer coisa sobre sua origem, devem isso a documentos conservados

casualmente por outras pessoas. E aqueles que temos do início de qualquer política no mundo, excetuando-se aquela dos judeus, em que o próprio Deus se interpôs diretamente, e que não defende de forma alguma a dominação paterna, são todos exemplos evidentes de que tal início se processou como eu mencionei, ou pelo menos sugerem pegadas manifestas neste sentido.

102. Demonstra uma forte tendência a negar a evidência dos fatos aquele que não concorda com esta hipótese, e não admite que o início de Roma e Veneza tenha ocorrido pela união de vários homens livres e independentes uns dos outros, entre os quais não havia superioridade ou sujeição natural. E a se acreditar nas palavras de José Acosta, ele nos diz que em muitas partes da América não havia qualquer governo. "Há manifestamente grandes razões para se supor que esses homens", diz ele referindo-se aos habitantes do Peru, "durante muito tempo não tiveram nem reis nem comunidades civis, mas viviam em bandos, como atualmente os habitantes da Flórida, os Cheriquanas, os povos do Brasil e de muitas outras nações, mas quando a ocasião lhes surgiu na paz ou na guerra, escolheram seus capitães como melhor lhes pareceu" (1. i, c. 25). E mesmo lá, cada homem nasce súdito de seu pai ou do chefe de sua família, e já provamos que a obrigação que uma criança tem de se submeter a seu pai não tira dela a liberdade de se unir à sociedade política de sua escolha. Mas, seja como for, é evidente que esses homens eram realmente livres; e seja qual for a superioridade que alguns políticos queiram reconhecer, hoje em dia, em um ou outro dentre eles, eles próprios não a reivindicaram; eles eram todos iguais porque assim o decidiram, e assim permaneceram até o dia em que decidiram ter governantes. Assim sendo, todas as suas sociedades políticas começaram a

partir de uma união voluntária e do acordo mútuo de homens que escolhiam livremente seus governantes e suas formas de governo.

103. Espero que se admita que aqueles que partiram de Esparta com Palanto, mencionados por Justino, l. iii, c. 4, tenham sido homens livres, independentes uns dos outros, e tenham concordado livremente em instituir um governo e a ele se submeter. Assim, apresentei vários exemplos da história de povos que viviam livres no estado de natureza, e que se reuniram, se associaram e iniciaram uma comunidade civil. Se fosse possível invocar a insuficiência dos exemplos históricos para provar que os governos não foram nem poderiam ter sido fundados dessa maneira, creio que seria melhor os partidários do império paterno pararem de argumentar contra a liberdade natural. Pois se eles podem extrair da história tantos exemplos de governos fundamentados sobre o direito paterno (embora, na melhor das hipóteses, os argumentos que concluem o que foi e o que de direito deveria ser, não provem muita coisa), creio que se pode, sem qualquer grande risco, dar-lhes razão. Mas se eu pudesse lhes dar um conselho neste caso, seria preferível que eles não insistissem tanto em sua busca da origem dos governos, como iniciaram *de facto*, pois poderiam constatar que a maior parte deles se fundamenta sobre uma base pouco propícia às intenções que eles promovem e ao tipo de poder que eles defendem.

104. Para concluir, temos a razão do nosso lado quando afirmamos que os homens são naturalmente livres, e os exemplos da história mostram que todos os governos do mundo que tiveram uma origem pacífica foram edificados sobre esta base e devem sua existência ao consentimento do povo. Assim, há pouco espaço para a dúvida, seja sobre qual o lado cer-

to ou sobre a opinião ou a prática da humanidade na fundação inicial dos governos.

105. Admito que se olharmos retrospectivamente, tão distante quanto a história possa nos conduzir, para a origem das comunidades sociais, em geral as encontraremos sob o governo e a administração de um homem. Também estou pronto a acreditar que, nas famílias bastante numerosas para subsistir por si mesmas e conservar sua unidade sem se misturar a outras, como frequentemente ocorre onde há muita terra e poucas pessoas, o governo em geral começava na figura do pai. Pela lei da natureza, o pai tinha o mesmo poder que qualquer outro homem para punir como lhe aprouvesse as transgressões de seus filhos, mesmo quando eles já fossem homens e estivessem fora de sua tutela; e era muito provável que eles se submetessem a essa punição e, por turnos, todos se juntassem a ele contra o ofensor, dando-lhe assim poder para executar sua sentença contra qualquer transgressão, e desse modo transformando-o no legislador e governante sobre tudo o que se relacionava a sua família. Ninguém merecia mais do que ele sua confiança; sob sua guarda, a afeição paterna garantia seus bens e seus interesses; e o hábito de obedecê-lo em sua infância tornava mais fácil obedecer-lhe do que a qualquer outro. Portanto, se fosse para ter alguém para comandá-los, uma vez que homens que vivem juntos dificilmente podem passar sem governo, quem melhor que o homem que era o pai de todos, a menos que a negligência, a crueldade ou qualquer outro defeito mental ou físico o tornasse incapaz para a função? Entretanto, quando o pai morria e deixava um herdeiro que, por insuficiência de idade, de sabedoria ou de qualquer outra qualidade, fosse menos capaz de governar, ou então quando vá-

rias famílias se reuniam e decidiam continuar juntas, não há dúvida que usavam sua liberdade natural para escolher aquele que lhes parecia mais capaz e mais apto a governá-los bem. Assim encontramos os povos da América, que (vivendo fora do alcance das guerras de conquista e da dominação invasora dos dois grandes impérios do Peru e do México) desfrutavam de sua liberdade natural, embora, *coeteris paribus*, em geral preferissem o herdeiro de seu rei morto; mas se de alguma maneira o considerassem fraco ou incapaz, eles o depunham e escolhiam para seu governante o mais forte e o mais corajoso.

106. Se nos reportamos o mais longe que os registros nos permitam encontrar um relato do povoamento do mundo e da história das nações, veremos que em geral o governo está nas mãos de um só homem; mas isso não anula o que eu afirmo, ou seja, que o início da sociedade política depende do consentimento dos indivíduos de se unir e compor uma sociedade; e que, quando estão assim associados, podem instituir a forma de governo que melhor lhes convier. Mas como isso tem induzido os homens a erros e a pensar que, por natureza, todo governo era monárquico e pertencia ao pai, pode não ser fora de propósito considerar aqui por que os povos no início em geral determinaram este regime, que, embora a superioridade do pai talvez pudesse ter suscitado a primeira instituição de algumas comunidades sociais e ter colocado, no início, o poder nas mãos de uma só pessoa; porém é evidente que a razão que manteve a forma de governo sobre uma só pessoa não foi qualquer estima ou respeito à autoridade paterna, pois todas as pequenas monarquias, ou seja, quase todas as monarquias que ainda estão em seu início, permanecem em geral, pelo menos em certas circunstâncias, eletivas.

107. No começo, então, na origem do mundo, a autoridade do pai durante a infância dos seus descendentes habituou-os ao comando de um só homem e ensinou-lhes que, quando este era exercido com solicitude e habilidade, com afeição e amor para com aqueles que lhe eram submissos, isso bastava para proporcionar aos homens toda a felicidade política que eles buscavam em sociedade. Não admira que eles se estabelecessem e prosseguissem naquela forma de governo a que desde sua infância estavam acostumados, e que, por experiência, consideravam tranquila e segura. Se a isso acrescentarmos que a monarquia se apresentou simples e clara a homens que nunca haviam sido instruídos em formas de governo e a quem jamais a ambição ou a insolência do poder havia ensinado a se precaver contra as usurpações da prerrogativa ou as inconveniências do poder absoluto, que este regime sucessivamente se arriscava a reivindicar e lhes impor, não é de se estranhar que eles não se preocupassem em descobrir procedimentos que contivessem quaisquer exorbitâncias por parte daqueles a quem escolheram para seus chefes e equilibrassem o poder do governo, repartindo-o entre diferentes mãos. Eles não haviam conhecido a opressão de uma dominação tirânica, e o espírito da época, suas possessões ou seu modo de vida (que proporcionavam pouca substância para a cobiça ou para a ambição) também não lhes dava razão para temê-la ou preveni-la; por isso não surpreende que eles tenham se submetido a um governo cuja estrutura não somente era a mais simples e a mais clara, mas também a mais adequada a seu atual estado e condição, que os instava muito mais a se defender contra as invasões e as depredações do estrangeiro que a multiplicar as leis. A igualdade de um modo de vida simples e modesto, confinando seus desejos dentro

dos limites da pequena propriedade de cada homem, despertava poucas controvérsias, e por isso não havia necessidade de muitas leis para decidi-las ou uma variedade de funcionários para dirigir o processo ou cuidar da execução da justiça, visto não haver delitos ou delinquentes. Pois deve-se supor que, naquela época, aqueles que se quisessem bem o bastante para se reunir em sociedade deviam ter alguma familiaridade e amizade uns pelos outros, alguma confiança mútua, e não deveriam ter apreensões a não ser a respeito de estranhos, não um do outro; por isso, imagina-se que sua principal preocupação fosse como se colocarem ao abrigo de forças estrangeiras. Era natural que se submetessem a uma estrutura de governo que melhor atingisse este resultado; e escolhessem o homem mais sábio e mais corajoso para comandá-los em suas guerras, protegê-los contra seus inimigos e sobretudo dessa maneira se tornar seu chefe.

108. Vemos, assim, que os reis dos índios da América que é o modelo das primeiras épocas na Ásia e na Europa, quando havia muito poucos habitantes para o território e a ausência de pessoas e de dinheiro não davam aos homens a tentação de ampliar sua posse de terra ou de lutar por uma extensão maior – são pouco mais que generais de seus exércitos; e embora tenham o comando absoluto na guerra, no interior de seu país e em tempo de paz exercem uma dominação muito pequena e têm uma soberania muito moderada; as decisões sobre paz e guerra em geral cabem ao povo ou a um conselho. Somente a guerra, que não admite pluralidade de dirigentes, devolve naturalmente o comando à autoridade única do rei.

109. Mesmo em Israel, a principal função de seus juízes e de seus primeiros reis parece ter sido a de capitães de guerra e comandantes de seus

exércitos; isto (além do que significa estar ou não à frente do povo, que era marchar para a guerra e voltar para casa na liderança de seus exércitos) aparece claramente na história de Jefté. Quando os amonitas lutavam contra Israel, os galaaditas, atemorizados, enviaram uma delegação a Jefté, um bastardo de sua família que eles haviam expulso, e fizeram com ele um acordo, em que se comprometiam a fazer dele seu chefe, se ele os ajudasse contra os amonitas. Cumpriram o acordo com as seguintes palavras: "E o povo o nomeou chefe e comandante" (Jz 11,11), o que, ao que parece, era função do juiz. "Ele foi juiz de Israel" (Jz 12,7), ou seja, foi seu comandante-geral durante seis anos. Quando Jotão censura os siquemitas e lhes recorda sua dívida para com Gedeão, que foi seu juiz e seu chefe, ele lhes diz que "Ele lutou por vós, arriscou sua vida por vós e vos salvou das mãos de Madiã" (Jz 9,17). Nenhuma palavra a seu respeito, exceto sobre o que fez como general; e na verdade isso é tudo o que existe em sua história, ou naquela do restante dos juízes. Abimelec, em particular, é chamado de rei, embora ele tivesse sido, no máximo, seu general. E quando o povo de Israel, cansado da má conduta dos filhos de Samuel, desejou um rei "como todas as nações, para julgá-los e para marchar à sua frente e travar as suas batalhas" (1Sm 8,20), Deus concordou com seu desejo e disse a Samuel: "Eu te mandarei um homem e tu o ungirás como chefe do meu povo de Israel, para que ele o salve das mãos dos filisteus" (9,16). Como se a única tarefa de um rei fosse conduzir seus exércitos e lutar em sua defesa; em conformidade com isso, na coroação de Saul, Samuel verte sobre ele um frasco de óleo e lhe declara que "o Senhor te ungiu como chefe de sua herança" (10,1).

Por isso, depois de Saul ter sido solenemente escolhido e aclamado rei pelas tribos em Masfa, aqueles que não o queriam como rei não fizeram outra objeção senão esta: "Como este homem vai nos salvar?" (versículo 27); isto significava dizer: "Este homem não é capaz de reinar sobre nós, pois lhe falta competência e firmeza na guerra para poder nos defender". E quando Deus resolveu transferir o governo a Davi, usou as seguintes palavras: "Mas agora o teu reinado não se manterá. O Senhor buscou nele um homem segundo o seu próprio coração, e o Senhor lhe mandou que fosse o capitão de Seu povo" (13,14), como se toda a autoridade real consistisse em lhe servir de general; por isso, quando as tribos que haviam permanecido fiéis à família de Saul e se opunham ao reino de Davi foram até Hebron para lhe oferecer sua submissão, afirmaram, entre outras justificativas, que deviam se submeter a ele, porque ele já era seu rei de fato na época de Saul, e, portanto, não havia motivo para não reconhecerem sua realeza agora. Disseram: "Já há tempo, quando Saul reinava sobre nós, foste tu o iniciador e o executor dos grandes feitos de Israel, e o Senhor te disse: 'Tu alimentarás meu povo de Israel e tu serás o capitão de Israel'" (2Sm 5,2).

110. Assim, se uma família se desenvolveu por graus até se tornar uma comunidade civil, e a autoridade paterna foi mantida na pessoa do filho mais velho, tendo cada um por sua vez crescido sob ela, tacitamente a ela se submeteu; este sistema simples e justo não ofendia ninguém e todos concordaram, até que o tempo parece tê-lo confirmado, em instituir um direito de sucessão por preceito; ou quando várias famílias ou os descendentes de várias famílias, que o acaso, a vizinhança ou os negócios juntaram e uniram em uma sociedade, viu surgir a necessidade de um general cuja conduta pudesse defendê-los contra seus inimigos na guerra, e a grande confiança

que a inocência e sinceridade dessa época pobre mas virtuosa (como são quase todas aquelas que iniciam governos destinados a uma existência durável neste mundo) depositava em seus semelhantes, incitaram os primeiros fundadores das comunidades civis a geralmente depositar o poder nas mãos de um só homem, sem qualquer outra limitação ou restrição expressas, exceto o exigido pela natureza da coisa e pelo objetivo do governo. Seja por qual dessas duas razões for que inicialmente o poder foi confiado a uma só pessoa, o certo é que isso só ocorreu tendo em vista o bem-estar e a segurança públicos; e aqueles que detinham o poder no início das comunidades civis serviam habitualmente a este propósito. Se eles não tivessem agido assim, as jovens sociedades não teriam subsistido. Sem tais pais carinhosos e preocupados com o bem-estar público, todos os governos teriam afundado na fragilidade e nas fraquezas de sua infância e príncipe e povo teriam logo perecido juntos.

111. Mas a idade do ouro (antes que a vã ambição e o *amor sceleratus habendi*, a concupiscência maldosa corrompesse os espíritos dos homens em uma ilusão de poder e honra verdadeiros) possuía mais virtudes, e consequentemente melhores governantes, e também súditos menos viciosos; por um lado não se forçava a prerrogativa para oprimir o povo, por outro, consequentemente, não se contestava qualquer privilégio seja para diminuir ou para restringir o poder do magistrado, e portanto nenhuma disputa havia entre os chefes e o povo sobre os governantes ou o governo[92]. Nas épocas seguintes, a ambição e o luxo iriam manter e aumentar o poder, sem executar a tarefa que lhe havia sido destinada, e, auxiliados pela lisonja, esses vícios ensinaram os príncipes a ter interesses distintos e separados daqueles de seus povos; e os homens

acharam necessário examinar mais cuidadosamente a origem e os direitos do governo e descobrir maneiras de conter as exorbitâncias e evitar os abusos daquele poder, que tendo confiado às mãos de outro apenas pensando em seu próprio interesse, perceberam que era utilizado para lhes causar mal.

112. Vemos, assim, como é provável que o povo naturalmente livre, e por seu próprio consentimento submetido ao comando de seu pai, ou reunido a partir de diferentes famílias para instituir um governo, tenha em geral depositado o poder nas mãos de um só homem e optado por ficar submisso à vontade de uma única pessoa, sem ao menos estabelecer condições expressas que limitassem ou regulassem seu poder, pois consideravam-se seguros sob a guarda de sua prudência e de sua honestidade. Apesar disso, as pessoas jamais sonharam que a monarquia fosse *jure divino*, o que a humanidade só começou a ouvir falar quando nos foi revelado pela divindade da época contemporânea, nem jamais permitiram que o poder paterno tivesse um direito de dominação ou ser a base de todo governo. Isso deve bastar para mostrar que, tanto quanto a história esclarece, temos razão para concluir que todos os governos iniciados pacificamente foram fundamentados no consentimento do povo. Eu digo pacificamente, porque adiante terei ocasião de falar em conquista, que alguns consideram como uma maneira de iniciar os governos.

A outra objeção que alguns insistem em fazer contra a maneira como explico o início da política é a seguinte:

113. Todos os homens nasceram sob um ou outro tipo de governo; portanto é impossível que jamais tenham sido livres e tenham tido a liber-

dade de se unir e fundar um novo governo ou tenham sido capazes de instituir um governo legítimo.

Se este argumento é válido, eu pergunto como tantas monarquias legítimas se formaram no mundo? Partindo-se desta hipótese, se alguém puder me mostrar um único homem, em qualquer época da história do mundo, livre para iniciar uma monarquia legítima, eu me junto a ele para mostrar, na mesma época, dez outros homens livres para se unirem e iniciarem um novo governo, sob a forma real ou sob qualquer outra. Isto demonstra que, a partir do momento em que se encontra um único homem que, nascido sob a autoridade de outro, suficientemente livre para adquirir o direito de comandar outros em um império novo e distinto, todos os homens que nasceram sob a autoridade de outro podem, da mesma forma, ser livres e se tornarem um governante ou um súdito em um governo distinto e separado. Assim, segundo seu próprio princípio, todos os homens são livres, não importa sua condição de nascimento, ou só existiria no mundo um único príncipe legítimo, um único governo legítimo. Então, só lhes resta nos mostrar qual é ele: e quando o fizerem, não duvido que toda a humanidade facilmente concordará em obedecer-lhe.

114. Embora bastasse responder a sua objeção para mostrar que ela os envolve nas mesmas dificuldades em que se perderam aqueles contra os quais eles a utilizaram, eu me esforçarei para revelar um pouco mais da fragilidade deste argumento.

"Todos os homens", dizem eles, "nasceram sob governo e por isso não podem ter a liberdade de iniciar um novo. Cada um nasce súdito de seu pai, ou de seu príncipe, e está por isso sob o vínculo perpétuo da submissão e da obediência". Os homens jamais admitiram nem reconheceram que uma submissão natural deste gênero, que os obrigasse a este ou aquele, desde o nascimento, fosse suscetível de se perpetuar sem o seu consentimento, como uma submissão a eles e a seus herdeiros.

115. A história, sacra e profana, está repleta de exemplos de homens que se afastaram e retiraram sua obediência da jurisdição sob a qual nasceram e da família ou comunidade onde foram criados, e instituíram novos governos em outros locais; isso explica o surgimento daquelas inúmeras pequenas comunidades sociais no início dos tempos, e que sempre se multiplicaram, enquanto havia espaço bastante, até que os mais fortes ou os mais afortunados absorvessem os mais fracos; depois, aquelas que eram grandes se fragmentaram, e se desagregaram em domínios menores, todos eles testemunhando contra a soberania paterna e provando claramente que não foi sobre o direito natural do pai a seus herdeiros que os governos no início se fundamentaram, pois seria impossível que partindo-se daí houvessem tantos pequenos reinados; só haveria uma monarquia universal se os homens não tivessem tido a liberdade de se separar de suas famílias e de seu governo, fosse o que fosse que estivesse estabelecido, para constituir comunidades civis distintas e outros governos, como melhor lhes aprouvesse.

116. Esta foi a prática do mundo desde suas origens até os dias de hoje; quando os homens nascem sob sistemas constituídos e antigos que possuem leis estabelecidas e formas definidas de governo, isso não coloca mais obstáculo a sua liberdade do que se tivessem nascido nas florestas entre os habitantes que as percorrem sem territórios proibidos ou caminhos traçados. Aqueles que quisessem nos convencer de que, por termos nascido sob qualquer go-

verno estamos naturalmente submetidos a ele e não temos mais qualquer direito ou pretensão à liberdade do estado de natureza, não têm outra razão (com exceção daquela do poder, paterno que já refutamos) para apresentar, exceto aquela de que nossos pais ou nossos ancestrais renunciaram a sua liberdade natural e se comprometeram, e a sua família, a uma sujeição perpétua ao governo a que se submeteram. É verdade que todos os compromissos e todas as promessas que alguém faz por sua própria conta não obrigam nem poderiam obrigar por nenhum contrato a seus filhos ou sua posteridade. Pois seu filho, ao atingir a maioridade, é tão livre quanto seu pai, e nenhum ato do pai pode tirar a liberdade do filho, o mesmo valendo para qualquer outra pessoa. Ele pode vincular à terra, que ele desfruta como súdito de uma comunidade civil, condições que obriguem seu filho a se juntar à mesma comunidade se quiser desfrutar daquelas posses que eram de seu pai, pois como aquele bem é propriedade de seu pai, ele pode dispor dele ou doá-lo como bem entender.

117. E isso normalmente tem ocasionado erro na questão, pois como as comunidades civis não permitem que qualquer parte de seus domínios seja desmembrada ou desfrutada por ninguém que não pertença àquela comunidade, o filho em geral não pode desfrutar das posses de seu pai exceto nas condições em que este o fez, ou seja, tornando-se um membro da sociedade; assim fazendo, submete-se imediatamente ao governo que ali encontra estabelecido, da mesma forma que qualquer outro súdito daquela comunidade. Assim, os homens livres que nascem sob um governo não podem se tornar membros da comunidade a menos que consintam nisso, mas o fazem em separado, cada um por sua vez à medida que atingem a maioridade, e não em conjunto; mas como as pessoas não têm

conhecimento disso, acreditando que o consentimento está implícito ou não é necessário, concluem que são súditos por natureza, assim como são homens.

118. Entretanto, é evidente que os governos entendem isso de outra maneira; não reivindicam nenhum poder sobre o filho em virtude daquele que exercem sobre o pai; não consideram os filhos como seus súditos porque os pais o eram. Se um súdito da Inglaterra tem um filho com uma mulher inglesa na França, de quem ele é súdito? Não do rei da Inglaterra, porque ele deve obter uma autorização que lhe confere o privilégio; nem do rei da França, senão, como seu pai pode ter a liberdade de levá-lo embora e criá-lo onde quiser? E quem jamais será julgado como traidor ou desertor, se ele deixou um país ou lutou contra ele apenas por ter nascido nele de pais que ali eram estrangeiros? A prática dos próprios governos e a lei da razão plena estabelecem então claramente que uma criança não nasce súdito de nenhum país ou governo. Permanece sob a tutela e a autoridade de seu pai até que atinja a idade do discernimento, e só a partir daí ele é um homem livre, com liberdade para escolher o governo ao qual vai se submeter, o corpo político ao qual vai se unir. Se o filho de um homem inglês, nascido na França, pode fazê-lo com toda a liberdade, é evidente que a circunstância de seu pai ser súdito do reino da Inglaterra absolutamente não o vincula a este país, nem ele está obrigado por qualquer pacto realizado por seus ancestrais. Pergunta-se então por que seu filho não teria direito à mesma liberdade, nascesse onde nascesse? O poder que o pai exerce naturalmente sobre seus filhos é o mesmo, independente do lugar de seu nascimento, e os vínculos das obrigações naturais não são determinados pelos limites jurídicos dos reinados e das comunidades civis.

119. Como já foi mostrado, todo homem é naturalmente livre e nada pode submetê-lo a qualquer poder sobre a terra, salvo por seu próprio consentimento; é preciso, portanto, considerar em que condições a declaração pela qual um indivíduo faz conhecer seu consentimento será considerada como suficiente para sujeitá-lo às leis de um governo qualquer. Há uma distinção comum entre consentimento expresso e consentimento tácito que nos interessa no momento. Ninguém duvida que o consentimento expresso manifestado por qualquer homem ao entrar em qualquer sociedade faz dele um membro perfeito daquela sociedade, um súdito daquele governo. A dificuldade é saber em que caso é preciso admitir a existência de um consentimento tácito e até que ponto obriga, isto é, em que medida se pode considerar que um indivíduo consentiu em um governo qualquer e assim está a ele submetido, se ele não prestou qualquer declaração nesse sentido. A isto eu respondo que qualquer homem que tenha qualquer posse ou desfrute de qualquer parte dos domínios de qualquer governo, manifesta assim seu consentimento tácito e, enquanto permanecer nesta situação, é obrigado a obedecer as leis daquele governo como todos os outros que lhe estão submetidos; pouco importa se ele possui terras em plena propriedade, transmissíveis para sempre a seus herdeiros, ou se ele ocupa somente um alojamento por uma semana; ou se desfruta simplesmente da liberdade de ir e vir nas estradas; e na verdade isso acontece ainda que ele seja apenas qualquer um dentro dos territórios daquele governo.

120. Para melhor entender esta questão, uma consideração se impõe: cada vez que um homem se incorpora a qualquer comunidade civil, pelo simples fato de ele se associar, também anexou e submete à comunidade aquelas posses que ele tem ou vai

adquirir que ainda não pertencem a qualquer governo; pois seria uma contradição direta que alguém entrasse em sociedade com outros para assegurar e regulamentar a propriedade, mas que suas terras, cuja propriedade deve ser regida pelas leis da sociedade, estejam fora da jurisdição daquele governo do qual ele próprio, o proprietário da terra, é um súdito. Pelo mesmo ato, portanto, pelo qual alguém une sua pessoa, que antes era livre, a qualquer comunidade social, ele une também a ela suas posses, que antes eram livres; e ambos, pessoa e posse, tornam-se sujeitos ao governo e ao domínio daquela comunidade social, enquanto ela durar. Quem quer que, por herança, aquisição, autorização ou qualquer outra maneira, desfrutar de qualquer parte da terra anexada e sob a jurisdição do governo daquela comunidade, deve assumi-la nas condições em que ela está apoiada, ou seja, deve submeter-se ao governo da comunidade social sob cuja jurisdição ela se encontra, como qualquer outro súdito.

121. Mas como o governo tem uma jurisdição direta apenas sobre a terra, e só atinge seu dono antes de ele se incorporar à sociedade, quando ele reside nela e dela desfruta, a obrigação que qualquer indivíduo tem de se submeter ao governo, em virtude deste uso da terra, começa e termina com ele; de forma que, quando o dono, seja por doação, venda ou outro modo qualquer, deixa a terra em questão, tem liberdade de partir e se incorporar a qualquer outra comunidade social ou se unir a outras pessoas para iniciar uma nova comunidade, *in vacuis locis*, em qualquer parte do mundo onde encontrem um local livre e sem dono. Entretanto, aquele que por um acordo propriamente dito e qualquer declaração expressa deu seu consentimento para fazer parte de qualquer comunidade social está perpétua e indispensavelmente obrigado a

ser e permanecer seu súdito, e nunca poderá ficar de novo na liberdade do estado de natureza; a menos que alguma calamidade provoque a dissolução do governo a que ele estava submetido ou que qualquer ato público o impeça de continuar sendo um de seus membros.

122. A submissão às leis de qualquer país e a vida pacífica ao abrigo dos privilégios e da proteção que elas asseguram não fazem de um homem membro daquela sociedade. Isto é apenas uma proteção que deve ser prestada àquele que penetra, fora do estado de guerra, nos territórios que pertencem a qualquer governo e em toda a extensão onde vigoram suas leis. Mas isso não torna um homem membro daquela sociedade, súdito perpétuo daquela comunidade social, assim como não tornaria um homem súdito de outro em cuja família ele achou conveniente permanecer algum tempo; entretanto, durante a duração dessa temporada, seria obrigado a se comportar de acordo com as leis vigentes e se submeter ao governo ali encontrado. Podemos ver que os estrangeiros que passam sua vida inteira sob um outro governo e gozam de seus privilégios e de sua proteção, são obrigados, ainda que por uma questão de consciência, a se submeter a sua administração como qualquer outro cidadão; mas nem por isso se tornam súditos ou membros daquela comunidade social. Nada poderia torná-lo, a menos que ele entrasse efetivamente nela por meio de um compromisso especial e de uma promessa e um acordo explícitos. Esta é a minha opinião sobre o início das sociedades políticas e sobre o consentimento que torna qualquer um membro de uma comunidade social, seja ela qual for.

IX

Dos fins da sociedade política e do governo

123. Se o homem é tão livre no estado de natureza como se tem dito, se ele é o senhor absoluto de sua própria pessoa e de seus bens, igual aos maiores e súdito de ninguém, por que renunciaria a sua liberdade, a este império, para sujeitar-se à dominação e ao controle de qualquer outro poder? A resposta é evidente: ainda que no estado de natureza ele tenha tantos direitos, o gozo deles é muito precário e constantemente exposto às invasões de outros. Todos são tão reis quanto ele, todos são iguais, mas a maior parte não respeita estritamente, nem a igualdade nem a justiça, o que torna o gozo da propriedade que ele possui neste estado muito perigoso e muito inseguro. Isso faz com que ele deseje abandonar esta condição, que, embora livre, está repleta de medos e perigos contínuos; e não é sem razão que ele solicita e deseja se unir em sociedade com outros, que já estão reunidos ou que planejam se unir, visando a salvaguarda mútua de suas vidas, liberdades e bens, o que designo pelo nome geral de propriedade.

124. Por isso, o objetivo capital e principal da união dos homens em comunidades sociais e de sua submissão a governos é a preservação de sua propriedade. O estado de natureza é carente de muitas condições.

Em primeiro lugar, ele carece de uma lei estabelecida, fixada, conhecida, aceita e reconhecida pelo consentimento geral, para ser o padrão do certo e do errado e também a medida comum para decidir todas as controvérsias entre os homens. Embora a lei da natureza seja clara e inteligível para todas as criaturas racionais, como os homens são tendenciosos em seus interesses, além de ignorantes pela falta de conhecimento deles, não estão aptos a reconhecer o valor de uma lei que eles seriam obrigados a aplicar em seus casos particulares.

125. Em segundo lugar, falta no estado de natureza um juiz conhecido e imparcial, com autoridade para dirimir todas as diferenças segundo a lei estabelecida. Como todos naquele estado são ao mesmo tempo juízes e executores da lei da natureza, e os homens são parciais no julgamento de causa própria, a paixão e a vingança se arriscam a conduzi-los a muitos excessos e violência, assim como a negligência e a indiferença podem também diminuir seu zelo nos casos de outros homens.

126. Em terceiro lugar, no estado de natureza frequentemente falta poder para apoiar e manter a sentença quando ela é justa, assim como para impor sua devida execução. Aqueles que são ofendidos por uma injustiça dificilmente se absterão de remediá-la pela força, se puderem; esta resistência muitas vezes torna o castigo perigoso e fatal para aqueles que o experimentam.

127. Assim, apesar de todos os privilégios do estado de natureza, a humanidade desfruta de uma condição ruim enquanto nele permanece, procurando rapidamente entrar em sociedade. É muito raro encontrarmos homens, em qualquer número, permanecendo um tempo apreciável nesse estado. As inconveniências a

que estão expostos pelo exercício irregular e incerto do poder que cada homem possui de punir as transgressões dos outros faz com que eles busquem abrigo sob as leis estabelecidas do governo e tentem assim salvaguardar sua propriedade. É isso que dispõe cada um a renunciar tão facilmente a seu poder de punir, porque ele fica inteiramente a cargo de titulares nomeados entre eles, que deverão exercê-lo conforme as regras que a comunidade ou aquelas pessoas por ela autorizadas adotaram de comum acordo. Aí encontramos a base jurídica inicial e a gênese dos poderes legislativo e executivo, assim como dos governos e das próprias sociedades.

128. No estado de natureza, sem falar da liberdade que tem de desfrutar prazeres inocentes, o homem detém dois poderes.

O primeiro é fazer o que ele acha conveniente para sua própria preservação e para aquela dos outros dentro dos limites autorizados pela lei da natureza; em virtude desta lei, comum a todos, cada homem forma, com o resto da humanidade, uma única comunidade, uma única sociedade distinta de todas as outras criaturas. E, não fosse a corrupção e os vícios de indivíduos degenerados, não haveria nenhuma necessidade de os homens se separarem desta grande comunidade natural, nem fazerem acordos particulares para se associarem em associações menores e divididas.

O outro poder que o homem tem no estado de natureza é o poder de punir os crimes cometidos contra aquela lei. A ambos ele renuncia quando se associa a uma sociedade política privada, se posso chamá-la assim, ou particular, para se incorporar a uma comunidade civil separada do resto da humanidade.

129. O primeiro poder, ou seja, aquele de fazer o que julga conveniente para a sua própria pre-

servação e a do resto da humanidade, ele deixa a cargo da sociedade, para que ela o regulamente através de leis na medida em que isto se faça necessário para a sua preservação e a do restante daquela sociedade; estas leis da sociedade em muitos pontos restringem a liberdade que ele possuía pela lei da natureza.

130. Ao segundo, o poder de punir, ele renuncia inteiramente e empenha sua força natural (que antes podia empregar como bem entendesse, por sua própria autoridade, para fazer respeitar a lei da natureza) para ajudar o poder executivo da sociedade, conforme a lei deste exigir. Ele se encontra agora em um novo estado, onde vai desfrutar de muitas vantagens, graças ao trabalho, a assistência e à companhia de outros na mesma comunidade, assim como a proteção da força coletiva; ele também tem de renunciar a grande parte de sua liberdade natural de prover suas necessidades, em toda a medida em que o bem, a prosperidade e a segurança da sociedade o exigir, o que não somente é necessário, mas justo, visto que os outros membros da sociedade fazem o mesmo.

131. Mas, embora os homens ao entrarem na sociedade renunciem à igualdade, à liberdade e ao poder executivo que possuíam no estado de natureza, que é então depositado nas mãos da sociedade, para que o legislativo deles disponha na medida em que o bem da sociedade assim o requeira, cada um age dessa forma apenas com o objetivo de melhor proteger sua liberdade e sua propriedade (pois não se pode supor que nenhuma criatura racional mude suas condições de vida para ficar pior), e não se pode jamais presumir que o poder da sociedade, ou o poder legislativo por ela instituído, se estenda além do bem comum; ele tem a obrigação de garantir a cada um sua propriedade,

remediando aqueles três defeitos acima mencionados que tornam o estado de natureza tão inseguro e inquietante. Seja quem for que detenha o poder legislativo, ou o poder supremo, de uma comunidade civil, deve governar através de leis estabelecidas e permanentes, promulgadas e conhecidas do povo, e não por meio de decretos improvisados; por juízes imparciais e íntegros, que irão decidir as controvérsias conforme estas leis; e só deve empregar a força da comunidade, em seu interior, para assegurar a aplicação destas leis, e, no exterior, para prevenir ou reparar as agressões do estrangeiro, pondo a comunidade ao abrigo das usurpações e da invasão. E tudo isso não deve visar outro objetivo senão a paz, a segurança e o bem público do povo.

X

Das formas da comunidade civil

132. Já foi mostrado que quando os homens se unem pela primeira vez em sociedade, a maioria detém naturalmente todo o poder comunitário, que ela pode utilizar para de tempos em tempos fazer leis para a comunidade, e para providenciar o cumprimento destas leis por funcionários por ela nomeados: neste caso, a forma de governo é uma democracia perfeita; mas ela pode também colocar o poder de fazer as leis nas mãos de um grupo selecionado de homens, e de seus herdeiros ou sucessores, e então trata-se de uma oligarquia; pode também colocá-lo nas mãos de um só homem, o que vem a ser uma monarquia; se ela o entrega a este homem e a seus herdeiros, é uma monarquia hereditária; se o entrega a ele apenas em vida, e após sua morte retorna a ela o poder exclusivo de nomear um sucessor, é uma monarquia eletiva. A partir desses elementos, a comunidade pode combinar e misturar formas de governo como melhor lhe parecer. Se a maioria começa por confiar o poder legislativo a uma só pessoa, ou a várias, mas apenas durante sua vida, ou por um período determinado após o qual o poder supremo a ela retorna, uma vez que a comunidade o recuperou, pode dispor dele de novo e

colocá-lo nas mãos que lhe aprouverem e assim constituir uma nova forma de governo. Como a forma de governo depende da atribuição do poder supremo, ou seja, do legislativo, é impossível conceber que um poder inferior possa prescrever a um superior, ou que um outro além do poder supremo faça as leis, a maneira de dispor o poder de fazer as leis determina a forma da comunidade civil.

133. Deve estar sempre claro que o que eu entendo por comunidade social não é uma democracia ou qualquer forma de governo, mas uma comunidade independente que os latinos qualificam pela palavra *civitas*, à qual a expressão que melhor corresponde em nossa língua é comunidade social (*commonwealth*), que designa, da forma mais adequada, este tipo de sociedade humana, o que não acontece em inglês com as palavras comunidade ou cidade, pois pode haver comunidades subordinadas em um governo; e cidade, entre nós, tem um significado completamente diferente de comunidade civil. Por isso, para evitar ambiguidade, solicito a permissão de empregar a expressão comunidade civil nesse sentido, a qual constato ter sido utilizada pelo Rei James I, e que eu penso ser a acepção exata; se alguém discordar, consinto que a substitua por um termo melhor.

XI

Da extensão do poder legislativo

134. O grande objetivo dos homens quando entram em sociedade é desfrutar de sua propriedade pacificamente e sem riscos, e o principal instrumento e os meios de que se servem são as leis estabelecidas nesta sociedade; a primeira lei positiva fundamental de todas as comunidades políticas é o estabelecimento do poder legislativo; como a primeira lei natural fundamental, que deve reger até mesmo o próprio legislativo, é a preservação da sociedade e (na medida em que assim o autorize o poder público) de todas as pessoas que nela se encontram. O legislativo não é o único poder supremo da comunidade social, mas ele permanece sagrado e inalterável nas mãos em que a comunidade um dia o colocou; nenhum edito, seja de quem for sua autoria, a forma como tenha sido concebido ou o poder que o subsidie, tem a força e a obrigação de uma lei, a menos que tenha sido sancionado pelo poder legislativo que o público escolheu e nomeou. Pois sem isso faltaria a esta lei aquilo que é absolutamente indispensável para que ela seja uma lei, ou seja, o consentimento da sociedade, acima do qual ninguém tem o poder de fazer leis[93]: exceto por meio do seu próprio consentimento e pela autoridade que dele emana. Por isso, toda a obediência

que pode ser exigida de alguém, mesmo em virtude dos vínculos mais solenes, termina afinal neste poder supremo e é dirigida por aquelas leis que ele adota; jamais um membro da sociedade, pelo efeito de um juramento que o ligaria a qualquer poder estrangeiro ou a qualquer poder subordinado na ordem interna, pode ser dispensado de sua obediência ao legislativo e agir por sua própria conta; da mesma forma, também não é obrigado a qualquer obediência contrária às leis adotadas, ou que ultrapasse seus termos; seria ridículo imaginar que um poder que não é o poder supremo na sociedade, possa se impor a quem quer que seja.

135. O poder legislativo é o poder supremo em toda comunidade civil, quer seja ele confiado a uma ou mais pessoas, quer seja permanente ou intermitente. Entretanto,

Primeiro: ele não é exercido e é impossível que seja exercido de maneira absolutamente arbitrária sobre as vidas e sobre as fortunas das pessoas. Sendo ele apenas a fusão dos poderes que cada membro da sociedade delega à pessoa ou à assembleia que tem a função do legislador, permanece forçosamente circunscrito dentro dos mesmos limites que o poder que estas pessoas detinham no estado de natureza antes de se associarem em sociedade e a ele renunciaram em prol da comunidade social. Ninguém pode transferir para outra pessoa mais poder do que ele mesmo possui; e ninguém tem um poder arbitrário absoluto sobre si mesmo ou sobre qualquer outro para destruir sua própria vida ou privar um terceiro de sua vida ou de sua propriedade. Foi provado que um homem não pode se submeter ao poder arbitrário de outra pessoa; por outro lado, no estado de natureza, o poder que um homem pode exercer sobre a vida, a liberdade ou a posse de outro jamais é arbitrário, reduzindo-se àquele a ele investido pela lei da natureza, para a preservação de si próprio e do resto da humanidade; esta é a medida do poder que ele confia e que pode confiar à comunidade civil, e através dela ao poder legislativo, que portanto não pode ter um poder maior que esse. Mesmo considerado em suas maiores dimensões, o poder que ela detém se limita ao bem público da sociedade[94]. É um poder que não tem outra finalidade senão a preservação, e por isso nunca tem o direito de destruir, escravizar ou, intencionalmente, empobrecer os súditos. As obrigações da lei da natureza não se extinguem na sociedade, mas em muitos casos elas são delimitadas mais estritamente e devem ser sancionadas por leis humanas que lhes anexam penalidades para garantir seu cumprimento. Assim, a lei da natureza impõe-se como uma lei eterna a todos os homens, aos legisladores como a todos os outros. As regras às quais eles submetem as ações dos outros homens devem, assim como suas próprias ações e as ações dos outros homens, estar de acordo com a lei da natureza, isto é, com a vontade de Deus, da qual ela é declaração; como a lei fundamental da natureza é a preservação da humanidade, nenhuma sanção humana pode ser boa ou válida contra ela.

136. Segundo: O legislativo, ou autoridade suprema, não pode arrogar para si um poder de governar por decretos arbitrários improvisados, mas se limitar a dispensar a justiça e decidir os direitos do súdito através de leis permanentes já promulgadas[95] e juízes autorizados e conhecidos. Como a lei da natureza não é uma lei escrita, e não pode ser encontrada em lugar algum exceto nas mentes dos homens, aqueles que a paixão ou o interesse incitam a mal citá-la ou a mal empregá-la não podem ser tão facilmente convencidos de seu erro na ausência de um juiz estabelecido. Por isso ela não serve, como deveria, para determinar os direitos e delimitar as propriedades daqueles

que vivem sob sua submissão, especialmente onde cada um é também seu juiz, intérprete e executor, e além disso em causa própria; aquele que tem o direito do seu lado não dispõe, em geral, senão de sua energia pessoal, que não tem força suficiente para defendê-lo das injustiças ou para punir os delinquentes. Para evitar esses inconvenientes que desorganizam suas posses no estado de natureza, os homens reuniram-se em sociedades em que eles dispõem da força conjunta de toda a sociedade para proteger e defender suas propriedades, e que eles podem delimitar segundo regras permanentes que permitem a cada um saber o que lhe pertence. Foi com esta finalidade que os homens renunciaram a todo o seu poder natural e o depuseram nas mãos da sociedade em que se inseriram, e a comunidade social colocou o poder legislativo nas mãos que lhe pareceram as mais adequadas; ela o encarregou também de governá-los segundo leis promulgadas, sem as quais sua paz, sua tranquilidade e seus bens permaneceriam na mesma precariedade que no estado de natureza.

137. O poder absoluto arbitrário, ou governo sem leis estabelecidas e permanentes, é absolutamente incompatível com as finalidades da sociedade e do governo, aos quais os homens não se submeteriam à custa da liberdade do estado de natureza, senão para preservar suas vidas, liberdades e bens; e graças a regras que definissem expressamente o direito e a propriedade. Não se pode supor que eles pretendessem, caso tivessem um poder para isso, conceder a uma ou mais pessoas um poder arbitrário absoluto sobre suas pessoas e bens, ou colocar as forças nas mãos do magistrado para que ele arbitrariamente fizesse valer sua vontade sobre eles. Isto significaria colocarem-se em uma situação pior que no estado de natureza, onde tinham a liberdade de defender seus direitos contra as injustiças dos

outros e se encontravam em igualdade de forças para mantê-los contra as tentativas de indivíduos isolados ou de grupos numerosos. Pois, supondo-se que eles houvessem se entregado ao poder e à vontade arbitrários e absolutos de um legislador, estariam eles próprios desarmados e o teriam armado para que ele fizesse deles sua presa quando assim o quisesse. O indivíduo exposto ao poder arbitrário de um único homem que tem cem mil sob suas ordens encontra-se em uma situação muito pior do que aquele exposto ao poder arbitrário de cem mil homens isolados: ninguém pode garantir que a vontade daquele que detém tal comando é melhor do que aquela de outros homens, embora sua força seja cem mil vezes mais forte. Por isso, seja qual for a forma de comunidade civil a que se submetam, o poder que comanda deve governar por leis declaradas e aceitas, e não por ordens extemporâneas e resoluções imprecisas. A humanidade estará em uma condição muito pior do que no estado de natureza se armar um ou vários homens com o poder conjunto de uma multidão para forçá-los a obedecer os decretos exorbitantes e ilimitados de suas ideias repentinas, ou a sua vontade desenfreada e manifestada no último momento, sem que algum critério tenha sido estabelecido para guiá-los em suas ações e justificá-las. Pois todo o poder que o governo detém, visando apenas o bem da sociedade, não deve seguir o arbitrário ou a sua vontade, mas leis estabelecidas e promulgadas; desse modo, tanto o povo pode conhecer seu dever e fica seguro e protegido dentro dos limites da lei, quanto os governantes, mantidos dentro dos seus devidos limites, não ficarão tentados pelo poder que detêm em suas mãos e não o utilizarão para tais propósitos nem por medidas desconhecidas do povo e contrárias a sua vontade.

138. Terceiro: O poder supremo não pode tirar de nenhum homem qualquer parte de sua propriedade sem seu próprio consentimento. Como a preservação da propriedade é o objetivo do governo, e a razão por que o homem entrou em sociedade, ela necessariamente supõe e requer que as pessoas devem ter propriedade, senão isto faria supor que a perderam ao entrar em sociedade, aquilo que era seu objetivo que as fez se unirem em sociedade, ou seja, um absurdo grosseiro demais que ninguém ousaria sustentar. Visto que os homens que vivem em sociedade são proprietários, têm o direito de possuir todos os bens que lhe pertencem em virtude da lei da comunidade social, dos quais ninguém tem o direito de privá-los ou de qualquer parte deles, sem seu próprio consentimento; sem isso, eles não são proprietários de nada. Eu realmente não tenho nenhum direito de propriedade sobre aquilo que outra pessoa pode por direito tomar de mim quando lhe aprouver, sem o meu consentimento. Por isso é um erro acreditar que o poder supremo ou legislativo de qualquer comunidade social possa fazer o que ele desejar, e dispor arbitrariamente dos bens dos súditos ou tomar qualquer parte delas como bem entender. Isso não deve ser muito temido em governos em que o legislativo consiste inteiramente, ou em parte, de assembleias de composição variável, e cujos membros, quando elas são dissolvidas, retornam à condição de súditos e estão sujeitos, da mesma forma que o restante das pessoas, às leis comuns de seu país. Mas em governos em que o poder legislativo reside em uma assembleia permanente ou em um único homem, como nas monarquias, pode-se sempre recear que eles creiam ter um interesse distinto do resto da comunidade e então sejam capazes de aumentar suas próprias riquezas e seu poder, tomando do povo o que

mais lhes convier. Pois a propriedade do homem só está absolutamente segura se houver leis boas e justas que estabeleçam os limites entre ela e aquelas de seus vizinhos, e se aquele que comanda estes súditos não tiver poder para tomar de qualquer indivíduo a parte que lhe aprouver de sua propriedade, usando-a e dela dispondo a seu bel-prazer.

139. Como já foi mostrado, seja quem for a pessoa em cujas mãos está depositado o governo, como este só lhe foi confiado sob condição e para um fim preciso, ou seja, que todos os homens podem continuar donos de seus bens com toda segurança, o príncipe, o Senado, ou seja quem for que tenha o poder de fazer as leis para a regulamentação da propriedade entre os súditos, jamais tem o poder de tomar para si o conjunto ou qualquer parte da propriedade dos súditos sem seu próprio consentimento. Isto equivaleria a privá-los de toda propriedade. E para nos garantirmos que mesmo o poder absoluto, quando é necessário, não é arbitrário apesar de absoluto, mas há sempre razões que o limitam e finalidades que os circunscrevem, as mesmas que requereram que em alguns casos ele fosse absoluto, não temos de considerar senão a prática usual da disciplina militar. A preservação do exército, que deve garantir aquela de toda a comunidade social, requer uma absoluta obediência às ordens de todo oficial superior, e quem desobedecer ou contestar os mais perigosos ou os mais imoderados dentre eles merece a morte; entretanto, o sargento, que poderia ordenar um soldado a marchar até à boca de um canhão, ou a ficar em uma brecha onde sua morte é quase certa, não pode ordenar que aquele soldado lhe dê um centavo de seu dinheiro; nem o general, que o condena à morte por desertar de seu posto ou por desobedecer as ordens mais desesperadas, pode, com

todo o seu poder absoluto de vida e de morte, dispor de um níquel dos bens daquele soldado ou se apoderar do mais insignificante dos objetos que lhe pertence; entretanto, poderia lhe dar qualquer ordem e mandar prendê-lo à menor desobediência. Porque tal obediência cega é necessária aos objetivos para os quais o chefe militar tem seu poder, ou seja, a preservação do restante das pessoas; mas o direito de dispor de seus bens se situa em outro plano completamente diferente.

140. É verdade que os governos não poderiam subsistir sem grandes encargos, e é justo que todo aquele que desfruta de uma parcela de sua proteção contribua para a sua manutenção com uma parte correspondente de seus bens. Entretanto, mais uma vez é preciso que ela mesma dê seu consentimento, ou seja, que a maioria consinta, seja por manifestação direta ou pela intermediação de representantes de sua escolha; se qualquer um reivindicar o poder de estabelecer impostos e impô-los ao povo por sua própria autoridade e sem tal consentimento do povo, está assim invadindo a lei fundamental da propriedade e subvertendo a finalidade do governo. Como posso me dizer proprietário de algo que outra pessoa possa por direito tomar quando bem entender?

141. Quarto: O poder legislativo não pode transferir para quaisquer outras mãos o poder de legislar; ele detém apenas um poder que o povo lhe delegou e não pode transmiti-lo para outros. Só o povo pode estabelecer a forma de comunidade social, o que faz instituindo o poder legislativo e designando aqueles que devem exercê-lo. E quando o povo disse que queremos nos submeter a regras e ser governados por leis feitas por tais pessoas, seguindo tais formas, ninguém pode dizer que outras pessoas diferentes legislarão por elas; nem o povo pode ser obrigado a obedecer quaisquer leis, exceto aquelas promulgadas por

aqueles a quem ele escolheu e autorizou para fazer as leis em seu nome.

142. Eis os limites que impõe ao poder legislativo de toda sociedade civil, sob todas as formas de governo, a missão de confiança da qual ele foi encarregado pela sociedade e pela lei de Deus e da natureza.

Primeiro: Ele deve governar por meio de leis estabelecidas e promulgadas, e se abster de modificá-las em casos particulares, a fim de que haja uma única regra para ricos e pobres, para o favorito da corte e o camponês que conduz o arado.

Segundo: Estas leis só devem ter uma finalidade: o bem do povo.

Terceiro: O poder legislativo não deve impor impostos sobre a propriedade do povo sem que este expresse seu consentimento, individualmente ou através de seus representantes. E isso diz respeito, estritamente falando, só àqueles governos em que o legislativo é permanente, ou pelo menos em que o povo não tenha reservado uma parte do legislativo a representantes que eles mesmos elegem periodicamente.

Quarto: O legislativo não deve nem pode transferir para outros o poder de legislar, e nem também depositá-lo em outras mãos que não aquelas a que o povo o confiou.

XII

Dos poderes legislativo, executivo e federativo da comunidade civil

143. O poder legislativo é aquele que tem competência para prescrever segundo que procedimentos a força da comunidade civil deve ser empregada para preservar a comunidade e seus membros. Entretanto, como basta pouco tempo para fazer aquelas leis que serão executadas de maneira contínua e que permanecerão indefinidamente em vigor, não é necessário que o legislativo esteja sempre em funcionamento se não há trabalho a fazer; e como pode ser muito grande para a fragilidade humana a tentação de ascender ao poder, não convém que as mesmas pessoas que detêm o poder de legislar tenham também em suas mãos o poder de executar as leis, pois elas poderiam se isentar da obediência às leis que fizeram, e adequar a lei a sua vontade, tanto no momento de fazê-la quanto no ato de sua execução, e ela teria interesses distintos daqueles do resto da comunidade, contrários à finalidade da sociedade e do governo. Por isso, nas comunidades civis bem organizadas, onde se atribui ao bem comum a importância que ele merece, confia-se o poder legislativo a várias pessoas, que se reúnem como se deve e estão habilitadas para legislar, seja exclusivamente, seja em conjunto com outras, mas em seguida

se separam, uma vez realizada a sua tarefa, ficando elas mesmas sujeitas às leis que fizeram; isto estabelece um vínculo novo e próximo entre elas, o que garante que elas façam as leis visando o bem público.

144. Mas como as leis que são feitas num instante e um tempo muito breve permanecem em vigor de maneira permanente e durável e é indispensável que se assegure sua execução sem descontinuidade, ou pelo menos que ela esteja pronta para ser executada, é necessário que haja um poder que tenha uma existência contínua e que garanta a execução das leis na medida em que são feitas e durante o tempo em que permanecerem em vigor. Por isso, frequentemente o poder legislativo e o executivo ficam separados.

145. Em toda comunidade civil existe um outro poder, que se pode chamar de natural porque corresponde ao que cada homem possuía naturalmente antes de entrar em sociedade. Mesmo que os membros de uma comunidade civil permaneçam pessoas distintas em suas referências mútuas e como tais sejam governados pelas leis da sociedade, em referência ao resto da humanidade eles formam um corpo único, e este corpo permanece no estado de natureza em referência ao resto da humanidade, como cada um de seus membros estava anteriormente. Isso explica que as controvérsias que surgirem entre qualquer homem da sociedade e aqueles que a ela não pertencem sejam administradas pelo público e que um dano causado a um membro daquela comunidade implica que todo o conjunto seja obrigado a reparar. Assim, sob este ponto de vista, a comunidade toda é um corpo único no estado da natureza com respeito a todos os outros estados ou a todas as outras pessoas que não pertençam a sua comunidade.

146. Este poder tem então a competência para fazer a guerra e a paz, ligas e alianças, e todas as transações com todas as pessoas e todas as comunidades que estão fora da comunidade civil; se quisermos, podemos chamá-lo de federativo. Uma vez que se compreenda do que se trata, pouco me importa o nome que receba.

147. Estes dois poderes, executivo e federativo, embora sejam realmente distintos em si, o primeiro compreendendo a execução das leis internas da sociedade sobre todos aqueles que dela fazem parte, e o segundo implicando na administração da segurança e do interesse do público externo, com todos aqueles que podem lhe trazer benefícios ou prejuízos, estão quase sempre unidos. E ainda que este poder federativo, faça ele uma boa ou má administração, apresente uma importância muito grande para a comunidade civil, ele se curva com muito menos facilidade à direção de leis preexistentes, permanentes e positivas; por isso é necessário que ele seja deixado a cargo da prudência e da sabedoria daqueles que o detêm e que devem exercê-lo visando o bem público. As leis que dizem respeito aos súditos entre eles, uma vez destinadas a reger seus atos, é melhor que os precedam. Mas a atitude adotada diante dos estrangeiros depende em grande parte de seus atos e da flutuação de seus projetos e interesses; portanto, devem ser deixados em grande parte à prudência daqueles a quem foi confiado este poder, a fim de que eles o exerçam com o melhor de sua habilidade para o benefício da comunidade civil.

148. Embora, como eu disse, os poderes executivo e federativo de cada comunidade sejam realmente distintos em si, dificilmente devem ser separados e colocados ao mesmo tempo nas mãos de pessoas distintas; e como ambos requerem a força da sociedade para o seu exercício, é quase impraticável situar

a força da comunidade civil em mãos distintas e sem elo hierárquico; ou que os poderes executivo e federativo sejam confiados a pessoas que possam agir separadamente; isto equivaleria a submeter a força pública a comandos diferentes e resultaria, um dia ou outro, em desordem e ruína.

XIII

Da hierarquia dos poderes da comunidade civil

149. Em uma sociedade política organizada, que se apresenta como um conjunto independente e que age segundo sua própria natureza, ou seja, que age para a preservação da comunidade, só pode existir um poder supremo, que é o legislativo, ao qual todos os outros estão e devem estar subordinados; não obstante, como o legislativo é apenas um poder fiduciário e se limita a certos fins determinados, permanece ainda no povo um poder supremo para destituir ou alterar o legislativo quando considerar o ato legislativo contrário à confiança que nele depositou; pois todo poder confiado como um instrumento para se atingir um fim é limitado a esse fim, e sempre que esse fim for manifestamente negligenciado ou contrariado, isto implica necessariamente na retirada da confiança, voltando assim o poder para as mãos daqueles que o confiaram, que podem depositá-lo de novo onde considerarem melhor para sua proteção e segurança. Desse modo, a comunidade permanece perpetuamente investida do poder supremo de se salvaguardar contra as tentativas e as intenções de quem quer que seja, mesmo aquelas de seus próprios legisladores, sempre que eles forem tão tolos ou tão perversos para pre-

parar e desenvolver projetos contra as liberdades e as propriedades dos súditos. Nenhum homem, nenhuma sociedade humana, tem o poder de abandonar sua preservação, e consequentemente os meios de garanti-la, à vontade absoluta de um terceiro e a sua dominação arbitrária; e sempre que algum indivíduo pretender reduzi-los a uma condição de escravidão, devem ter o direito de preservar este bem inalienável e de se livrarem daquele que invade esta lei fundamental, sagrada e inalterável de autopreservação, que foi a causa de sua associação. Partindo-se deste princípio, pode-se dizer que a comunidade tem sempre o poder supremo, mas contanto que não seja considerada submissa a qualquer forma de governo, porque o povo jamais pode exercer este poder antes de o governo ser dissolvido.

150. Em todo caso, enquanto o governo subsistir, o legislativo é o poder supremo, pois aquele que pode legislar para um outro lhe é forçosamente superior; e como esta qualidade de legislatura da sociedade só existe em virtude de seu direito de impor a todas as partes da sociedade e a cada um de seus membros leis que lhes prescrevem regras de conduta e que autorizam sua execução em caso de transgressão, o legislativo é forçosamente supremo, e todos os outros poderes, pertençam eles a uma subdivisão da sociedade ou a qualquer um de seus membros, derivam dele e lhe são subordinados.

151. Em algumas comunidades civis em que o legislativo nem sempre existe, e o executivo está investido em uma única pessoa, que tem também uma participação no legislativo, aquele personagem único em um sentido bem tolerável pode ser também chamado de supremo. Isto não significa que ele detenha em si todo o poder supremo, que é aquele de legislar, mas porque detém em si a execução suprema de onde todos os magistrados inferiores deri-

vam todos os seus vários poderes subordinados, ou pelo menos grande parte deles; além disso, não existindo poder legislativo que lhe seja superior, porque não se pode fazer nenhuma lei sem seu consentimento e ele jamais concordaria em se submeter a outra parte do legislativo, neste sentido ele é realmente supremo. Não obstante, deve-se observar que, embora lhes sejam prestados juramentos de obediência e fidelidade, estes não lhe são dirigidos como legislador supremo, mas na sua qualidade de executor supremo de uma lei que é obra de um poder que ele detêm em conjunto com outros; como a submissão consiste na obediência conforme as leis, quando ele as infringe não tem direito à obediência nem pode reivindicá-la, a não ser em razão de sua qualidade de personagem público investido da autoridade da lei e que se apresenta como a imagem da comunidade civil, como seu fantasma ou como seu representante, impulsionado pela vontade da sociedade, declarada em suas leis; ele não tem qualquer vontade ou qualquer poder, exceto aquele da lei. Mas quando ele deixa de lado esta representação, esta vontade pública, e age por vontade própria, ele se degrada e não passa de um indivíduo isolado, sem poder e sem vontade, e a partir daí os membros só devem obediência à vontade pública da sociedade.

152. Quando o poder executivo é depositado nas mãos de uma única pessoa que também tem uma participação no legislativo, está visivelmente subordinado a este e dele depende, podendo ser à vontade substituído ou alterado; não é então o poder executivo supremo que está isento de subordinação, mas o poder executivo supremo investido em uma só pessoa, que, tendo uma participação no legislativo, não está subordinado a nenhum legislativo distinto e superior nem tem de lhe prestar contas, salvo na medida em que ele

mesmo o aceite e consinta; neste caso, pode-se então concluir que ele só está subordinado ao que julga bom, o que será muito pouco. Quanto aos outros poderes ministeriais e subordinados de uma comunidade civil, nem precisamos falar a respeito, pois eles se multiplicam com uma variedade tão infinita nos diferentes costumes e constituições de comunidades civis distintas, que é impossível a referência individual a todos eles. No que lhes diz respeito, basta destacar uma única característica, essencial para o nosso propósito, ou seja, que nenhuma dentre elas se estenda além da competência que lhe foi delegada em virtude de uma concessão e um mandato expressos e todas devem prestar contas a algum outro poder na comunidade civil.

153. Não é necessário nem mesmo conveniente, que o poder legislativo seja permanente. Mas a existência do poder executivo é absolutamente necessária, pois nem sempre há a necessidade de serem feitas novas leis, mas é sempre necessária a aplicação das leis existentes. Mesmo que o poder legislativo deposite em outras mãos a execução das leis por ele feitas, ainda mantém o poder de retomá-lo em caso de necessidade e de punir uma administração ilegal. O mesmo ocorre com o poder federativo, que, juntamente com o executivo, é auxiliar e subordinado ao legislativo; este, como já mostramos, é o poder supremo em uma comunidade civil organizada. Supõe-se, também neste caso, que o legislativo é composto de várias pessoas (pois se fosse uma única pessoa, não podia ser permanente, e por isso, sendo supremo, teria naturalmente o poder executivo supremo e também o legislativo) que podem se reunir e legislar nas ocasiões determinadas por sua constituição fundamental, na data que elas isoladamente fixarem ou ainda quando melhor lhes parecer, no caso de não haver uma data

predeterminada para isso ou outra forma prescrita de convocá-lo. Como o povo confiou o poder supremo a estas pessoas, elas sempre permanecem investidas dele e podem exercê-lo quando assim o desejarem, a menos que por sua constituição fundamental estejam limitadas a determinadas ocasiões, ou elas não tenham fixado uma data por um ato de seu poder supremo; em qualquer dos casos, quando chega a data marcada elas têm o direito de se reunir e retomar sua atividade.

154. Se o poder legislativo ou qualquer de seus elementos se compuser de representantes que o povo escolheu por um período determinado, e que depois deste retornam para o estado original de súditos e só têm participação no legislativo se forem escolhidos outra vez, é preciso também que o povo proceda a essa escolha, seja em ocasiões predeterminadas ou quando for para isso convocado; neste último caso, o poder de convocar o legislativo está ordinariamente depositado nas mãos do executivo, e tem uma destas duas limitações com respeito à ocasião: que a constituição fundamental requeira sua reunião e atuação a intervalos determinados, e o poder executivo então se contenta apenas com um papel auxiliar, que consiste em dar as diretrizes para sua eleição e reunião nas devidas formas; ou que se deixe a cargo de seu bom-senso requisitá-lo por novas eleições quando as ocasiões ou as exigências do público requererem a emenda de antigas leis ou a criação de novas, ou ainda quando forem exigidas soluções ou formas de prevenir de quaisquer inconvenientes de sua responsabilidade ou que ameacem o povo.

155. Pode-se questionar aqui o que acontecerá se o poder executivo, que detém a força da comunidade civil, se utilizar dessa força para impedir que o poder legislativo se reúna e atue, quando a constituição fundamental ou as necessidades da vida pública

o requererem? Eu respondo que o fato de se servir da força contra o povo sem autoridade e indo de encontro à confiança depositada no autor de fato equivale, por si só, a entrar em guerra contra o povo, que tem o direito de restaurar seu poder legislativo no exercício de seu poder. Se o povo instituiu um legislativo, é porque ele exerce o poder de fazer leis, seja a uma data precisa e fixada de antemão, seja em caso de necessidade; cada vez que uma força qualquer impede o poder legislativo de prestar à sociedade um serviço assim necessário, o povo, cuja segurança e preservação estão em jogo, tem o direito de destituí-lo pela força. Em todos os estados e em todas as condições, o verdadeiro recurso contra a força exercida sem autoridade é opor-se a ela pela força. O uso da força sem autoridade sempre coloca quem a usa em um estado de guerra, como o agressor, o que lhe permite receber como resposta o mesmo tratamento.

156. O poder de reunir e destituir o legislativo, confiado ao executivo, não concede a este nenhuma superioridade, mas define uma missão de confiança da qual ele é encarregado para garantir a segurança das pessoas em um caso em que a incerteza e a mutabilidade dos problemas humanos não podem se acomodar dentro de uma regra fixada. Era impossível aos primeiros arquitetos dos governos, mesmo que tentassem prever o futuro, exercer sobre os acontecimentos futuros um controle suficiente para serem capazes de fixar de antemão e definitivamente o momento da eleição periódica e a duração das reuniões do legislativo, de uma maneira judiciosa e correspondendo exatamente a todas as necessidades da comunidade civil; a melhor solução que se conseguiu encontrar para este mal foi confiar no bom-senso de um personagem que estaria sempre presente e cuja tarefa seria velar pelo bem público. Se o poder legislativo se reunisse

a breves intervalos e prolongasse suas sessões sem necessidade, isso não podia ser senão oneroso para o povo, e necessariamente provocaria inconvenientes mais perigosos; por outro lado, os acontecimentos por vezes sofriam bruscamente uma tal alteração que era preciso apelar para a sua ajuda. Qualquer atraso em sua convocação podia comprometer a segurança pública; e às vezes, também, havia tanto a fazer que o tempo limitado de suas sessões corria o risco de ser muito curto para a execução da tarefa e privar o povo do benefício que somente uma deliberação madura poderia proporcionar. Nesse caso, o que poderia ser feito para impedir que a regularidade dos intervalos que separam as sessões do legislativo e a fixação da duração de seus trabalhos não expusessem a comunidade cedo ou tarde a algum perigo iminente aqui ou ali, senão confiando na prudência de um personagem cuja presença constante e seu conhecimento dos negócios públicos tornasse capaz do uso desta prerrogativa para o bem público? E que melhor escolha que a de confiá-la a quem já estava encarregado da execução das leis para o mesmo fim? Assim, supondo-se que a regulamentação das ocasiões para as reuniões e sessões do legislativo não seria estabelecida pela constituição fundamental, ela recairia naturalmente nas mãos do executivo, não como um poder arbitrário e dependente do seu bel-prazer, mas com o encargo de sempre exercer esta função visando o interesse do público, segundo as exigências do momento e a evolução dos acontecimentos. Quanto a determinar que métodos apresentam menos inconveniências, se a periodicidade das sessões do legislativo, a liberdade deixada ao príncipe de convocá-lo ou talvez uma mistura de ambos, não cabe a mim aqui inquirir, mas apenas mostrar que, embora o poder executivo possa ter a prerrogativa de convocar e dissolver tais convenções do legislativo, ainda assim não lhe é superior.

157. As coisas do mundo seguem um fluxo tão constante que nada permanece muito tempo no mesmo estado. Assim, o povo, as riquezas, o comércio, o poder, mudam suas estações, cidades poderosas e prósperas se transformam em ruínas e se transformam em locais abandonados e desolados, enquanto outros locais ermos se transformam em países populosos, repletos de riquezas e habitantes. Entretanto, nem sempre a evolução segue um ritmo igual e o interesse privado frequentemente mantém costumes e privilégios depois de desaparecida a sua razão de ser, e em seguida, em governos em que o poder legislativo se compõe em parte de representantes escolhidos pelo povo, esta representação se torna muito desigual e desproporcional às razões que a haviam de início instituído. Para ver a que absurdos grosseiros nos arriscamos a chegar ao permanecermos fiéis ao costume, basta constatar que o simples nome de uma cidade da qual não restam nem mesmo as ruínas, e onde no máximo encontramos um redil como habitação e no máximo um pastor como habitante, pode enviar tantos representantes à grande assembleia dos legisladores quanto um condado inteiro que possui uma numerosa população e inúmeras riquezas. Diante disso os estrangeiros ficam estupefatos e todo mundo admite que é preciso encontrar uma solução; mas a maioria acha difícil encontrar uma, pois como a constituição do legislativo é o ato fundamental e supremo da sociedade, antecedente em si a todas as leis positivas e inteiramente dependente do povo, nenhum poder inferior pode modificá-lo. Em um governo como este de que falamos, em que o povo, após ter estabelecido o legislativo, não tem mais o poder de agir enquanto o governo subsistir, o mal parece sem solução.

158. A regra *salus populi suprema lex* é certamente tão justa e fundamental que aquele que a segue com sinceridade não corre um risco grande de errar. Por isso, se o executivo, que tem o poder de convocar o legislativo, considerar a representação em suas proporções verdadeiras e não suas modalidades acidentais, e se regulamentar pela razão objetiva e não pelos antigos costumes para determinar o número dos eleitos de cada uma das localidades que enviam representantes, privilégio ao qual uma parte do povo, mesmo associado, não poderia pretender senão na medida de sua contribuição ao bem público, esta decisão não tem de modo algum por efeito a instauração de um poder legislativo novo; ao contrário, ela restaura o poder legislativo antigo, o verdadeiro, e corrige os defeitos que, com o passar do tempo, vão sendo introduzidos de maneira insensível, mas inevitável. Como é interesse e intenção do povo ter uma representação honesta e justa, aquele que realiza melhor este ideal se conduz, certamente, como o fundador do governo e como seu amigo, e não poderia deixar de obter o consentimento e a aprovação da comunidade. Uma vez que a prerrogativa não é senão um poder nas mãos do príncipe para promover o bem público naqueles casos que, dependendo de acontecimentos imprevistos e incertos, teria sido muito perigoso submeter a leis imperativas e imutáveis. Todo ato que tem manifestamente por objetivo o bem do povo e o estabelecimento do governo sobre suas verdadeiras bases, é e sempre será uma prerrogativa justa. O poder de criar novas coletividades e por conseguinte novos representantes, supõe que o número de representantes pode variar com o tempo, que localidades que não tinham o direito de se fazer representar podem adquiri-lo, e outros, que o possuíam, podem perdê-lo se vêm a se tornar

muito insignificantes para merecer esse privilégio. Não é a transformação da situação atual, provocada talvez pela corrupção ou pelo declínio, que causa um dano sério ao governo, mas sua tendência para prejudicar ou oprimir o povo, e de isolar uma parte ou uma facção dele, para discriminá-la e sujeitá-la injustamente ao resto. Tudo o que não pode ser reconhecido como vantajoso para a sociedade e para o povo em geral segundo critérios justos e duradouros encontrará sempre em si próprio sua justificativa; e sempre que o povo escolher seus representantes por meio de medidas justas e inegavelmente equitativas, convenientes à estrutura original do governo, não se pode duvidar de que foram a vontade e o ato da sociedade que o permitiram ou propuseram fazê-lo.

XIV

Da prerrogativa

159. Quando os poderes legislativo e executivo se encontram em mãos distintas (assim como em todas as monarquias moderadas e governos bem-estruturados), o bem da sociedade exige que várias coisas fiquem a cargo do discernimento daquele que detém o poder executivo. Como os legisladores são incapazes de prever e prover leis para tudo o que pode ser útil à comunidade, o executor das leis, possuindo o poder em suas mãos, tem pela lei comum da natureza o direito de utilizá-lo para o bem da sociedade em casos em que a lei civil nada prescreve, até que o legislativo possa convenientemente se reunir para preencher esta lacuna. Há muitas coisas em que a lei não tem meios de desempenhar um papel útil; é preciso então necessariamente deixá-las a cargo do bom-senso daquele que detém nas mãos o poder executivo, para que ele as regulamente segundo o exigirem o bem público e suas vantagens. Mais que isso, convém às vezes que as próprias leis se retraiam diante do poder executivo, ou antes, diante da lei fundamental da natureza e do governo, ou seja, que tanto quanto possível todos os membros da sociedade devem ser preservados. Muitos acidentes podem ocorrer quando a aplicação estrita e rígida da lei pode prejudicar (como, por exemplo, abster-se de demolir a casa de um homem que nada fez

de mal, para deter um incêndio, quando a casa do vizinho está queimando); às vezes, por uma ação que pode merecer absolvição e recompensa, um homem pode tombar sob o golpe da lei, que não faz distinção das pessoas; convém, então, que os governantes tenham o poder de atenuar a severidade da lei e perdoar alguns contraventores, pois o governo tem por finalidade garantir a preservação de todos, na medida do possível, ainda que se poupem os culpados quando se pode provar que os inocentes não foram prejudicados.

160. Este poder de agir discricionariamente em vista do bem público na ausência de um dispositivo legal, e às vezes mesmo contra ele, é o que se chama de prerrogativa. Em alguns governos, o poder encarregado de legislar não existe permanentemente, e em geral é exercido por muitos e é muito lento em vista da celeridade exigida na execução; além disso, como também é impossível prever e, portanto, ter um provimento de leis para atender a todos os acidentes e todas as urgências que podem dizer respeito aos negócios públicos, ou fazer leis que jamais se arrisquem a ser nefastas se aplicadas com um rigor inflexível, em todas as circunstâncias, a todas as pessoas que entram em seu campo de aplicação, o poder executivo guarda por isso uma certa liberdade para realizar muitos atos discricionários que não estão previstos na lei.

161. Quando este poder é exercido no interesse da comunidade e de modo adequado às responsabilidades e objetivos do governo, trata-se sem dúvida de prerrogativa e jamais é questionado. É muito raro, se é que chega a ocorrer, que o povo manifeste escrúpulos ou rigor sobre este ponto, ou chegue a questionar a prerrogativa quando ela é empregada de uma maneira mais ou menos aceitável em vista do fim a que é

destinada, ou seja, o bem comum, e não vise manifestamente prejudicá-lo. Mas se houver uma contestação entre o poder executivo e o povo a propósito de qualquer coisa reivindicada como prerrogativa, a tendência do exercício de tal prerrogativa para o bem ou o mal do povo decidirá facilmente a questão.

162. É fácil imaginar que no início dos governos, quando as comunidades civis pouco diferiam das famílias quanto ao número de pessoas, também pouco diferiam delas quanto ao número de leis; e como os governantes atuavam quase como pais e velavam pelo seu bem-estar, o governo se identificava quase inteiramente com a prerrogativa. Poucas leis estabelecidas serviam aos seus propósitos, e o discernimento e a cautela do governante supriam o resto. Mas quando o erro ou a lisonja persuadiu alguns príncipes a utilizar este poder para fins privados que só interessavam a eles mesmos, e não ao bem público, o povo reclamou leis expressas para circunscrever a prerrogativa naqueles pontos onde a considerava desvantajosa; proclamou então os limites da prerrogativa nos casos em que considerou necessário, que ele e seus ancestrais haviam deixado, em toda a amplitude, a cargo da sabedoria daqueles príncipes, que dela não fizeram um uso correto, ou seja, visando o bem público.

163. As pessoas que dizem que o povo abusou da prerrogativa quando a fez definir, sobre um ponto qualquer, por leis positivas, têm uma ideia muito falsa de governo. Pois agindo assim ele não tirou do príncipe nada que lhe pertencesse por direito, mas apenas declarou que aquele poder que havia deixado indefinidamente em suas mãos ou nas de seus ancestrais para ser exercido para o bem do povo deixava de lhe ser destinado uma vez que o estava utilizando

de outra maneira. Como o objetivo do governo é o bem da comunidade, as modificações feitas visando este objetivo não podem ser um atentado aos direitos de ninguém; em um governo, ninguém pode invocar um direito que se incline a um outro fim. Os únicos abusos são aqueles que prejudicam ou entravam o bem público. Aqueles que dizem o contrário, falam como se o príncipe tivesse um interesse distinto e separado do bem da comunidade; eis a razão e a fonte de onde procedem quase todos os males e as desordens que acompanham os governos monárquicos. Realmente, se fosse assim, o povo sob seu governo não seria uma sociedade de criaturas racionais que entraram em uma comunidade visando o bem comum, mas deveria ser encarado como um rebanho de criaturas inferiores sob a dominação de um dono, que os mantém e os faz trabalhar para ele *para* seu próprio prazer ou proveito. Se os homens fossem tão desprovidos de razão e tão selvagens para entrar em sociedade em tais termos, talvez, como alguns o desejariam, a prerrogativa pudesse na verdade ser um poder arbitrário para realizar atos que prejudicassem o povo.

164. Mas desde que não se pode imaginar que uma criatura livre se submeta a outra para ser prejudicada (embora quando ela encontrar um governante bom e sábio, talvez possa não considerar necessário determinar limites precisos ao seu poder sobre todas as coisas), a prerrogativa pode significar apenas a permissão que o povo concede a seus governantes para fazer várias coisas de sua própria livre-escolha, nas situações em que a lei for omissa, e às vezes mesmo em contrário ao que reza o seu texto, visando o bem público e com a consagração popular dos atos realizados nestas condições. Um bom príncipe, consciente da missão que lhe foi confiada e preocupado com o bem

público, não precisaria ter muita prerrogativa, ou seja, poder para fazer o bem; enquanto um príncipe mau e fraco desejaria invocar o poder que seus antecessores exerciam sem a orientação da lei como uma prerrogativa pertencente a ele pelo direito do seu cargo, que ele exerceria ao bel-prazer, para atingir ou promover um interesse distinto daquele do povo, dando a este uma ocasião para fazer valer o seu direito e impor um limite a esse poder que ele aceitava autorizar tacitamente, enquanto foi utilizado para o seu bem.

165. Quem examinar a história da Inglaterra verá que a prerrogativa foi sempre maior nas mãos dos príncipes mais sábios e melhores, porque o povo, observando que a tendência geral de suas ações era o bem público, não contestava o que era feito sem o respaldo legal; ou se alguns desvios mínimos, visando o bem-estar público, manifestavam alguma sombra de fragilidade ou erro humano (uma vez que os príncipes são homens como todos os outros), quando percebia que a principal intenção de sua conduta era a preocupação com o bem público. Por isso, como o povo tinha motivos para estar satisfeito com esses príncipes quando eles agiam sem o respaldo da lei, ou mesmo contra ela, aquiescia ao que faziam e, sem qualquer queixa, permitia-lhes ampliar sua prerrogativa o quanto quisessem, julgando corretamente que eles nada fariam em prejuízo de suas leis, desde que agissem em conformidade com a base e o objetivo de todas as leis, que é o bem público.

166. Na verdade quase deuses, estes príncipes tinham algum direito de exercer um poder arbitrário, invocando o argumento que quer provar que a monarquia absoluta é a melhor forma de governo, pela qual Deus governa o universo, porque esses reis participam de sua sabedoria e de sua bondade. Sobre isso está baseado o ditado que diz que os reinados

dos bons príncipes sempre têm sido mais perigosos para as liberdades de seu povo; mas quando seus sucessores, administrando o governo com ideias diferentes, transformaram as ações daqueles bons governantes em precedentes e fizeram deles o padrão de sua prerrogativa, como se aquilo que tivesse sido feito apenas visando o bem público fosse um direito implícito para prejudicar o povo se assim o desejassem, isso frequentemente ocasionou contestações, e às vezes desordens públicas, até que o povo pudesse recuperar seu direito original e declarar que aquilo não era uma prerrogativa, e realmente nunca foi, pois é impossível que alguém na sociedade possa ter o direito de prejudicar o povo; mas é perfeitamente possível e razoável que o povo se abstenha de delimitar a prerrogativa daqueles reis ou governantes que não ultrapassaram os limites do bem público; pois a prerrogativa nada mais é que o poder de realizar o bem público sem se basear em nenhuma regra.

167. Na Inglaterra, o poder de convocar os parlamentos, assim como determinar sua data, local e duração, é certamente uma prerrogativa do rei, mas ainda com esta confiança de que ele será exercido para o bem da nação, como assim o requererem as exigências do momento e a diversidade das circunstâncias; como é impossível prever quais seriam o local e a época mais adequados para reuni-los, sua escolha foi deixada a cargo do poder executivo, do modo mais proveitoso ao bem público e mais conveniente aos objetivos dos parlamentos.

168. No domínio da prerrogativa surge sempre a velha questão: Quem julgará se este poder está sendo utilizado de modo legítimo? Eu respondo: Entre um poder executivo constituído, detentor desta prerrogativa, e um legislativo que depende da

vontade daquele para se reunir, não pode haver juiz na terra. Como não pode existir ninguém entre o legislativo e o povo, quando o executivo ou o legislativo, que têm o poder em suas mãos, planejam ou começam a escravizá-lo ou a destruí-lo. Neste caso, assim como em todos os outros casos em que não houver juiz na terra, o povo não teria outro remédio senão apelar para o céu; assim, quando os governantes exercem um poder que o povo jamais lhes confiou, pois nunca pensou em consentir que alguém pudesse governá-lo visando o seu mal, agem sem direito. Quando o conjunto do povo ou um indivíduo isolado são privados de seu direito ou são submetidos ao exercício de um poder ilegal, não dispondo de qualquer juiz para apelar na terra, têm a liberdade de apelar ao céu quando acharem que a causa merece. Por isso, embora o povo não possa ser juiz, por não possuir pela constituição daquela sociedade qualquer poder superior, para dirimir e dar uma sentença efetiva no caso, ele tem o direito, concedido por uma lei antecedente e soberana a todas as leis positivas dos homens, que lhe reserva a decisão final que pertence a todo homem quando ele não dispõe de nenhum recurso sobre a terra, de julgar se tem justa causa para fazer seu apelo ao céu. E ele não poderia renunciar a este julgamento, pois nenhum homem tem o poder de se submeter a outro ao ponto de dar a este outro a liberdade de destruí-lo; nem Deus nem a natureza jamais permitiram que um homem se abandonasse ao ponto de negligenciar sua própria preservação; e assim como ele não pode destruir sua própria vida, também não pode dar a ninguém o poder de fazê-lo. Ninguém deve pensar que isso vai servir como base perpétua para a desordem, pois só entra em ação quando a situação estiver tão ruim que a maioria a perceba, se canse e julgue necessário providenciar uma solução. Mas o poder executivo ou os príncipes sábios jamais correrão este risco, e é preciso que todos evitem isso ao máximo, pois não existe nada no mundo mais perigoso.

XV

Do poder paterno, político e despótico considerados em conjunto

169. Embora eu já tenha tido a ocasião de falar desses poderes separadamente, os grandes erros que há algum tempo têm sido cometidos a respeito do governo me parecem provir daqueles que os têm confundido entre si; por isso, talvez não seja fora de propósito aqui examiná-los em conjunto.

170. Em primeiro lugar, o poder paterno ou parental, nada mais é que aquele que os pais têm sobre seus filhos para governá-los visando o seu bem até que eles atinjam o uso da razão ou um estado de entendimento em que possam ser considerados capazes de compreender a regra que deve reger sua atividade, seja ela a lei da natureza ou a lei civil de seu país; capazes, quero dizer, de compreendê-la assim como a compreendem os outros homens livres que vivem submetidos a essa lei. O afeto e a ternura que Deus implantou no coração dos homens em relação a seus filhos tornam evidente que este não pretende ser um governo arbitrário e severo, mas apenas visando o auxílio, a instrução e a preservação de sua descendência. Mas, aconteça o que acontecer, como eu já provei, nada autoriza a crer que ele conceda aos pais um direito de vida e

de morte sobre seu filho, ou sobre quem quer que seja, nem que ele mantenha o filho, quando crescer e já for um homem, em um estado de dependência diante da vontade de seus pais, salvo na medida em que a doação da vida e da educação, que deles recebeu, o obriga até à morte a respeitar seu pai e sua mãe, a honrá-los, agradecer-lhes, assisti-los e prover suas necessidades. O governo paterno é portanto um governo natural, mas não se estende aos mesmos objetivos e às mesmas competências do governo político; o poder do pai não atinge toda a propriedade do filho, da qual só ele próprio pode dispor.

171. Em segundo lugar, o poder político é aquele poder que todo homem detém no estado de natureza e abre mão em favor da sociedade, e ali aos governantes que a sociedade colocou à sua frente, impondo-lhes o encargo, expresso ou tácito, de exercer este poder para seu bem e para a preservação de sua propriedade. Então este poder, que todo homem tem no estado de natureza, e que remete à sociedade em todos os casos em que a sociedade pode assegurá-lo, é para que eles utilizem os meios que considerarem bons e que a natureza permitir para preservar sua propriedade e para infligir aos outros, quando eles infringem a lei da natureza, a punição que sua razão considerar mais adequada para garantir sua preservação e a de toda a humanidade. Como a finalidade e a medida deste poder, quando está nas mãos de cada homem no estado de natureza, é a preservação de toda a sua sociedade, ou seja, de toda a humanidade em geral, não pode ter outra finalidade ou medida, quando está nas mãos dos magistrados, senão preservar os membros daquela sociedade em suas vidas, liberdades e posses; e por isso não pode ser um poder absoluto e arbitrário sobre suas vidas e bens, que devem ser preservados tanto quanto possível, mas um poder de fazer leis e completá-las por penalidades que sejam de

natureza a assegurar a preservação do todo, amputando aquelas partes, e apenas aquelas, cuja corrupção se torne uma ameaça para as partes saudáveis e idôneas, pois a severidade só é legítima neste sentido. E este poder procede apenas do pacto, do acordo e do consentimento mútuo daqueles que compõem a comunidade.

172. Em terceiro lugar, o poder despótico é um poder absoluto e arbitrário que um homem tem sobre outro de lhe tirar a vida quando bem entender. Este poder não é um dom da natureza, pois ela não estabeleceu esta discriminação entre os homens; e nem efeito de um contrato, pois o homem, não possuindo tal poder arbitrário sobre sua própria vida, não poderia conceder a outro homem tal poder; mas é o efeito apenas do confisco que o agressor faz de sua própria vida quando se coloca em estado de guerra com qualquer outro. Por este gesto, põe de lado a razão que Deus deu aos homens para lhes servir de regra e de elo comum na unidade de uma mesma companhia e de uma mesma sociedade; e tendo renunciado às vias pacíficas que a razão ensina e feito uso da força da guerra para atingir seus injustos objetivos às custas de um outro e sem direito a isso; e assim, insurgindo-se contra sua própria espécie e abraçando a condição dos animais selvagens, pois como princípio de direito ele erige a força que lhes serve de regra; torna-se sujeito a ser destruído pela pessoa injuriada e pelo resto da humanidade que a ela se unirá na execução da justiça, como qualquer outro animal selvagem ou besta nociva com quem a humanidade não pode conviver nem ter segurança. Assim, os prisioneiros capturados em uma guerra justa e legítima, mas somente estes, são submetidos a um poder despótico, que não tem sua fonte em uma convenção nem é capaz de nenhuma, exceto a continuação do estado de guerra. Que contrato pode ser feito com um homem que não é dono de sua própria vida? Que

obrigação ele pode executar? Entretanto, desde que lhe seja permitido tornar a ser dono de sua vida, o poder despótico e arbitrário de seu senhor cessa. Aquele que é senhor de si mesmo e de sua própria vida tem também o direito aos meios de preservá-la; assim, uma vez que há contrato, a escravidão cessa; e aquele que faz um acordo com seu prisioneiro renuncia assim ao seu poder absoluto e põe fim ao estado de guerra.

173. A natureza dá o primeiro destes poderes, ou seja, o pátrio poder, aos pais, no interesse de seus filhos durante a sua minoridade, para suprir sua ausência de habilidades e sua falta de entendimento sobre como administrar sua propriedade. (É preciso que se saiba que, aqui como em qualquer outra parte, por propriedade eu entendo aquela que o homem tem sobre sua pessoa, e não somente sobre seus bens.) Um acordo voluntário concede o segundo, ou seja, o poder político, aos governantes para o benefício de seus súditos, para garanti-los na posse e no uso de suas propriedades. E o confisco proporciona o terceiro, o poder despótico, aos senhores para seu próprio benefício, sobre aqueles que são desprovidos de toda propriedade.

174. Quem quer que examinar a gênese e a extensão características de cada um desses poderes, assim como seus diferentes fins respectivos, facilmente constata que o pátrio poder está longe de se igualar àquele do magistrado, assim como o poder despótico os ultrapassa; e que a dominação absoluta, esteja onde estiver, jamais poderia constituir uma categoria de sociedade civil, pois exclui sua própria existência, assim como a escravidão exclui aquela da propriedade. O pátrio poder só existe quando a minoridade torna a criança incapaz de administrar sua propriedade; o poder político, quando os homens dispõem de sua propriedade; e o poder despótico, sobre aqueles que não possuem nenhuma propriedade.

XVI

Da conquista

175. Embora os governos, em sua origem, não possam jamais se estabelecer de outra maneira que não aquela acima mencionada, nem as sociedades políticas serem fundamentadas sobre outra coisa além do consentimento do povo, a ambição provocou no mundo tantas desordens que, no tumulto da guerra, que compõe uma parte tão grande da história da humanidade, este consentimento passa quase despercebido; e por isso muitos têm confundido a força das armas com o consentimento do povo e consideram a conquista como uma das origens do governo. Mas a conquista está longe de estabelecer qualquer governo, assim como a demolição de uma casa está longe da construção de outra nova em seu lugar. Na verdade, ela frequentemente abre caminho para a nova estrutura de uma comunidade civil ao destruir a antiga, mas sem o consentimento do povo jamais poderá edificar uma nova.

176. O agressor que se coloca em estado de guerra com outro homem, injustamente invadindo o direito deste, jamais extrairá de uma guerra injusta nenhum direito sobre sua conquista. Facilmente concordarão com isso todos os homens que não acham que os ladrões e os piratas têm um direito de soberania sobre quem quer que seja que tenham dominado pela força; ou que os homens sejam obrigados por

promessas que o uso ilegal da força lhes extorquiu. Se um ladrão invadir minha casa e, com um punhal em minha garganta, me obrigar a escrever um documento cedendo-lhe os meus bens, isto lhe dá qualquer direito? É justamente um direito deste gênero que possui o conquistador injusto que força a minha submissão com o poder da espada. A injúria e o crime são iguais, sejam eles cometidos por uma cabeça coroada ou por algum pequeno vilão. Nem o título do ofensor nem o número de seus seguidores fazem diferença na infração, a menos que seja para agravá-la. A única diferença é que os grandes ladrões punem os pequenos para mantê-los em sua obediência; enquanto os grandes são recompensados com lauréis e triunfos, por serem grandes demais para as mãos frágeis da justiça deste mundo, e são eles que têm nas mãos o poder que poderia punir os ofensores. Que recurso posso ter contra um ladrão que invadiu a minha casa? Apelar para a lei para obter justiça. Mas talvez a justiça seja negada ou eu esteja ferido, incapaz de me mover; roubado e sem os meios para poder agir. Se Deus retirou todos os meios de buscar recursos, só resta a paciência. Mas meu filho, quando for capaz, pode buscar o amparo da lei, que me foi negado; ele ou seu filho podem renovar seu apelo, até que ele recupere seu direito. Mas o conquistado, ou seus filhos, não têm tribunal ou árbitro na terra a quem apelar. Então podem apelar ao céu, como fez Jefté, e repetir seu apelo até recuperarem o direito nativo de seus ancestrais, ou seja, o direito de colocar sobre eles um poder legislativo que a maioria aprove e aceite livremente. Poderá ser objetado que isso provocaria um tumulto sem fim, mas eu digo que bastaria que a justiça estivesse acessível a todos que apelam para ela. Aquele que perturba, sem motivo, o repouso do seu vizinho, é punido pelo tribunal a que este se dirige. Aquele que apela ao céu deve estar certo de que tem o direito do seu lado; e um direito também que vale o trabalho e o custo do processo, pois ele vai responder diante de um tribunal que não pode ser enganado e sempre punirá cada um segundo os danos que tenham causado aos seus semelhantes, ou seja, uma parte qualquer da humanidade. De onde se conclui, evidentemente, que aquele que conquista em uma guerra injusta não pode desse modo ter direito à submissão e à obediência do conquistado.

177. Mas supondo-se que a vitória favoreça o lado certo, consideremos o conquistador em uma guerra legal e vejamos que poder ele adquire, e sobre quem.

Primeiro: É evidente que por sua conquista ele não adquire poder sobre aqueles que conquistaram junto com ele. Aqueles que lutaram a seu lado não podem sofrer pela conquista, mas devem, no mínimo, continuar homens tão livres quanto eram antes. Muito frequentemente, eles servem sob contrato e com a condição de dividir com seu chefe a fim de desfrutar de uma parcela do saque e outras vantagens que acompanham a espada vencedora; ou, pelo menos, ver atribuída a ele uma parte do país subjugado. E espero que o povo vitorioso não se torne escravo da conquista e use seus lauréis apenas para mostrar que são sacrifícios ao triunfo de seu líder. Aqueles que fundamentam a monarquia absoluta sobre o direito da espada transformam seus heróis, que são os fundadores de tais monarquias, em valentões consumados, e se esquecem que eles tiveram oficiais e soldados que combateram a seu lado nas batalhas que venceram, ou os auxiliaram na conquista ou repartiram a posse dos países que dominaram. Alguns nos dizem que a monarquia inglesa deriva da conquista normanda, e que nossos príncipes adquiriram dessa forma um direito à dominação absoluta; o que, se for verdade (o que a história desmente), e se Guilherme tinha justa causa de fazer guerra à nossa ilha, sua dominação pela conquista só poderia se estender aos saxões e aos bretões que eram então os habitantes deste país. Os normandos que vieram com ele e o ajudaram na conquista são, juntamente com todos os seus descendentes, homens livres, e não súditos conquistados, seja qual for o gênero de soberania que tenha resultado. E se eu ou qualquer outro indivíduo reivindicarmos nossa liberdade, argumentando que a derivamos deles, será muito difícil provar o contrário. É evidente que as leis, que não estabelecem nenhuma distinção entre estas categorias de indivíduos, não têm por objetivo instituir qualquer discriminação em sua liberdade e privilégios.

178. Mas suponhamos, o que raramente ocorre, que os conquistadores e os conquistados nunca se associaram formando um povo, sob as mesmas leis e liberdade. Vamos ver agora que poder um conquistador legal tem sobre aqueles que conquistou: eu digo que este poder é puramente despótico. Ele tem um poder absoluto sobre as vidas daqueles que, por uma guerra injusta, ficaram privados de mantê-las; mas não tem poder sobre as vidas e os bens daqueles que não participaram da guerra, e nem também sobre os bens daqueles que dela participaram ativamente.

179. Segundo: Eu digo, neste caso, que o conquistador só adquire o poder sobre aqueles que realmente ajudaram, concorreram ou consentiram naquela força injusta que foi usada contra ele. O povo jamais habilita seus governantes a cometer uma injustiça, como, por exemplo, empreender uma guerra injusta (pois o poder de realizar atos desse gênero jamais lhe pertenceu); portanto não deve ser considerado culpado da violência e da injustiça que são cometidas em uma guerra injusta, senão na medida em que ele realmente

participou dela; e não pode ser considerado culpado de qualquer violência ou opressão que seus governantes usassem sobre o próprio povo ou sobre uma parte de seus súditos, uma vez que não autorizaram este abuso. É verdade que os conquistadores raramente se dão ao trabalho de fazer a distinção; mas eles de bom grado permitem que a confusão que acompanha a guerra arraste tudo com ela; mas isso não altera em nada o direito, pois a única razão pela qual o conquistador tem poder sobre as vidas daqueles que conquistou é ter utilizado a força para perpetrar uma injustiça, e só poderá exercer tal poder sobre aqueles que participaram dessa utilização da força; o restante é inocente; e como o povo daquele país não lhe causou nenhum mal e não constituiu ameaça a sua vida, ele não tem mais direitos sobre o povo daquele país do que tem sobre qualquer outro entre aqueles que viveram em bons termos com ele, sem injúrias ou provocações.

180. Terceiro: O poder que um conquistador adquire sobre aqueles que ele venceu em uma guerra justa é perfeitamente despótico; ele tem um poder absoluto sobre as vidas daqueles que, colocando-se em um estado de guerra, tiveram este poder confiscado; mas não tem por isso direito nem título sobre seus bens. Eu não duvido que à primeira vista esta possa parecer uma doutrina estranha, uma vez que contradiz completamente a prática do mundo; nada mais familiar, quando se fala da dominação de países, do que dizer que alguém o conquistou; como se a conquista, por si só, concedesse um direito de posse. Mas quando consideramos que a prática daqueles que detêm a força e o poder, por mais universal que ela possa ser, raramente é a regra do direito, embora faça parte da sujeição do conquistado não discutir as condições a ele impostas pela espada da conquista.

181. Embora em toda guerra haja em geral uma complicação de força e prejuízos, e raramente o agressor deixe de causar danos às propriedades, quando ele usa a força contra as pessoas daqueles contra os quais ele luta, é apenas o emprego dessa força que coloca um homem em estado de guerra. Pouco importa se foi pela violência que ele deu início ao ato injusto, ou se este foi perpetrado em silêncio e através da fraude, se ele se recusa a qualquer reparação e o perpetua pela violência (o que vem a ser a mesma coisa que utilizar a força desde o início), é o uso injusto da força que faz uma guerra. Aquele que invade a minha casa e violentamente me expulsa porta afora, ou tendo entrado pacificamente, em seguida me obriga a ficar do lado de fora, na realidade faz a mesma coisa; supondo-se que estamos em tal estado, que não tenhamos um juiz comum na terra a quem possamos apelar e a cujas decisões ambos tenhamos de nos submeter, é disso que falo agora, deste uso injusto da força que coloca um homem contra outro em um estado de guerra, e por isso é culpado do confisco de sua vida. Como ele se afasta da razão, ou seja, da regra que rege os relacionamentos entre os homens, e utiliza a violência à maneira dos animais selvagens, fica sujeito a ser destruído por aquele contra o qual ele emprega a força, como um animal selvagem que é perigoso para sua existência.

182. Apesar dos erros dos pais não serem culpa dos filhos, e eles poderem ser racionais e pacíficos não obstante a brutalidade e a injustiça do pai, este, com seus erros e sua violência, pode confiscar apenas sua própria vida, não envolvendo seus filhos em sua culpa ou destruição. Seus bens, de que a natureza tornou seus filhos proprietários para os impedir de perecer, uma vez que ele deseja que a humanidade seja preservada em toda a medida do possível, con-

tinuam a pertencer a seus filhos. Supondo-se que eles não tenham participado da guerra, seja pela pouca idade ou por uma questão de escolha, nada fizeram que mereça o confisco desses bens; e o conquistador não tem qualquer direito de se apossar deles, pela simples invocação da vitória que obteve sobre aquele que tentou destruí-lo pela força; embora ele talvez tenha algum direito a eles, para reparar os danos causados pela guerra e na proteção de seus próprios direitos. Em que medida isso atinge os bens do conquistado, nós veremos a seguir. Assim, aquele que pela conquista tem o direito sobre a pessoa de um homem para destruí-lo se assim o quiser, não tem por isso um direito sobre seus bens, para se apossar e desfrutar deles. É a força brutal utilizada pelo agressor que dá ao seu adversário o direito de tirar sua vida e destruí-lo se quiser, como se fosse uma criatura nociva, mas só o dano continuado lhe dá o direito de se apossar dos bens do outro homem. Embora eu possa matar um ladrão que me assalta na estrada, não tenho o direito (que parece menor) de tirar seu dinheiro e deixá-lo ir embora; isto me tornaria um ladrão. Sua força e o estado de guerra em que se colocou fizeram com que ele perdesse o direito a sua vida, mas não deu a mim o direito de assumir seus bens. Então, o direito de conquista se estende apenas às vidas daqueles que se associaram na guerra, não a seus bens, exceto para reparar os danos causados e os encargos da guerra, e isso também sob reserva dos direitos da esposa e dos filhos inocentes.

183. Mesmo que o conquistador tenha a justiça do seu lado, como se poderia supor, ele não tem o direito de se apoderar de mais do que o conquistado poderia ser confiscado; sua vida está à sua mercê, assim como seu serviço e os bens de que ele pode se apropriar para reparar os danos causados, mas não

pode se apropriar dos bens de sua esposa e dos seus filhos; eles também têm direito aos bens de que ele desfrutava e à partilha da propriedade que possuía. Por exemplo, se eu causei um dano a outro homem no estado de natureza (e todas as comunidades civis estão entre si no estado de natureza) e, como eu me recuso a reparar o mal, ele se coloca no estado de guerra, em que defendo pela força minhas aquisições injustas, o que faz de mim o agressor. Eu sou conquistado: certamente, minha vida está à mercê do conquistador, mas não a de minha esposa e as de meus filhos. Eles não fizeram a guerra nem ajudaram nela. Eu não poderia confiscar suas vidas, que não me pertencem. Minha esposa tem uma parte em meus bens, que eu também não poderia confiscar. O mesmo ocorre com meus filhos, que, tendo nascido de mim, têm o direito de ser sustentados com o produto do meu trabalho ou do meu capital. Resumindo, o conquistador tem um direito à reparação pelos danos recebidos e os filhos têm direito aos bens de seu pai para o seu sustento. Quanto à parte da esposa, seja ela fruto do seu trabalho ou de um pacto que lhe proporcionou esse direito, é evidente que seu marido não poderia confiscar o que era dela. O que deve ser feito nesse caso? Eu respondo: Como a lei fundamental da natureza exige que todos sejam preservados na medida do possível, em consequência disso, se não existe o bastante para satisfazer a ambos, ou seja, para as perdas do conquistador e para o sustento dos filhos, aquele que está provido, até com excesso, deve renunciar a uma parte de sua indenização plena e ceder o lugar àqueles que correm o risco de perecer sem ela.

184. Mas vamos supor que os encargos e os prejuízos da guerra devam ser recuperados pelo conquistador até o último centavo; e que os filhos do conquistado sejam espoliados de todos os bens

de seu pai, e sejam deixados para morrer de fome; embora nessa dívida a satisfação seja devida ao conquistador, isso dificilmente lhe dá um título a qualquer país que ele conquiste. É pouco provável que o montante dos prejuízos de guerra possa se igualar ao valor das terras de uma superfície considerável, em qualquer parte do mundo em que não reste mais espaço sem dono ou inculto. E como eu não me apossei das terras do conquistador, uma vez que isso me era impossível, sendo eu o vencido, parece pouco provável que eu lhe tenha causado qualquer outro prejuízo que possa equivaler ao valor de minhas próprias terras, supondo-se que elas sejam mais ou menos tão vastas e tão bem cultivadas quanto a sua parte que eu invadi. A destruição de um produto de um ou dois anos, pois raramente atinge quatro ou cinco, representa o prejuízo mais grave que em geral poderia ser causado. Quanto ao dinheiro e às riquezas e ao tesouro desse tipo que puderam ser tomados, estes não são bens da natureza e possuem apenas um valor ilusório: a natureza jamais lhes atribuiu um valor real. Por seu padrão, eles não têm mais valor que o *wampompeke* dos americanos para um príncipe europeu, ou a moeda de prata da Europa teria tido antigamente para um americano. O produto de cinco anos não vale a propriedade perpétua da terra, lá onde não existem terras sem dono nem áreas baldias que pudessem ser tomadas por aquele que foi desapossado; isto será facilmente admitido despojando-se o dinheiro de seu valor imaginário, pois a desproporção ultrapassa a relação de cinco para cinco mil, embora, ao mesmo tempo, o produto de meio ano tenha mais valor do que a herança onde, havendo mais terra do que os habitantes possuem e fazem uso, qualquer um tem a liberdade de utilizar a área baldia. Mas lá, raramente os conquistadores se preocupam em se apossar das terras dos vencidos. Assim, no estado de natureza (no qual todos os príncipes e todos os governantes permanecem em referência um ao outro), os prejuízos que os homens se causam podem dar a um conquistador poder para desapropriar a posteridade do vencido e privá-la daquela herança que devia ser perpetuamente posse dela e de seus descendentes. Na verdade, o conquistador será levado a se considerar o dono; e é condição própria dos vencidos não poder disputar seus direitos. Mas se tudo se reduz a este fato, o único direito que ele concede é aquele que o mais forte opõe ao mais fraco em nome da força bruta. Segundo este critério, o indivíduo mais forte tem o direito de se apossar de tudo o que quiser.

185. O conquistador, mesmo em uma guerra justa, não tem por sua conquista nenhum direito de dominação sobre aqueles que a ele se juntaram no combate, nem também sobre os habitantes do país subjugado que não tenham se oposto a ele ou sobre os descendentes daqueles que lutaram contra ele; estes estão livres de qualquer sujeição a ele e, se seu governo precedente for dissolvido, permanecem em liberdade para começar e construir outro para si.

186. É verdade que o conquistador, por meio da força que tem sobre ele, em geral os impele, com uma espada no peito, a se curvarem às suas condições e a se submeterem ao governo que ele quiser lhes dar; mas a pergunta é a seguinte: Que direito tem ele de fazer isso? Responder que estes homens se submetem por seu próprio consentimento, é admitir que seu próprio consentimento seria necessário para conceder ao conquistador um título para governar sobre eles. Falta apenas considerar se as promessas extorquidas pela força, sem direito, podem ser consideradas consentimento, e até que ponto elas obrigam; ao que

eu respondo que elas não obrigam a absolutamente nada; porque, seja o que for que alguém toma de mim à força, eu ainda mantenho o direito de posse, e ele é obrigado no mesmo momento a me restituir. Aquele que tira de mim o meu cavalo deve imediatamente devolvê-lo e eu ainda tenho o direito de retomá-lo. Pela mesma razão, aquele que me obrigou a uma promessa deve imediatamente devolvê-la, isto é, liberar-me da obrigação de cumpri-la; ou posso eu mesmo retomá-la, ou seja, decidir se vou cumpri-la. Pois a lei da natureza só me impõe obrigações em virtude das regras que ela prescreve, não podendo me obrigar pela violação de suas regras, como extorquindo qualquer coisa de mim pela força. Isso não altera nada o fato de dizer "Eu dei minha palavra", assim como meu gesto não tem por efeito desculpar o emprego da força e transmitir meus direitos, quando enfio a mão em meu bolso e entrego eu mesmo minha carteira ao ladrão que a exige com uma pistola no meu peito.

187. De tudo isso resulta que o governo de um conquistador, imposto pela força ao vencido, contra quem ele não tinha o direito de guerra, ou que não se aliou aos seus inimigos, embora a isso tivesse direito, não é legítimo.

188. Mas suponhamos que todos os homens daquela comunidade, sendo todos membros do mesmo corpo político, tivessem se associado naquela guerra injusta, na qual eles são vencidos, e que, em consequência disso, suas vidas estejam à mercê do conquistador.

189. Eu afirmo que isso não diz respeito a seus filhos que estão em sua minoridade, pois um pai não tem em si um poder sobre a vida e a liberdade de seu filho, e nenhum ato seu pode produzir a perda de uma ou de outra. Assim, os filhos, aconteça o que acontecer com seus pais, são homens livres, e o

poder absoluto do conquistador não se estende além das pessoas dos homens que lhes estão subjugados, e morre com eles; e ainda que ele possa governá-los como escravos, sujeitos a seu poder arbitrário absoluto, não tem tal direito de dominação sobre seus filhos. Ele não pode ter poder sobre eles exceto por seu próprio consentimento, seja o que for que ele possa induzi-los a dizer ou fazer; e não tem autoridade legal, pois o que os compele à submissão é a força, não a escolha.

190. Todo homem nasce com um direito duplo: primeiro, um direito de liberdade sobre sua pessoa, sobre a qual nenhum outro homem tem poder e só ele próprio pode dispor livremente a ela; segundo, o direito, de preferência a qualquer outro homem, de dividir com seus irmãos os bens de seu pai.

191. Pelo primeiro deles, um homem está naturalmente livre de sujeição a qualquer governo, embora ele tenha nascido em um lugar sob sua jurisdição; mas se ele rejeitar o governo legal do país em que nasceu, deve também renunciar ao direito que lhe pertencia por suas leis e às posses ali situadas que lhe cabem por herança de seus ancestrais, no caso destes últimos terem participado da fundação do governo.

192. Pelo segundo, os habitantes de qualquer país que são descendentes e derivam um título a seus bens daqueles a que estão submetidos, e têm um governo imposto sobre eles contra seu livre consentimento, mantêm o direito à posse de seus ancestrais, embora eles não tenham consentido livremente no governo, cujas duras condições foram impostas pela força sobre os proprietários daquele país. Como o primeiro conquistador jamais tem direito à terra daquele país, o povo, que é constituído pelos descendentes daqueles que foram constrangidos pela violên-

cia a se curvar ao jugo de um governo de força, tem sempre o direito de sacudir este jugo e se libertar da usurpação ou da tirania que a espada lhe impôs, até obter de seus chefes uma forma de governo na qual ele consinta voluntariamente e por escolha. Jamais se poderia presumir que ele pudesse fazer isso até que estivesse em um pleno estado de liberdade para escolher seu governo e seus governantes, ou pelo menos até que tivesse leis positivas, às quais ele próprio ou seus representantes tivessem dado seu livre consentimento, e também até que lhe fosse reconhecido o direito de propriedade legítimo, ou seja, o direito que cada indivíduo possui de ser proprietário daquilo que lhe pertence em condições que interditam qualquer outra pessoa a lhe subtrair uma parte qualquer sem seu próprio consentimento; sem isso, quem quer que esteja sob qualquer governo não tem o estatuto de homem livre, mas de escravo, sob o qual a força da guerra se exerce sem intermediário. Quem duvida que os cristãos gregos, descendentes dos antigos proprietários daquele país, possam legitimamente sacudir o jugo turco, sob o qual generam por tanto tempo, quando tiverem poder para isso?

193. Se concordamos que o conquistador em uma guerra justa tem tanto direito aos bens quanto poder sobre as pessoas do conquistado – o que evidentemente é falso – nada indica que este governo se transforme em um poder absoluto se se prolongar, porque como os descendentes destes são todos homens livres, se ele lhes outorga bens e posses para habitar em seu país (sem o que ele não valeria nada), eles adquirem a propriedade de tudo o que ele lhes transfere, na medida em que se trata de uma transferência. A natureza da propriedade é que, sem o próprio consentimento do homem, ela não pode ser dele tomada.

194. Suas pessoas são livres por direito de nascença, e suas propriedades, não importa a sua extensão, são propriedades próprias e estão a sua própria disposição, não àquela do conquistador; caso contrário, não haveria propriedade. Supondo-se que o conquistador dá mil acres a um homem e a seus herdeiros para sempre, mas, a outro, ceda mil acres durante a sua vida, sob um aluguel de cinquenta ou cem libras por ano. O primeiro não tem direito a seus mil acres perpetuamente e o segundo aos seus, durante sua vida, se pagar o aluguel fixado? O locatário vitalício não tem a propriedade de tudo aquilo que pode extrair da terra por seu trabalho e sua indústria, durante o período fixado, supondo que isso atinja a um montante equivalente ao dobro do aluguel? Pode-se sustentar que o rei, ou o conquistador, após ter feito essa cessão, possa invocar o poder que lhe confere a conquista para retomar as terras, em sua totalidade ou em parte, dos herdeiros do primeiro destes dois homens, ou do segundo durante sua vida, quando ele está pagando seu aluguel? Ou ele pode retomar de um ou de outro os bens ou o dinheiro que obtiveram da terra, como bem entender? Se pode, isso então significa o fim de todos os contratos livres e voluntários do mundo. Basta existir poder suficiente para anulá-los a qualquer momento. E todas as doações e promessas dos homens que estão no poder não passam de escárnio e conluio; pois pode haver algo mais ridículo que dizer, "Eu lhe dou isso para sempre, a você e aos seus" – utilizando para isso o modo de comunicação mais confiável e solene que se possa imaginar –, embora o que tenha de ser compreendido é que eu tenho o direito, se quiser, de retomá-lo de você amanhã?

195. Eu não vou discutir agora se os príncipes estão isentos das leis de seu país, mas estou

certo de que devem submissão às leis de Deus e da natureza. Nenhum indivíduo, nenhum poder, pode se isentar das obrigações que essa lei eterna lhes impõe. Elas são tão grandes e tão fortes no caso das promessas, que a própria onipotência pode estar a elas vinculadas. As cessões, as promessas e os juramentos são compromissos julgados pelo Todo-Poderoso. Seja o que for que alguns bajuladores digam aos príncipes do mundo, estes, juntamente com todas as pessoas que a eles se juntarem, não representam diante da grandeza divina senão uma gota do oceano ou um grão de poeira na balança – absolutamente nada!

196. O resumo da questão referente à conquista é o seguinte: o conquistador, se tiver uma causa justa, tem um direito despótico sobre as pessoas de todos aqueles que realmente ajudaram e concorreram na guerra contra ele, e um direito de recuperar seu prejuízo e sua despesa à custa do trabalho e dos bens dos vencidos, contanto que com isso não prejudique terceiros. Sobre o restante do povo, se há alguns que não concordaram com a guerra, e sobre os filhos dos próprios prisioneiros ou as posses de ambos, ele não tem poder algum; e assim, não pode retirar da conquista nenhum título legítimo para exercer sobre eles sua dominação, nem para transmitir algum à sua posteridade; mas se é um agressor, e se coloca em um estado de guerra contra eles, nem ele nem seus sucessores têm qualquer direito de principado maior que Hingar ou Hubba, os dinamarqueses, tiveram aqui na Inglaterra, ou Spartacus teria se tivesse conquistado a Itália; ou seja, o direito que alguém tem de se livrar de seu jugo assim que Deus proporcionar àqueles que estão sob sua sujeição a coragem e a oportunidade para fazê-lo. Assim, Deus não levou em conta os direitos, fossem quais fossem, que os reis da Assíria podiam reivindicar sobre

Judá pela força da espada, e ajudou Ezequias a se libertar da dominação deste império conquistador. "E o Senhor estava com Ezequias, e ele prosperou; por isso ele progrediu, rebelou-se contra o rei da Assíria e se recusou a servi-lo" (2Rs 18,7). Fica evidente então que, se alguém abala um poder ao qual foi submetido pela força e não pelo direito, esta ação recebe o nome de rebelião, mas não constitui um pecado diante de Deus, que, ao contrário, a aprova e autoriza, sem dar qualquer importância aos acordos e aos pactos que intervém, uma vez que foram extorquidos pela força. Para qualquer um que tenha lido atentamente a história de Acaz e Ezequias, parece muito provável que os assírios tenham vencido Acaz e o deposto, tenham feito de Ezequias rei durante a vida de seu pai, e que Ezequias, em virtude de um acordo, durante todo esse tempo tenha-lhe prestado homenagem e pago tributo.

XVII

Da usurpação

197. Assim como a conquista pode ser chamada de usurpação do estrangeiro, a usurpação também é uma espécie de conquista doméstica, com a diferença de que jamais um usurpador pode ter o direito do seu lado, só havendo usurpação quando alguém toma posse daquilo que pertence por direito a outra pessoa. Isto, embora também constitua uma usurpação, é apenas uma troca de pessoas, mas não das formas e regras do governo; mas se o usurpador estende seu poder além daquele por direito pertencente aos príncipes ou governadores legítimos da comunidade civil, trata-se de tirania adicionada à usurpação.

198. Em todos os governos legítimos, a designação das pessoas que devem comandar é um elemento tão natural e necessário quanto a forma do governo em si, e dela o povo originalmente retirou seu estabelecimento. Por isso, todas as comunidades civis com a forma de governo estabelecida prevêm regras também para designar aqueles que terão qualquer participação na autoridade pública, assim como métodos estabelecidos para investi-los de suas funções. A anarquia é um tanto semelhante, seja ela desprovida de qualquer forma de governo ou regida por uma monarquia escolhida, mas sem que se tenha previsto o meio de se designar ou nomear a pessoa que exercerá o poder e será

o monarca. Quem quer que exerça qualquer parcela do poder por outros meios que não aqueles prescritos pelas leis da comunidade civil não tem o direito de exigir obediência, mesmo que a forma da comunidade civil seja ainda preservada, pois não se trata de uma pessoa que as leis tenham designado, e consequentemente não é a pessoa a quem o povo deu seu consentimento. Nem este usurpador nem qualquer de seus sucessores jamais poderão ter um título, até que o povo esteja ao mesmo tempo em liberdade de consentir e tenha realmente consentido em reconhecê-lo e permitir-lhe a autoridade que eles até então lhes usurparam.

XVIII

Da tirania

199. Assim como a usurpação consiste em exercer um poder a que um outro tem direito, a tirania consiste em exercer o poder além do direito legítimo, o que a ninguém poderia ser permitido. É isto que ocorre cada vez que alguém faz uso do poder que detém, não para o bem daqueles sobre os quais ele o exerce, mas para sua vantagem pessoal e particular; quando o governante, mesmo autorizado, governa segundo sua vontade, e não segundo as leis, e suas ordens e ações não são dirigidas à preservação das propriedades de seu povo, mas à satisfação de sua própria ambição, vingança, cobiça ou qualquer outra paixão irregular.

200. Se alguém duvidar da verdade desta proposição, ou de sua fundamentação, por ela vir da mão obscura de um súdito, espero que a autoridade de um rei saiba fazer com que seja aceita. O Rei James, em seu discurso no parlamento em 1603, nos declara: "Eu vou sempre preferir o bem do público e o de toda a comunidade civil, fazendo boas leis e boas constituições, a qualquer objetivo meu, privado e pessoal. Pensarei sempre na riqueza e no bem da comunidade civil como meu maior bem e minha grande felicidade no mundo; nisso o rei legítimo se situa em oposição ao tirano. Eu reconheço que a principal e específica diferença entre um rei legítimo e um tirano usurpador é

a seguinte: o tirano, orgulhoso e ambicioso, acredita que seu reinado e seu povo estão destinados apenas à satisfação de seus desejos e de suas aspirações exorbitantes; ao contrário, o rei legítimo e justo reconhece que sua própria existência deve ser destinada à busca da riqueza e da propriedade de seu povo". E novamente, em seu discurso ao parlamento em 1609, ele diz as seguintes palavras: "O rei obriga a si próprio um duplo juramento para observar as leis fundamentais de seu reino. Tacitamente, em virtude de sua qualidade de rei, comprometendo-se a proteger o bem do povo e as leis de seu reinado; e expressamente, pelo juramento que pronunciou quando foi coroado; assim, todo rei justo, em um reino estabelecido, compromete-se a observar o pacto feito com seu povo quando ele fez as leis, proporcionando ao seu governo uma organização que se harmonize com ele, seguindo o modelo do pacto que Deus fez com Noé após o dilúvio. Daí em diante, seja tempo de semeadura ou de colheita, frio ou quente, verão ou inverno, dia ou noite, ele não terminará enquanto a terra existir. Por isso, um rei que governa um reino estabelecido deixa de ser um rei e degenera em um tirano no momento em que ele põe de lado as leis estabelecidas e passa a governar de acordo com suas próprias leis". E um pouco depois, "Por isso todos os reis que não são tiranos, ou perjuros, ficarão felizes em se restringir aos limites de suas leis. E aqueles que os convencem do contrário são víboras, pestes, e estão tanto contra eles quanto contra toda a comunidade civil". Assim este monarca ilustrado, que compreendia bem as noções das coisas, estabelece que a diferença entre um rei e um tirano consiste apenas em que o primeiro faz das leis o limite de seu poder, e do bem público o objetivo de seu governo; o outro subordina tudo a sua vontade e ambição pessoais.

201. É um erro acreditar que este defeito é exclusivo apenas das monarquias; outras formas de governo também podem estar propensas a possuí-lo. Cada vez que um poder, colocado nas mãos de alguém que deve governar o povo e preservar suas propriedades, é aplicado para outros objetivos e é utilizado para empobrecer, perseguir ou subjugar o povo às ordens irregulares e arbitrárias daqueles que o detêm, imediatamente se transforma em uma tirania, seja este abuso cometido por um ou mais homens. Por exemplo, podemos ler a história dos trinta tiranos de Atenas ou aquela de um tirano único em Siracusa; e a intolerável dominação dos decênviros em Roma não foi nada melhor.

202. Onde termina a lei começa a tirania, desde que a lei seja transgredida em prejuízo de alguém. Toda pessoa investida de uma autoridade que excede o poder a ela conferido pela lei, e faz uso da força que tem sob seu comando para atingir o súdito com aquilo que a lei não permite, deixa de ser um magistrado; e, como age sem autoridade, qualquer um tem o direito de lhe resistir, como a qualquer homem que pela força invada o direito de outro. Isto é admitido nos magistrados subalternos. Aquele que tem autoridade para me dominar na rua pode encontrar uma resistência, como aquela que demonstro a um gatuno ou a um ladrão, se tentar invadir minha casa para executar um mandato judicial, não importa se eu sei que ele é portador deste mandato e que tem competência para proceder legalmente a minha prisão. E por que este princípio não se aplica ao magistrado de escalão mais elevado, assim como àquele que ocupa o escalão mais baixo? Eu gostaria de saber. É razoável que o irmão mais velho, que recebe a maior parte da herança do pai, deveria ter o direito de se apropriar das partes de seus irmãos mais moços? Ou aquele homem rico,

que possuía uma região inteira, por este fato teria o direito de se apoderar, quando quisesse, do casebre e do jardim de seu vizinho pobre? A posse legítima de um poder e de uma riqueza consideráveis, que ultrapassam excessivamente a maior parte daquilo que os filhos de Adão puderam recolher, está longe de ser uma desculpa, e muito menos uma razão, para a rapina e a opressão, pois devem ser assim qualificados todos os danos causados ao outro sem autoridade; ao contrário, é uma provocação. Exceder os limites da autoridade não é um direito maior em um agente superior que em um agente subalterno, não mais justificável em um rei do que em um policial; mas é muito pior se seu autor está encarregado de uma missão de confiança, e se a vantagem da educação que recebeu, de suas funções e dos conselheiros que o auxiliam, o favorece em relação a seus irmãos e permite supô-lo melhor informado dos critérios do bem e do mal.

203. Pode-se resistir às ordens de um príncipe? A resistência é legítima todas as vezes que um indivíduo se percebe lesado ou imagina que não lhe foi feito justiça? Isto vai perturbar e transtornar todos os regimes políticos e, em vez de governo e ordem, não se terá senão anarquia e confusão.

204. A isso eu respondo: Não se deve opor a força senão à força injusta e ilegal; quem quer que resista em qualquer outra circunstância atrai para si uma condenação justa, tanto de Deus quanto dos homens; e em consequência só virão perigos e tumultos, como frequentemente é sugerido. Porque

205. Primeiro: Como em alguns países a pessoa do príncipe pela lei é sagrada, seja o que for que ele ordene ou faça, sua pessoa ainda permanece livre de qualquer questionamento ou violência, e escapa

ao uso da força ou a qualquer censura ou condenação judicial. Mas pode-se fazer oposição aos atos ilegais de qualquer agente inferior ou outro indivíduo por ele nomeado, a menos que ele realmente se coloque em estado de guerra contra seu povo, dissolva o governo e deixe o povo entregue àquela defesa que pertence a todos no estado de natureza. Quem poderia prever como podem terminar situações desse tipo? Um reino vizinho mostrou ao mundo um exemplo estranho. Em todos os outros casos a inviolabilidade da pessoa a exime de todas as inconveniências, o que o situa ao abrigo de toda violência e de todo mal, enquanto o governo subsistir, e nesse sentido não poderia haver uma constituição mais sábia. O mal que ele pode fazer pessoalmente não se arrisca a se renovar com frequência e não estende muito seus efeitos, porque sua força individual não lhe dá os meios para subverter as leis, nem para oprimir o conjunto do povo, supondo-se um príncipe tão fraco e de uma natureza tão ruim para querer agir deste modo. O inconveniente de determinadas más ações que podem às vezes ocorrer quando um príncipe impetuoso sobe ao trono são bem recompensadas pela paz do público e tranquilidade do governo na pessoa do magistrado supremo, colocado fora do alcance do perigo; é mais seguro para o conjunto que um pequeno número de homens corra às vezes o risco de sofrer, do que expor desnecessariamente o chefe da república.

206. Segundo: Este privilégio pertence somente à pessoa exclusiva do rei e não impede questionar, se opor e resistir àqueles que usam a força injusta, embora eles pretendam dele um comissionamento que a lei não autoriza. Isto está evidente no caso daquele que tem um mandato do rei para prender um homem, um comissionamento pleno do rei, e no entanto ele não pode invadir a casa de um homem para

fazê-lo, nem executar a ordem do rei em determinados dias ou em determinados locais, embora este comissionamento não contenha exceções em si, mas são limitações da lei, que, se alguém transgredir, o comissionamento do rei não o justifica. Como a autoridade do rei lhe é outorgada pela lei, ele não pode conferir a ninguém o poder de agir contra a lei ou justificar seu ato por seu comissionamento. O comissionamento ou a ordem de qualquer magistrado onde ele não tem autoridade são tão nulos e insignificantes quanto aqueles de um homem qualquer. A diferença entre um e outro é que o magistrado tem alguma autoridade dentro de limites e fins determinados, enquanto o homem comum não tem nenhuma. Não é o comissionamento, mas a autoridade que dá o direito de agir, e contra as leis não pode haver autoridade; mas apesar de tal resistência, a pessoa e a autoridade do rei ainda estão ambas asseguradas, e assim não há riscos nem para o governante nem para o governo.

207. Terceiro: Supondo-se um governo em que a pessoa do magistrado supremo não é sagrada, esta doutrina que autoriza a resistência cada vez que ele exerce ilegalmente seu poder tem por efeito criar situações inúteis que o exporiam a riscos ou colocariam o governo em má situação. Quando a parte prejudicada pode ser aliviada e seus danos reparados pelo apelo à lei, não pode haver pretexto para a força, que só deve ser utilizada quando um homem é interceptado em seu apelo à lei. Nada justifica a força hostil, exceto quando é negado a alguém o recurso legal. Apenas esta força coloca quem a usa em estado de guerra e torna legal a resistência a ele. Um homem com uma espada em suas mãos exige minha carteira na estrada, quando talvez eu não possua nem doze cêntimos em meu bolso; legalmente, eu posso matar este homem.

A outro eu entreguei cem libras para guardar apenas enquanto eu desmonto, e ele se recusa a me devolver o dinheiro quando eu torno a montar, e tira a sua espada para defender a posse pela força: tento retomá-lo. Este homem me causa um prejuízo cem vezes, talvez mil vezes maior que o outro talvez tencionasse me fazer (a quem eu matei antes que realmente me tivesse feito alguma coisa); entretanto, eu podia legalmente matar o primeiro, enquanto legalmente eu não podia nem sequer ferir o segundo. A razão é clara. O primeiro utilizou a força e minha vida ficou ameaçada; eu podia não ter tempo de utilizar as vias legais para protegê-la; e se viesse a perdê-la, seria muito tarde para qualquer recurso. A lei não poderia ressuscitar minha carcaça sem vida. A perda seria irreparável, e para evitá-la a lei da natureza me dá o direito de destruir o indivíduo que se colocou em estado de guerra contra mim e ameaçou minha destruição. Mas no outro caso, minha vida não estando em perigo, eu posso ter o benefício de apelar para a lei e ter dessa forma a reparação para minhas cem libras.

208. Quarto: Se os atos ilegais cometidos pelo magistrado foram confirmados (pelo poder que ele detém), e se o mesmo poder obstrui a reparação que a lei obriga, o direito de resistir não perturbará o governo de maneira intempestiva, nem sem razão grave, mesmo diante de atos de tirania assim manifestos. Se a questão não interessa senão a alguns particulares, ainda que eles tenham o direito de se defender e de recuperar pela força aquilo que lhes foi tomado ilegalmente pela força, o direito de agir dessa forma não corre o risco de facilmente engajá-los em um conflito em que certamente eles perecerão; sendo impossível para um ou poucos homens oprimidos perturbarem o governo se o conjunto do povo não se encontra

interessado, assim como um louco furioso ou um descontente exaltado derrubarem um Estado firmemente estabelecido, pois o povo também está pouco inclinado a seguir um ou outro.

209. Mas se estes atos ilegais estendem seus efeitos à maioria do povo; ou se a má ação e a opressão só atingem uma minoria, mas em condições tais que todo mundo parece ameaçado pelo precedente assim criado e por suas consequências, e se todos estão convencidos em suas consciências, que suas leis estão em perigo, e com elas seus bens, liberdades e vidas, e talvez até sua religião, eu não sei como eles poderiam ser impedidos de resistir à força ilegal usada contra eles. Admito que esta é uma inconveniência que espera todos o governos, sejam quais forem, quando os governantes deixam as coisas chegarem a um ponto em que a grande massa de seu povo os trata como suspeitos; é a situação mais perigosa em que eles podem se colocar, e eles são os que merecem menos piedade, pois isso é muito fácil de ser evitado. É impossível para um governante, se ele realmente pretende o bem do seu povo e ao mesmo tempo sua preservação e a de suas leis, não conseguir que eles enxerguem e sintam isso, como para um pai de família não deixar seus filhos perceberem que ele os ama e cuida deles.

210. Mas se todo mundo constata que se pretende agir de uma maneira e se age na verdade de outra; se são usados artifícios para escapar da lei e se utiliza a confiança da prerrogativa (que é um poder arbitrário em algumas coisas deixadas nas mãos do príncipe para fazer o bem, e não o mal ao povo) empregada contrariamente aos objetivos para os quais foi confiada; se o povo perceber que os ministros e os magistrados subalternos foram escolhidos em função de tais fins e que são retribuídos pelo favorecimento

ou pela desgraça, segundo seu apoio ou sua oposição; se vê aplicada, repetidamente, a experiência do poder arbitrário e se percebe que se favorece a religião clandestina (embora a condenando em público) que está prestes a se estabelecer, com seus membros recebendo todo o apoio possível; e quando a coisa não pode ser feita, ainda assim é aprovada, como sendo a melhor; se, enfim, toda uma sequência de ações mostra todos os concílios tendendo para aquela direção, como um homem poderia se impedir mais tempo de interpretar o rumo dos acontecimentos e procurar um meio de se salvar, além de acreditar que o capitão do navio em que ele estava, levava a ele e o resto dos passageiros para a Argélia, quando o encontrava sempre seguindo este curso, embora ventos contrários, fendas em seu casco e falta de homens e provisões frequentemente o forçassem a mudar seu curso para outra direção durante algum tempo, à qual ele prontamente retomava logo que o vento, o tempo e outras circunstâncias o permitiam?

XIX

Da dissolução do governo

211. Quando se deseja falar da dissolução do governo com alguma clareza, é preciso começar por distinguir entre a dissolução da sociedade e a dissolução do governo. Aquilo que constitui a comunidade e tira os homens do estado livre da natureza e os coloca em uma sociedade política é o acordo que cada um estabelece com o restante para se associar e agir como um único corpo, e assim se tornar uma comunidade civil distinta. A maneira usual e praticamente a única pela qual esta união é dissolvida é a invasão de uma força estrangeira realizando uma conquista. Neste caso (não sendo possível subsistir nem sobreviver como um único organismo intacto e independente) necessariamente cessa a união que caracterizava este organismo e que o constituía, e assim cada um retorna a sua condição anterior, ao estado em que estava antes, com uma liberdade de se arranjar sozinho e prover sua própria segurança como julgar adequado em alguma outra sociedade. Quando a sociedade é dissolvida, é certo que o governo dessa sociedade deve desaparecer. Assim, as espadas dos conquistadores frequentemente cortam os governos pela base e pulverizam a sociedade, pois põem fim às relações mútuas de obediência e proteção, que uniam as massas que ela subjugou ou dispersou, e à ordem social que deve-

ria conservá-las ao abrigo da violência. O mundo está bastante bem-informado sobre este modo de dissolução dos governos, e bastante disposto a se acomodar, para que seja necessário insistir mais; e é fácil provar que o governo não pode subsistir quando a sociedade é dissolvida - é tão impossível a estrutura de uma casa sobreviver quando seu revestimento é espalhado e deslocado por um furacão ou quando misturado em uma pilha confusa por um terremoto.

212. Além desta derrocada de fora, os governos são dissolvidos a partir de dentro.

Primeiro: Quando o legislativo é alterado. Sendo a sociedade civil definida como um estado de paz, onde os associados excluíram o estado de guerra, confiando o papel de árbitro ao poder legislativo, para que este ponha fim a todas as diferenças que podem surgir entre eles, é no legislativo que os membros de uma comunidade civil estão unidos e combinados em conjunto para formar um único organismo vivo e homogêneo. Esta é a alma que dá à comunidade civil sua forma, sua vida e sua unidade. Daí procedem a influência, a simpatia e a conexão mútua entre seus vários membros. Por isso, quando o legislativo é rompido ou dissolvido, seguem-se a dissolução e a morte. Como a essência e a união da sociedade consistem em se ter uma vontade, o legislativo, uma vez estabelecido, é encarregado de declarar esta vontade e, por assim dizer, guardá-la. A constituição do legislativo é o ato primeiro e fundamental da sociedade; em virtude desse ato, os associados preveem a manutenção de sua união, remetendo-se ao consentimento do povo e a sua escolha para designar as pessoas que os governarão e para habilitar as pessoas que farão as leis que regerão seus atos, de maneira que nenhum indivíduo, nenhum grupo entre eles tenha o poder de legislar por outros procedimentos. Quando um ou mais indivíduos assumem a tarefa de legislar, sem que o povo os tenha autorizado a fazê-lo, eles fazem leis sem autoridade, e por isso o povo não é obrigado a obedecê-las. Em consequência disso, o povo se vê novamente desobrigado de qualquer sujeição e pode constituir para si um novo legislativo, como achar melhor, estando em ampla liberdade para resistir à força daqueles que, sem autoridade, iriam lhes impor qualquer coisa. Cada um recupera a disposição de toda a sua vontade quando aqueles que uma delegação da sociedade encarregou de declarar a vontade do público não pode mais fazê-la e outros usurpam o lugar sem qualquer autoridade ou delegação.

213. Isto em geral é provocado por pessoas da comunidade civil que fazem mau uso do poder que detêm, e é difícil considerar o fato com justiça e determinar o responsável sem saber a forma de governo em que isso se produziu. Vamos supor, então, que o legislativo tenha sido confiado à decisão de três pessoas distintas.

1. Um personagem hereditário único, detentor do poder executivo permanente e supremo, e também com o poder de convocar e dissolver os outros dois em momentos determinados.

2. Uma assembleia da nobreza hereditária.

3. Uma assembleia de representantes escolhidos *pro tempore* pelo povo. Supondo-se tal forma de governo, é evidente,

214. Primeiro: Que quando tal personagem única ou tal príncipe estabelece sua própria vontade arbitrária em lugar das leis que são a vontade da sociedade, declaradas pelo legislativo, então o legislativo é alterado.

Como o poder legislativo é aquele que executa os regulamentos e as leis e ao qual se deve obediência, quando outras leis são estabelecidas e outras regras invocadas e impostas, sem ter sido adotados pela legislatura que a sociedade instaurou, é evidente que o poder legislativo se encontra modificado. Quem quer que introduza novas leis ou subverta as leis antigas sem ter sido para isso autorizado pela designação fundamental da sociedade, renega e derruba o poder pelo qual foi constituído e estabelece assim um novo legislativo.

215. Segundo: Quando o príncipe proíbe o legislativo de se reunir em seu devido tempo, ou de agir livremente em busca daqueles objetivos para os quais foi constituído, o legislativo é alterado. Não é um certo número de homens nem o fato de eles se reunirem que constituem o poder legislativo, se falta a esses homens a liberdade de debater entre eles e a calma para aperfeiçoar o que visa o bem da sociedade. Quando se suprimem ou se alteram estes atributos para privar a sociedade do devido exercício de seu poder, o legislativo é realmente alterado. Pois não são as denominações que constituem os governos, mas o uso e o exercício daqueles poderes que foram designados para acompanhá-los; assim, quem tira a liberdade ou impede a ação do legislativo nas temporadas fixadas para suas reuniões, na verdade derruba o legislativo e põe fim ao governo.

216. Terceiro: Quando o príncipe se serve de seu poder arbitrário para mudar a designação dos eleitores ou o modo de eleição, sem o consentimento do povo e contra ao seu interesse comum, então também o legislativo é alterado. Se vem a ser designado por outros indivíduos que não aqueles que a sociedade habilitou para este efeito, ou por outros procedimentos que não aqueles prescritos por ela, os escolhidos não são o poder legislativo designado pelo povo.

217. Quarto: Quando o príncipe ou o poder legislativo libertam o povo da dominação

de um poder estrangeiro, isto certamente constitui uma mudança do poder legislativo e, por conseguinte, uma dissolução do governo. Como as pessoas se associaram a fim de assegurar sua proteção na integridade, liberdade e independência de uma única sociedade, regida por suas próprias leis, isto se torna impossível quando é deixado em poder de qualquer outro.

218. Compreende-se facilmente por que razão, sob uma constituição deste gênero, deve-se imputar ao príncipe a dissolução do governo; porque ele, tendo a força, o tesouro e os encargos do Estado à sua disposição, frequentemente se convence ou se deixa convencer por bajuladores que sua qualidade de magistrado supremo o coloca ao abrigo de qualquer controle; somente ele está em condições de preparar eficazmente tais mudanças, sob a cobertura do exercício de uma autoridade legítima, tendo em suas mãos os meios para aterrorizar ou suprimir os opositores, alegando serem facciosos, sediciosos e inimigos do governo. Nenhum outro setor do legislativo ou do povo está apto a tentar qualquer alteração do legislativo sem uma rebelião manifesta e visível, e é suficientemente capaz de perceber que, quando ela prevalece, produz efeitos muito pouco diferentes da conquista estrangeira. Em tal forma de governo, além do príncipe possuir o poder de dissolver as outras partes do legislativo e reverter seus membros à vida privada, estes nunca podem, em oposição a ele ou sem seu acordo, modificar o poder legislativo por uma lei, sendo necessário seu consentimento para sancionar qualquer decreto deles. Mas ainda que as outras partes do legislativo não contribuam de qualquer modo para qualquer atentado contra o governo, favorecendo estes desígnios ou se abstendo de a eles se opor, são culpadas e se tornam cúmplices deste crime, certamente o maior que os homens podem cometer entre si.

219. Existe ainda mais um modo pelo qual um governo desse tipo pode ser dissolvido, ou seja, quando aquele que tem o poder executivo supremo negligencia e abandona o seu cargo, impedindo assim a execução das leis já existentes. Isto equivale, é claro, a reduzir tudo à anarquia, e assim, efetivamente, dissolver o governo. Pois as leis não são feitas para si mesmas, mas para serem executadas dentro dos limites da sociedade, para manter cada parte do organismo político em seu lugar e função determinados, e se isso vem a desaparecer, o governo evidentemente também desaparece, e o povo se torna uma multidão confusa sem ordem ou coesão. Quando não há mais a administração da justiça para assegurar os direitos dos homens, nem qualquer poder remanescente no interior da comunidade para dirigir a força ou prover as necessidades do público, certamente não há mais governo. Quando as leis não podem ser executadas, tudo se passa como se não houvesse leis; e um governo sem leis é, imagino eu, um mistério político inconcebível para as faculdades do homem e incompatível com toda sociedade humana.

220. Nestes casos citados e em casos semelhantes, quando o governo é dissolvido, o povo está em liberdade para proteger seus interesses instaurando um novo legislativo, diferente do outro, pela mudança das pessoas ou da forma, ou de ambas, como considerar mais vantajoso e mais de acordo com as exigências da segurança pública. A sociedade jamais pode perder, por culpa de quem quer que seja, o direito inato e original que possui de se preservar, que só pode ser cumprido por um legislativo estabelecido e uma execução equitativa e imparcial das leis feitas por ele. Mas a condição da humanidade não é tão miserável que lhe seja impossível servir-se deste remédio antes que seja tarde demais para procurar outro. Informar a

um povo que ele pode proteger seus interesses instaurando um novo legislativo, quando perdeu o antigo devido à opressão ou em seguida a maquinações, ou ainda por ter se libertado de um poder estrangeiro, é apenas dizer-lhe que pode esperar alívio quando já é muito tarde e o mal se tornou incurável. Isto, na verdade, não é mais do que convidá-lo, primeiro para ser escravo, e depois para cuidar de sua liberdade; e dizer-lhes que podem agir como homens livres, depois de estarem acorrentados. Isto seria antes o meio de se zombar dele do que de aliviá-lo; e os homens jamais estarão ao abrigo da tirania se não tiverem os meios de escapar antes que ela os tenha dominado completamente. Por isso não somente têm o direito de sair dela, mas de impedi-la.

221. Existe, então, em segundo lugar, outra maneira pela qual os governos são dissolvidos, ou seja, quando o legislativo ou o príncipe, um dos dois, age em desacordo com a confiança nele depositada.

Primeiro: O legislativo age contra a confiança nele depositada quando tenta invadir a propriedade do súdito e transformar a si, ou qualquer parte da comunidade em senhores que dispõem arbitrariamente da vida, liberdade ou bens do povo.

222. A razão por que os homens entram em sociedade é a preservação de sua propriedade; e o fim a que se propõem quando escolhem e autorizam um legislativo é que haja leis e regulamentos estabelecidos, que sirvam de proteção e defesa para as propriedades de todos os membros da sociedade, para limitar o poder e moderar a dominação de cada parte e de cada membro da sociedade. Por isso, nunca se poderia imaginar que a sociedade quisesse habilitar o legislativo a destruir o próprio objeto que cada um se propunha a pro-

teger quando a ela se juntou e que o povo teve em vista quando cuidou de escolher seus legisladores; cada vez que os legisladores tentam tomar ou destruir a propriedade do povo, ou reduzi-lo à escravidão sob um poder arbitrário, estão se colocando em um estado de guerra contra o povo, que fica, portanto, dispensado de qualquer obediência e é então deixado ao refúgio comum que Deus deu a todos os homens contra a força e a violência. Sempre que o legislativo transgredir esta regra fundamental da sociedade, e, seja por ambição, por medo, por tolice ou por corrupção, tentar dominar a si mesmo ou pôr as mãos em qualquer outro poder absoluto sobre as vidas, as liberdades e os bens do povo, por este abuso de confiança ele confisca o poder que o povo depositou em suas mãos, para fins absolutamente contrários, e o devolve ao povo, que tem o direito de retomar sua liberdade original, e pelo estabelecimento de um novo legislativo (o que ele considerar adequado) promover sua própria segurança e tranquilidade, que é o objetivo pelo qual estão em sociedade. O que eu disse aqui com respeito ao legislativo em geral, se aplica também ao executor supremo que, tendo uma dupla confiança nele depositada, tanto uma participação no legislativo quanto a suprema execução da lei, age contra ambas quando começa a estabelecer sua própria vontade arbitrária como a lei da sociedade. Ele age também contrário a sua confiança quando emprega a força, os recursos do Tesouro e os cargos públicos da sociedade para corromper os representantes e obter sua conivência com seus propósitos; ou se abertamente ele alicia os eleitores e lhes prescreve escolher indivíduos que por solicitações, ameaças promessas ou quaisquer outros meios já concordaram com suas intenções, e emprega esses eleitores para enviar às assembleias homens que se sentissem obrigados, no futuro, a votar de uma certa maneira e fazer adotar leis determinadas. Assim sendo, o que é este controle sobre candidatos e eleitores, este novo modelo de procedimento eleitoral, senão cortar o governo pela base e envenenar a verdadeira fonte da segurança pública? O povo que reservou a si mesmo a escolha de seus representantes como a defesa de suas propriedades não poderia proceder a isso por nenhuma outra razão senão aquela de eles poderem sempre ser livremente escolhidos, e, assim sendo, poderem agir e aconselhar com a mesma liberdade, baseando-se nas necessidades da comunidade civil e no bem público, como a reflexão e uma discussão racional lhes julgasse requerer. Isso, aqueles que votam sem ter ouvido os debates e considerado a razão de todos os lados, não são capazes de fazer. Preparar uma assembleia deste gênero e tentar fazer passar os cúmplices declarados de sua própria vontade pelos verdadeiros representantes do povo e legisladores da sociedade, é certamente um abuso de confiança da maior gravidade e a mais perfeita declaração de uma intenção de subverter o governo. Se acrescentarmos a isso as recompensas e punições visivelmente empregadas para o mesmo fim, e todos os artifícios de uma lei pervertida utilizados para tomar e destruir todos que se interpõem no caminho de tal intenção e não concordam em trair as liberdades de seu país, não haverá mais dúvida sobre o que está ocorrendo. Quanto ao poder que merecem os membros da sociedade que o empregam contrariamente à confiança que acompanha sua missão em sua primeira instituição, é fácil determinar; evidentemente é impossível confiar, no futuro, em alguém que tenha se comprometido uma vez que seja em uma tentativa deste gênero.

223. A isso talvez se possa objetar que o

povo é ignorante e está sempre descontente, e

portanto, estabelecer as bases do governo na opinião insegura e no humor incerto do povo é expô-lo à ruína certa; e nenhum governo será capaz de subsistir muito tempo se o povo puder instaurar um novo legislativo sempre que desconfiar do antigo. A isto eu responderei: É exatamente o contrário. O povo não está tão facilmente pronto a se afastar de suas formas antigas como alguns pretendem sugerir. Dificilmente se consegue convencê-lo a corrigir os defeitos reconhecidos da estrutura a que está acostumado. Se há quaisquer defeitos originais ou outros introduzidos pelo tempo ou pela corrupção, não é uma tarefa fácil conseguir que sejam mudados, mesmo quando todo mundo vê que há uma oportunidade para isso. Esta lentidão e aversão que o povo tem de abandonar suas antigas constituições, nas muitas revoluções que foram vistas neste reino nesta época e em épocas anteriores, perpetuaram nossa fidelidade diante de nosso antigo poder legislativo composto do rei, de lordes e de homens do povo, ou nos faz todas as vezes voltar a ele, quando várias tentativas estéreis o derrubaram. Sejam quais tenham sido as provocações que impeliram o povo a retirar a coroa das cabeças de alguns de nossos príncipes, jamais o levaram tão longe a ponto de colocá-la em uma outra linhagem.

224. Mas pode-se argumentar que esta hipótese se arrisca a incitar a frequente rebelião. A isto eu respondo:

Primeiro: Não mais que qualquer outra hipótese. Pois quando se lança o povo na miséria e ele se vê exposto ao mau uso do poder arbitrário, proclame quanto quiser que seus governantes são filhos de Júpiter, considere-os sagrados e divinos, descidos ou autorizados pelo céu, faça com que pareçam com aquilo que você quiser, a mesma coisa irá acontecer. O povo maltratado, governado de maneira ilegal, estará pronto na primeira ocasião para se libertar de uma carga que lhe pesa demais sobre os ombros. Ele deseja e busca a oportunidade que, nas flutuações, fraquezas e acidentes das questões humanas, raramente tarda a se apresentar. A menos que tenha vivido muito pouco tempo no mundo, todo homem foi, em sua época, testemunha de exemplos deste gênero; e deve ter lido muito pouco aquele que não é capaz de encontrar exemplos em todo tipo de governos do mundo.

225. Segundo: Eu respondo que tais revoluções não ocorrem devido a cada pequena falta cometida na administração dos negócios públicos. Erros graves por parte do governo, muitas leis injustas e inoportunas, e todos os deslizes da fraqueza humana são suportados pelo povo sem revolta ou queixa. Mas se uma longa sucessão de abusos, prevaricações e fraudes, todas tendendo na mesma direção, torna a intenção visível ao povo – e ele não pode deixar de perceber o que o oprime nem de ver o que o espera – não é de se espantar, então, que ele se rebele e tente colocar as rédeas nas mãos de quem possa lhe garantir o fim em si do governo; sem isso, as denominações antigas e as formas enganadoras, longe de representar um progresso em relação ao estado de natureza e à anarquia pura e simples, são bem piores; pois o mal permanece tão grave e tão próximo, mas o remédio mais distante e mais difícil.

226. Terceiro: Eu respondo que este poder que o povo detém de restaurar sua segurança instaurando um novo legislativo, quando seus legisladores agem contra a sua missão, invadindo sua propriedade, é a melhor defesa contra a rebelião e o meio mais eficaz para impedi-la. Se a rebelião é uma oposição, não às pessoas, mas à autoridade que se fundamenta unicamente nas constituições e leis do governo,

aqueles que invadem pela força e justificam pela força sua violação são, verdadeira e propriamente, rebeldes. Quando os homens se uniram em sociedade sob um governo civil, excluíram o uso da força e introduziram leis para a preservação da propriedade, da paz e da unidade entre eles; e aqueles que, contrariamente às leis, fazem reviver o uso da força, agem realmente de maneira a *rebellare* – ou seja, restabelecer o estado de guerra – e são propriamente rebeldes; aqueles que estão no poder (sob o pretexto de que têm autoridade, a tentação da força de que dispõem e a bajulação dos outros sobre eles) são os mais prováveis de agir desse modo, e a melhor maneira de prevenir o mal é mostrar o perigo e a injustiça àqueles que estão mais expostos a se deixar tentar.

227. Nos dois casos já mencionados, quando o legislativo é modificado ou quando os legisladores agem contra a finalidade para a qual foram instituídos, os responsáveis são culpados de rebelião. Quem quer que suprima, pela força, o legislativo estabelecido de uma sociedade, e as leis por ele feitas conforme a confiança nele depositada, suprime também a arbitragem em que todos consentiram visando uma decisão pacífica de todas as suas controvérsias e um obstáculo ao estado de guerra entre eles. Aquele que remove ou altera o legislativo, suprime este poder decisivo que ninguém pode possuir, exceto pela designação e o consentimento do povo, e assim destrói a autoridade que o povo estabeleceu, e que só ele pode estabelecer; e introduzindo um poder que o povo não autorizou, na verdade introduz um estado de guerra que é aquele da força sem autoridade. Assim, removendo o legislativo estabelecido pela sociedade (em cujas decisões o povo aquiesceu unanimemente como se ele mesmo a houvesse tomado), eles desatam o nó e expõem o povo

novamente ao estado de guerra. Se aqueles que suprimem o legislativo pela força são rebeldes, os próprios legisladores, como foi mostrado, não merecem menos este nome quando, em lugar de proteger e preservar o povo, suas liberdades e propriedades, o que lhe foi confiado fazer, eles pela força invadem e tentam suprimi-las; como se colocam em um estado de guerra contra aqueles que fizeram deles protetores e guardiães de sua paz, são, no sentido próprio e com a mais terrível das circunstâncias agravantes, *rebellantes,* rebeldes.

228. Mas se aqueles que dizem que nosso argumento lança uma base para a rebelião entendem que assim se está arriscado a provocar uma guerra civil e disputas internas, ao se dizer ao povo que ele está dispensado da obediência quando tentativas ilegais são feitas contra suas liberdades ou propriedades, e pode se opor à violência ilegal daqueles que eram seus magistrados quando invadiram suas propriedades contrariamente à confiança neles depositada, e que por isso esta doutrina não deve ser permitida, sendo também perigosa à paz do mundo: eles podem do mesmo modo sustentar que os homens honestos não podem se opor aos ladrões ou aos piratas porque isso pode ocasionar desordem ou derramamento de sangue. Se qualquer malfeito ocorre nesses casos, não se deve responsabilizar aquele que defende seu próprio direito, mas aquele que invade o de seu vizinho. Se o homem honesto deve abandonar tudo o que possui pela paz, em prol daquele que porá suas mãos violentas sobre a sua propriedade, eu quero que seja considerado que tipo de paz haverá no mundo, que consiste apenas na violência e na rapina, e que deve ser mantida apenas em benefício dos ladrões e dos opressores. Quem não admiraria o tratado de paz que os poderosos concluem com os humildes quando o carneiro, sem resistência,

ofereceu sua garganta ao lobo imperioso para que este a dilacerasse? O antro de Polifemo nos fornece um perfeito padrão de tal governo, em que Ulisses e seus companheiros não têm nada mais a fazer senão se deixar devorarem sem reclamar. E sem dúvida, Ulisses, que era um homem prudente, recomendou a seus companheiros obediência passiva e os exortou a se submeter em silêncio, expondo-lhes a importância da paz para a humanidade e mostrando-lhes as inconveniências a que se arriscariam se oferecessem resistência a Polifemo, que agora detinha o poder sobre eles.

229. O objetivo do governo é o bem da humanidade, e o que é melhor para a humanidade, que o povo deva estar sempre exposto à vontade desenfreada da tirania, ou que os governantes às vezes enfrentem a oposição quando exorbitam de seus direitos no uso do poder e o empregam para a destruição e não para a preservação das propriedades de seu povo?

230. Que ninguém diga que, partindo deste princípio, haverá malfeitos a cada vez que um indivíduo impetuoso ou de espírito turbulento desejar a mudança do governo. É verdade que tal homem pode se agitar sempre que quiser, mas com isso só conseguirá se arruinar e se perder, como bem o merece. Enquanto o mal não se torna geral e as intenções nefastas dos dirigentes não se tornem visíveis, assim como suas tentativas perceptíveis para a maioria, o povo, que prefere sofrer a resistir para fazer valer seus direitos, não se arrisca a se rebelar. Alguns exemplos de injustiça ou opressão particulares, aqui ou ali, não bastam para inquietá-lo. Mas se universalmente, se convencer, baseado na evidência manifesta, que as intenções o está colocando contra as suas liberdades, e o curso e a tendência geral das coisas não pode deixar de lhe despeitar suspeitas da má intenção de

seus governantes, a quem deve se queixar? Quem pode ajudá-lo se aquele que podia evitá-lo se colocou sob suspeita? E o povo poderá ser censurado por ter o entendimento que todas as criaturas racionais possuem e não conceber os fatos senão como os constata e os percebe? Os verdadeiros responsáveis não são antes aqueles que criaram uma tal situação que não permite que eles enxerguem de outra forma? Eu admito que o orgulho, a ambição e a violência de determinados homens às vezes causaram grandes desordens nas comunidades civis, e as facções têm sido fatais a alguns estados e reinos. Mas se a causa mais frequente desses males começou na irreflexão dos homens e em um desejo de rejeitar a autoridade legal de seus governantes, ou na insolência e nas tentativas dos governadores para adquirir e exercer um poder arbitrário sobre seu povo; se foi a opressão ou a desobediência que deu o primeiro passo para a desordem, deixo a cargo da história imparcial determinar. Estou certo de uma coisa: seja quem for, governante ou súdito, que tente pela força invadir os direitos do príncipe ou do povo e determinar a base para a derrubada da constituição e da estrutura de qualquer governo justo, ele é altamente culpado do maior crime de que um homem é capaz, e deve responder por todos os males do sangue derramado, da rapina e da desolação que o destroçamento de um governo traz para um país. Aquele que age assim merece que a humanidade o considere como um inimigo comum e como uma peste, e como tal deve ser tratado.

231. Todos concordam que é permitido resistir pela força aos súditos ou aos estrangeiros que utilizam da força para se apossar dos bens de quem quer que seja. Mas tem-se negado, nos últimos tempos, que se possa resistir aos magistrados que agem da mesma forma. Como se aqueles que têm os maiores

privilégios e vantagens propiciados pela lei tivessem assim o poder de infringir essas leis, sem as quais eles não seriam em nada superiores aos seus semelhantes. Sua ofensa é muito maior, tanto porque não sabem agradecer a parte mais vantajosa que a lei lhes dá, quanto porque falharam na missão que o povo lhes outorgou.

232. Qualquer pessoa que usar a força ilegalmente, como todos fazem em uma sociedade em que não existe lei, coloca-se em estado de guerra contra aqueles contra quem ele a usa, e nesse estado todos os vínculos anteriores são cancelados, todos os outros direitos cessam e cada um tem o direito de se defender e resistir ao agressor. Isto é tão evidente que o próprio Barclay[96], o grande defensor do poder e da santidade dos reis, é forçado a admitir que, em alguns casos, é legal o povo resistir a seu rei; também em um capítulo em que ele pretende mostrar que a lei divina proíbe ao povo todas as formas de rebelião. Fica então evidente, mesmo por sua própria doutrina, que, desde que em alguns casos a resistência é permitida, nem toda resistência aos príncipes é uma rebelião. São estas as suas palavras:

> Quod siquis dicat, Ergone populus tyrannicae crudelitati et furori jugulum sempre praebebit? Ergone multitudo civitates suas fame, ferro, et flamma vastari, seque, conjuges, et liberos fortunae ludibrio et tyranni libidini exponi, inque omnia vitae pericula omnesque miserias et molestias à rege deduci patientur? Num illis quod omni animantium generi est a natura tributum, denegari debet, ut scilicet vim vi repellant, seseque ab injuria tueantur? Huic breviter responsum sit, populo universo negari defensionem, quae juris naturalis est, neque ultionem quae praeter naturam est adversus regem concedi debere. Quapropter si rex non in singulares tantum personas aliquot

privatum odium exerceat, sed corpus etiam reipublicae, cujus ipse caput est, i.e. totum populum, vel insignem aliquam ejus partem immani et intoleranda saevitia seu tyrannide divexet; populo, quidem hoc casu resistendi ac tuendi se ab injuria potestas competit, sed tuendi se tantum, non enim in principem invadendi: et restituendae injuriae illatae, non recedendi a debita reverentia propter acceptam injuriam. Praesentem denique impetum propulsandi non vim praeteritam ulciscendi jus habet. Horum enim alterum a natura est, ut vitam scilicet corpusque tueamur. Alterum vero contra naturam, ut inferior de superiori, supplicium sumat. Quod itaque populus malum, antequam factum sit, impedire potest, ne fiat, id postquam factum est, in regem authorem sceleris vindicare non potest, populus igitur hoc amplius quam privatus quispiam habet: Quod huic, vel ipsis adversariis judicibus, excepto Buchanano, nullum nisi patientia remedium superest. Cum ille si intolerabilis tyrannis est (modicum enim ferre omnino debet) resistere cum reverentia possit (BARCLAY. *Contra Monarchomachos*, lib. iii, c. 8).

Isto significa:

233. "Mas se alguém perguntar: Então, as pessoas devem sempre se expor à crueldade e à ira da tirania? Devem ver suas cidades pilhadas e reduzidas a cinzas, suas esposas e filhos expostos à luxúria e à fúria dos tiranos, e eles mesmos e suas famílias reduzidos por seu rei à ruína, e todas as misérias da privação e da opressão, e ficar impassíveis? Devem apenas os homens ser privados do privilégio comum de opor força com força, que a natureza permite tão livremente a todas as outras criaturas para se protegerem? Eu respondo: A autodefesa é uma parte da lei da natureza; não

pode ser negada à comunidade, nem mesmo contra o próprio rei. Mas não se deve deixar que ela se vingue sobre ele, pois isso não está de acordo com a lei da natureza. Por isso, se o rei demonstrar um sentimento de ódio, não apenas a determinadas pessoas, mas se colocar contra todo o conjunto da comunidade civil, de que ele é o chefe, e, com um mau uso intolerável do poder, cruelmente tiranizar todo o povo ou uma considerável parte dele, neste caso o povo tem o direito de resistir e se defender da injúria. Mas isso deve ser feito com cautela, pois ele só tem o direito de se defender, não de atacar seu príncipe. O povo pode reparar os danos causados, mas não deve, por nenhuma provocação, exceder os limites da reverência e do respeito devidos. Pode rejeitar a presente tentativa, mas não deve vingar violências passadas. Para nós, é natural defender a vida e uma parte do corpo; mas um inferior punir um superior é contra a natureza. O malfeito dirigido ao povo deve ser evitado por ele antes que seja cometido, mas se for cometido, ele não deve se vingar sobre a pessoa do rei, ainda que ele seja o autor da vilania. Eis, então, o privilégio do povo em geral, acima do ódio de qualquer pessoa individualmente: segundo nossos próprios adversários (exceto apenas Buchanan), aquelas pessoas individualmente não têm outro recurso senão a paciência; mas o conjunto do povo pode, com respeito, resistir à tirania intolerável; mas quando ela for apenas moderada, devem suportá-la".

234. Eis dentro de que limites esse grande defensor do poder monárquico autoriza a resistência.

235. É verdade que ele acrescentou duas limitações a isso, sem qualquer propósito:

Primeira: Segundo ele, deve ser exercida com respeito.

Segunda: Não deve ser acompanhada de sanções ou de punições; e a razão que ele apresenta é que um inferior não pode punir um superior.

Primeiro: Como resistir à força sem revidar os golpes, ou como combater com reverência? Seria preciso uma certa habilidade para tornar isso inteligível. Aquele que se opõe a um assalto somente com um escudo para receber os golpes, ou em uma postura mais respeitosa, sem uma espada em sua mão para deter a confiança e a força do assaltante, rapidamente estará no fim de sua resistência e descobrirá que uma defesa desse tipo só serve para atrair sobre si o pior uso. Esta é uma maneira ridícula de resistir, como mostrou Juvenal, que estava nessa situação na luta; *ubi tu pulsas, ego vapulo tantum* (você bate e eu só apanho). E o resultado do combate será inevitavelmente o mesmo que ele descreve aqui:

Libertas pauperis haec est:
Pulsatus rogat, et pugnis concisus adorat,
Ut liceat paucis cum dentibus inde reverti[97].

Assim terminará sempre a resistência imaginária dos homens que não têm o direito de revidar os golpes. Por isso, aquele que pode resistir deve ter o direito de lutar. Então nosso autor ou qualquer outra pessoa, concilie um golpe na cabeça ou uma cutilada na face com toda a reverência e o respeito que quiserem. Aquele que é capaz de conciliar os golpes e a reverência pelo que eu saiba merece, por suas penas, uma paulada civil e respeitosa no primeiro momento propício.

Segundo: Em sua opinião, um inferior nunca pode punir um superior, isto é verdadeiro, de uma maneira geral, desde que ele seja o superior. Mas resistir à força com a força não é senão o estado de guerra, que coloca as partes em uma situação de igualdade, cancelando todas as relações anteriores de reverência, respeito e superioridade; então, o que permanece estranho é que aquele que se opõe ao agressor injusto tem esta superioridade sobre ele – pois ele tem o direito, em caso de vitória, de punir o ofensor, tanto para romper a paz quanto para todos os males resultantes. Por isso, em outra passagem, Barclay, mais coerente consigo mesmo, nega ser legal resistir a um rei em qualquer caso. Mas lá ele aponta dois casos em que um rei pode destronar a si mesmo. Vejamos o que ele diz:

> Quid ergo nulline casus incidere possunt quibus populo sese erigere atque in regem impotentius dominantem arma capere et invadere jure suo suaque authoritate liceat? Nulli certe quamdiu rex manet. Semper enim ex divinis id obstat. Regem honorificato, et qui potestati resistit. Dei ordinationi resistit; non alias igitur in eum populo potestas est quam si id committat propter quod ipso jure rex esse desinat. Tunc enim se ipse principatu exuit atque in privatis constituit liber; hoc modo populus et superior efficitur, reverso ad eum scilicet jure illo quod ante regem inauguratumin interregno habuit. At sunt paucorum generum commissa ejusmodi quae hunc effectum pariunt. At ego cum plurima animo perlustrem, duo tantum invenio, duos inquam, casus quibus rex ipso facto ex rege non regem se facit et omni honore et dignitate regali atque in súbditos potestate destituit; quorum etiam meminit Winzerus. Horum unus est, si regnum disperdat, quemadmodum de Nerone fertur, quod is nempe senatum populumque Romanum atque adeo urbem ipsam ferro flammaque vastare, ac novas sibi sedes quaerere decrevisset. Et de Caligula, quod palam denunciarit se neque civem neque principem senatui amplium fore, in-

que animo habuerit, interempto utriusque ordinis electissimo, quoque Alexandriam commigrare, ac ut populum uno ictu interimerit, unam ei cervicem optavit. Talia cum rex aliquis meditatur et molitur serio, omnem regnandi curam et animum ilico abjicit, ac proinde imperium in subditos amittit, ut dominus servi pro derelicto habiti, dominium.

236. Alter casus est, si rex in alicujus clientelam se contulit, ac regnum quod liberum a majoribus et populo traditum accepit, alienae ditioni mancipavit. Nam tunc qumvis forte non ea mente id agit populo plane ut incommodet; tamem quia quod praecipuum est regiae dignitatis amisit, ut summus scilicet in regno secundum Deum sit, et solo Deo inferior, atque populum etiam totum ignorantem vel invitum, cujus libertatem sartam et tectam conservare debuit, in alterius gentis ditionem et potestatem dedidit; hac velut quadam regni abalienatione effecit, ut nec quod ipse in regno imperium habuit retineat, nec in eum cui collatum voluit, juris quiequam transferat, atque ita eo facto liberum jam et suae potestatis populum relinquit, cujus rei exemplum unum annales Scotici suppeditant (Barclay, *Contra Monarchomachos,* 1. iii, c. 16).

Que vem a significar:

237. "Então, não há nenhum caso em que o povo possa ter o direito e por sua própria iniciativa pegar em armas e atacar seu rei, que lhe impõe uma dominação imperiosa? Não, nenhum, enquanto ele continuar sendo rei: "Honra o rei" e "Aquele que resiste ao poder resiste à ordem de Deus", são oráculos divinos que jamais o permitiriam. Por isso, é impossível que o povo adquira jamais algum poder sobre a pessoa do rei, a menos que ele cometa alguma ação que lhe faça perder a qualidade de rei; Então ele mes-

mo se despoja de sua coroa e de sua dignidade, retorna à condição de um homem comum e o povo se torna livre e superior, sendo-lhe devolvido novamente o poder que ele detinha no interregno, antes de coroá-lo rei. Mas as coisas não chegam a este ponto senão após algumas prevaricações que permanecem excepcionais. Depois de considerar bem todos os lados, só encontro dois exemplos. Dois casos se apresentam, quero dizer, quando um rei *ipso facto* deixa de ser rei e para de exercer qualquer poder e qualquer autoridade sobre seu povo, que também foram citados por Winzems.

O primeiro é quando ele tenta derrubar o governo – ou seja, se tem um propósito e uma intenção de arruinar o reino e a comunidade civil, como nos contam que Nero resolveu derrubar o senado e o povo de Roma, deixou a cidade arrasada com fogo e sangue e depois transferiu-se para outro lugar; e Calígula, que abertamente declarou que não ficaria mais à frente do povo ou do Senado, e que ele pretendia suprimir com estas duas ordens o pior homem de ambos os cargos, e depois se retirou para Alexandria; e desejava que o povo tivesse um só pescoço para poder acabar com ele de um só golpe. Quando um rei, seja ele qual for, abriga tais intenções em seu espírito e busca seriamente realizá-las, imediatamente abandona todo o cuidado e preocupação com a comunidade civil e consequentemente renuncia ao poder de governar seus súditos, da mesma forma que um senhor renuncia à propriedade de seus escravos quando os abandona.

238. O outro caso é quando um rei se coloca em uma situação de dependência diante de outro rei e submete seu reinado, que seus ancestrais lhe legaram e que o povo livremente lhe confiou, ao domínio de outro; mesmo que não haja a intenção de prejudicar o povo, perdeu assim o elemento essencial

da dignidade real, ou seja, ser, imediatamente depois de Deus, supremo em seu reino, e também porque traiu ou forçou seu povo, cuja liberdade ele devia ter cuidadosamente preservado, ao poder e ao domínio de uma nação estrangeira; e por essa, digamos assim, alienação de seu reino, ele perde o poder que possuía antes, sem transferir qualquer direito, por menor que seja, àqueles que ele busca entregá-lo; e por este ato deixa o povo livre, à mercê de seu destino. Pode-se encontrar um exemplo disso nos anais escoceses".

239. Nestes casos, Barclay, o grande defensor da monarquia absoluta, é forçado a admitir que se tem o direito de resistir a um rei e que este deixa de ser rei; ou seja, resumindo, para não multiplicar os exemplos: em todos os domínios que escapam a sua competência, ele não possui a qualidade de rei e tem-se o direito de a ele resistir; quando a autoridade termina, o rei também desaparece, e se torna um homem como qualquer outro, sem autoridade; e estes dois casos que ele cita diferem pouco daqueles acima mencionados como sendo destrutivos aos governos, mas ele omitiu o princípio de onde deriva a sua doutrina: o abuso da confiança, que consiste em não preservar a forma de governo fixada em comum acordo e a falta de intenção de cumprir os objetivos próprios do governo, que são o bem público e a preservação da propriedade. Quando um rei se destrona e se coloca em estado de guerra com seu povo, o que os impede de persegui-lo, agora que ele não é mais rei, como a qualquer outro homem que se colocasse em estado de guerra com ele? Barclay, e aqueles que compartilham de sua opinião, fariam bem em nos dizer. E eu gostaria de chamar a atenção sobre a passagem onde Barclay diz que "os malfeitos que se projetam contra ele, o povo tem o direito de impedir previamente";

ele autoriza assim a resistência, ainda que a tirania só exista na intenção. Ele diz que "desde que um rei, seja qual for, abrigue em seus pensamentos e busque seriamente pôr em prática tais intenções, imediatamente renuncia a todo o cuidado e preocupação com a comunidade social"; assim, segundo ele, a negligência do bem público deve ser encarada como uma evidência de tal intenção, ou pelo menos uma causa suficiente para a resistência. A razão que o autor apresenta é a seguinte: "ele traiu ou oprimiu seu povo, cuja liberdade ele devia cuidadosamente ter preservado". O que ele acrescenta sobre a dominação de uma nação estrangeira não significa nada, a culpa e o confisco permanecendo na perda de sua liberdade, que devia ter sido preservada, e não em qualquer distinção das pessoas a cujo domínio ele estava sujeito. O direito do povo é igualmente invadido e sua liberdade perdida, quer eles sejam tornados escravos de um senhor dentro de seu país, quer de uma nação estrangeira; e aí reside a injustiça, e contra ela o povo só tem o direito de defesa. E há exemplos a serem encontrados em todos os países que mostram que a ofensa não está na mudança de nações nas pessoas de seus governantes, mas na mudança de governo. Salvo engano de minha parte, em uma passagem de seu tratado sobre a "Sujeição cristã", Bilson, um bispo de nossa Igreja e grande defensor do poder e da prerrogativa dos príncipes, reconhece que os príncipes podem renunciar ao seu poder e ao seu direito à obediência de seus súditos; e se houver necessidade de argumentos de autoridade em um caso onde a razão é tão clara, eu posso recomendar ao meu leitor Bracton, Fortescue, o autor de *The Mirror*[98], e outros escritores que não podem ser suspeitos de conhecer mal nosso governo ou de lhe serem hostis. Mas achei que apenas

Hooker bastava para satisfazer àqueles homens que, confiando nele para sua política eclesiástica, são por um destino estranho levados a negar aqueles princípios sobre os quais ele a edificou. Eles seriam melhor vistos se tomassem cuidado para que operários mais habilidosos que eles não os utilizassem para demolir o edifício que eles estão prestes a construir; estou certo de que sua política civil é tão nova, tão perigosa e tão destrutiva, tanto para os governantes quanto para o povo, que, assim como as gerações anteriores jamais poderiam suportar o início dessa discussão, pode-se esperar que aquelas que estão por vir, salvas das imposições destes subcapatazes egípcios, terão horror à memória de tais bajuladores servis que, enquanto isso pareceu servir aos seus propósitos, converteram todos os governos em tirania absoluta, e gostariam de ter todos os homens nascidos na única condição que corresponde à baixeza de suas almas – a escravidão.

240. É provável que se coloque aqui a indagação habitual: Quem vai julgar se o príncipe ou o legislativo agiram contra a missão que lhes foi confiada? Isso, talvez, homens maldispostos e facciosos possam espalhar entre o povo quando o príncipe só faz uso de sua devida prerrogativa. Eu respondo: O povo será o juiz; quem vai julgar se o comissionado ou o mandatário age bem e de acordo com a confiança nele depositada, senão aquele que o comissionou, e deve, por havê-lo comissionado, ter ainda o poder de destituí-lo quando falha em sua confiança? Se isso é razoável em casos particulares de homens comuns, por que deveria ser diferente na questão que é a mais considerável de todas, que diz respeito ao bem-estar de milhões de pessoas, e onde o mal, se não for evitado, fica mais grave, e não pode ser curado sem muitas dificuldades, ônus e perigos?

241. Além disso, quem deve julgar esta questão? Não pode significar que não há absolutamente juiz; pois onde não há magistratura na terra para decidir as controvérsias entre os homens. Deus no céu é o juiz. Somente Ele, na verdade, é o juiz dos direitos do homem; mas neste caso, como em todos os outros, cada homem é juiz de si mesmo ao decidir quando outro se colocou em estado de guerra com ele e quando ele deve apelar para o Juiz Supremo, como fez Jefté.

242. Quando surge uma controvérsia entre um príncipe e uma parte do povo em uma questão em que a lei é silenciosa ou duvidosa, e a questão é de muita importância, eu acho que o árbitro apropriado em tal caso deveria ser o conjunto do povo; pois em casos em que o príncipe tem uma confiança depositada nele, e está dispensado das regras ordinárias comuns da lei, se alguns homens se consideram lesados e acham que o príncipe agiu de encontro ou além dessa confiança, quem mais apropriado para julgar que o conjunto do povo (que primeiro depositou nele essa confiança) até que ponto ela deve se estender? Mas se o príncipe ou seja quem for que esteja na administração declinar dessa forma de determinação, não resta outra solução senão apelar ao céu. O emprego da força entre pessoas que não têm superior conhecido na terra, ou em condições tais que não se possa buscar nenhum juiz na terra, constitui propriamente o estado de guerra; o único recurso, então, é apelar ao céu, e a parte lesada deve decidir por ela mesma se julga adequado fazer uso desse apelo e utilizá-lo.

243. Para concluir, o poder que cada indivíduo deu à sociedade quando nela entrou jamais pode reverter novamente aos indivíduos enquanto durar aquela sociedade, sempre permanecendo na comunidade, pois sem isso não haveria nenhuma co-

munidade, nenhuma comunidade civil, o que seria contrário ao acordo inicial; da mesma forma, quando a sociedade confiou o legislativo a uma assembleia, seja qual for, para que seus membros e seus sucessores o exerçam no futuro, e se encarreguem de providenciar sua própria sucessão, o legislativo não pode reverter ao povo enquanto aquele governo durar; tendo habilitado o legislativo com um poder perpétuo, o povo renunciou ao seu poder político em prol do legislativo e não pode reassumi-lo. Mas se tiverem estabelecido limites para a duração de seu legislativo, e tornado temporário este poder supremo confiado a qualquer pessoa ou assembleia; ou ainda quando por malfeitos daqueles detentores da autoridade o poder é confiscado; pelo confisco, ou por determinação do tempo estabelecido, ele reverte à sociedade, e o povo tem o direito de agir como supremo e exercer ele próprio o poder legislativo; ou ainda colocá-lo sob uma nova forma ou em outras mãos, como achar melhor.

Carta sobre a tolerância

Ea est summa ratio er sapientia boni civis, commoda civium non divellere atque omnes aequitate eaden continere (*Cícero, de Officiis*).

Ao Leitor

A carta que se segue, acerca da tolerância, foi publicada pela primeira vez em latim, na Holanda, no mesmo ano em que foi escrita, já contando também com traduções em holandês e francês. Uma aprovação tão geral e rápida pode, assim, sugerir sua recepção favorável na Inglaterra. Creio, na verdade, que não há nação sob o céu, como a nossa, em que tanto já tenha sido dito sobre este tema. Mas, certamente, não há povo que continue necessitando que mais seja dito e feito nesse ponto do que o nosso.

Nosso governo não foi parcial apenas em questão de religião; mas também aqueles que sofreram em decorrência daquela parcialidade e por isso tentaram através de seus escritos reivindicar seus próprios direitos e liberdades, em sua maioria o fizeram baseados em princípios estreitos, adequados apenas aos interesses de suas próprias seitas.

Esta estreiteza de espírito, em todos os aspectos, foi sem dúvida a principal causa de nossos sofrimentos e confusões. Mas, qualquer que tenha sido a causa, o momento agora é bastante adequado para se buscar uma cura completa. Necessitamos de remédios mais generosos do que aqueles que já têm sido usados para a nossa enfermidade. Não são declarações de indulgência ou atos de compreensão, como os que já foram praticados ou projetados entre nós, que vão resolver a questão. Os primeiros são paliativos, os últimos aumentam nosso mal.

Aquilo de que continuamos precisando é a liberdade absoluta, a justa e verdadeira liberdade, a liberdade igual e imparcial. E, embora muito tenha sido comentado sobre o assunto, eu duvido que tenha sido muito compreendido; estou certo de que nada foi posto em prática, nem por nossos governantes em relação ao povo, nem por quaisquer partes dissidentes do povo, uma em relação à outra.

Por conseguinte, eu não posso senão esperar que este discurso, que trata do tema, embora de forma breve, ainda que com mais exatidão do que já tenhamos visto antes, demonstrando tanto a equidade quanto a praticabilidade da matéria, seja considerado altamente oportuno por todos os homens que têm almas suficientemente grandes para preferir o verdadeiro interesse do povo àquele de um partido.

Foi para o uso desses homens já tão ardentes, ou para inspirar esse ardor naqueles que não o são, que eu o traduzi para nossa língua. Mas o texto em si é tão curto que não suportará um longo prefácio. Deixo-o, por isso, à consideração de meus concidadãos, e espero sinceramente que eles possam fazer dele o uso para o qual parece ter sido tencionado.

[Este prefácio é provavelmente de autoria de William Popple, o tradutor.]

Carta sobre a tolerância

HONRADO SENHOR,

Desde que o senhor se dignou a inquirir a respeito de minhas opiniões sobre a tolerância mútua dos cristãos em suas diferentes profissões de religião, devo responder-lhe francamente que considero a tolerância o principal sinal característico da verdadeira Igreja. Pois, tudo que algumas pessoas se vangloriam acerca da antiguidade de lugares e nomes, ou da pompa de sua aparente veneração; outras, da reforma de sua disciplina; todas, da ortodoxia de sua fé - pois cada um é ortodoxo para si mesmo - estas questões, e todas as outras desta natureza, são muito mais características de homens lutando pelo poder e pelo domínio sobre outro homem do que da Igreja de Cristo. Tomemos alguém que nunca tenha feito uma reivindicação genuína a todas essas coisas: se ele for destituído de caridade, mansidão e boa vontade em geral, em relação a toda a humanidade, mesmo àqueles que não são cristãos, certamente ele está longe de ser um verdadeiro cristão. "Os reis dos gentios exercem um domínio sobre eles", disse nosso Salvador a seus discípulos, "mas não será sempre assim" (Lc 12,25). A questão da verdadeira religião é algo completamente diferente. Ela não é instituída para a instalação de uma pompa externa, ou para a obtenção de dominação eclesiástica, ou ainda para o exercício da força compulsiva, mas para a regulamentação das vidas dos homens, segundo as regras da virtude e da piedade. Seja quem for que se coloque sob a bandeira de Cristo, deve, em primeiro lugar, e acima de todas as coisas, lutar contra seus próprios desejos e vícios. É inútil qualquer homem usurpar o nome de cristão, sem santidade de vida, pureza de comportamento, bondade e mansidão de espírito. "Quem professa o nome de Cristo, afaste-se da iniquidade" (2Tm 2,19). "Tu, quando tiveres te convertido, confirma teus irmãos", disse nosso Senhor a Pedro (Lc 22,32). Na verdade, seria muito difícil para alguém que parece não se preocupar com sua própria salvação, convencer-me de que estava muito preocupado com a minha. Pois é impossível para aqueles que sincera e ardentemente se dedicam a transformar outras pessoas em cristãos, se essas na realidade não tiverem abraçado a religião cristã em seus próprios corações. A se dar crédito ao Evangelho e aos apóstolos, nenhum homem pode ser cristão sem a caridade e sem uma fé que atua pelo amor, não pela força. Agora, pergunto às consciências daqueles que perseguem, atormentam, destroem e matam outros homens sob o pretexto da religião, se eles fazem isso por amizade e bondade em relação a eles, ou não. Só então, e não antes disso, eu acreditarei que eles assim ajam, quando vir aqueles entusiastas fervorosos corrigindo, da mesma maneira, seus amigos e familiares pelos pecados manifestos que eles cometem contra os preceitos do Evangelho; quando eu os vir perseguir com o fogo e a espada os membros de sua própria comunidade, que estão manchados com enormes vícios, e sem se emendar estão em risco de perdição eterna; e quando eu os vir assim expressar seu amor e seu desejo da salvação de suas almas inflingindo tormentos e exercendo todos os tipos de crueldade. Pois se é a partir do princípio da caridade, como eles pretendem, e do amor às almas dos homens que eles os privam de seus bens, mutilam-nos com castigos corporais, deixam-nos à míngua e os atormentam em prisões fétidas, e no fim até mesmo põem fim às suas vidas - eu digo, se tudo isso é feito apenas para transformar os homens em cristãos e buscar sua salvação, por que então devem eles passar pela prostituição, fraude, maldade e barbaridades semelhantes que (segundo o apóstolo [Rm 1]) manifestamente têm o gosto da corrupção pagã, que predominam tanto e abundam no meio de seu rebanho e povo? Estas coisas, e outras similares, são certamente mais contrárias à glória de Deus, à pureza da Igreja e à salvação as almas, que qualquer discordância de consciência das decisões eclesiásticas ou separação do culto público, enquanto acompanhada da inocência da vida. Por que então este zelo ardente por Deus, pela Igreja e pela salvação das almas - digo ardente literalmente, com fogo e tochas - passa por aqueles vícios morais e por aquelas maldades sem qualquer punição, quando são reconhecidos por todos os homens como sendo diametralmente opostos à profissão da Cristandade, e inclinam toda a sua energia para a introdução de cerimônias ou para o estabelecimento de opiniões, que para a maioria são sobre matérias complicadas e intrincadas, que excedem à capacidade do entendimento comum? Qual dos lados que lutam sobre estas questões está certo, qual deles é culpado de cisma ou heresia, se aqueles que dominam ou aqueles que sofrem, isso ficará finalmente claro quando as causas de sua separação vierem a ser julgadas. Certamente, aquele que segue Cristo, que abraça a sua doutrina e suporta o seu jugo, embora abandone pai e mãe, separe-se das assembleias e cerimônias públicas de seu país, ou quem quer ou o que quer mais a que ele renuncie, não será então julgado herege.

Agora, embora não se deva nunca permitir que as divisões existentes entre as seitas sejam obstrutivas à salvação das almas, não se pode negar que o adultério, a fornicação, a falta de decoro, a lascívia, a idolatria e coisas semelhantes são atividades da carne, concernentes ao que o apóstolo expressamente declarou (Gl 5), que "aqueles que os cometem não herdarão o Reino de Deus". Por isso, aquele que está sinceramente desejoso do Reino de Deus, e pensa que é seu dever se esforçar para sua ampliação entre os homens, deve se dedicar com não menos cuidado e indústria ao extermínio dessas imoralidades que à extirpação das seitas. Mas se alguém agir em contrário, e, enquanto for cruel e implacável para com aqueles cuja opinião difere da sua, for indulgente para com tais iniquidades e imoralidades que não condizem com o nome de um cristão, nunca se deve permitir que ele fale tanto da Igreja, pois ele demonstra claramente por suas ações que o reino a que ele aspira é outro, e não o avanço do Reino de Deus.

Se alguém pretender fazer com que outro homem - cuja salvação ele deseja sinceramente - expire em tormentos, mesmo que ainda não se tenha convertido, confesso que isso me pareceria muito estranho, como também a outros. Mas certamente jamais alguém acreditará que tal atitude possa proceder da caridade, do amor ou da boa vontade. Se alguém é de opinião que os homens devem ser compelidos pelo fogo e pela espada a professar certas doutrinas, e se adaptar a este ou aquele culto exterior, sem qualquer consideração a seus princípios morais; se alguém se esforçar para converter aqueles de fé contrária, forçando-os a professar coisas em que não acreditam e permitindo-lhes praticar coisas que o Evangelho não permite, não se pode duvidar, na verdade, que apenas visa reunir uma assembleia numerosa professando a mesma fé que a sua; mas se antes de tudo pretende por esses meios compor uma Igreja verdadeiramente cristã, isso é inacreditável. Por isso, não é surpreendente que aqueles que na verdade não lutam por um avanço da verdadeira religião, e da Igreja de Cristo, façam uso de armas que não fazem parte do arsenal cristão. Se, como o Comandante da nossa salvação, eles sinceramente desejassem a salvação das almas, deviam trilhar os passos e seguir o exemplo perfeito daquele Príncipe da Paz, que enviou seus soldados a converter as nações e os reuniu em sua Igreja, não armados com a espada ou com a força, mas aparelhados com o Evangelho da paz e com a santidade exemplar de sua conversação. Este foi o seu método. Se fosse para converter os infiéis pela força, se fosse para retirar os cegos e obstinados de seus erros por soldados armados, sabemos muito bem que lhe seria muito mais fácil fazê-lo com os exércitos das legiões celestiais do que por qualquer filho da Igreja, não obstante poderoso, munido de todos os seus dragões.

A tolerância para com os defensores de opiniões opostas em questões religiosas está tão de acordo com o Evangelho de Jesus Cristo e com a razão pura da humanidade, que parece monstruoso que os homens sejam tão cegos a ponto de não perceberem a necessidade e a vantagem disso diante de uma luz tão clara. Não criticarei aqui o orgulho e a ambição de alguns, a paixão e o zelo pouco indulgente de outros. Estes defeitos dos assuntos humanos talvez jamais possam ser totalmente erradicados; mas são tais que ninguém suportaria que lhe fossem abertamente imputados, sem disfarçá-los com algumas cores ilusórias; e assim pretende receber elogios, enquanto está sendo levado por suas próprias paixões irregulares. Entretanto, alguns não podem colorir seu espírito de perseguição e crueldade não cristã com uma pretensa preocupação com o bem público e com a observação das leis; e aqueles outros, sob o pretexto da religião, não podem buscar impunidade para seu libertinismo e sua licenciosidade; em uma palavra, ninguém pode se impor a si mesmo ou aos outros, pretextando lealdade e obediência ao príncipe ou ternura e sinceridade na veneração a Deus; considero que acima de todas as coisas é necessário distinguir exatamente as funções do governo civil daquelas da religião, e estabelecer a demarcação precisa entre um e outro. Se isso não for feito, não será possível pôr um fim às controvérsias que sempre surgirão entre aqueles que têm, ou pelo menos pretendem ter, uma preocupação com a salvação das almas de um lado, e, de outro, pela segurança da comunidade civil.

A comunidade civil me parece ser uma sociedade de homens constituída apenas visando a busca, a preservação e o progresso de seus próprios interesses civis.

Denomino de interesses civis a vida, a liberdade, a saúde e a libertação da dor; e também a posse de coisas externas, tais como dinheiro, terras, casas, móveis etc.

É dever do magistrado civil, por meio da execução parcial de leis iguais, assegurar a todo o povo em geral, e a cada um de seus súditos, em particular, a posse justa dessas coisas que pertencem a esta vida. Se alguém pretende violar as leis da justiça e equidade públicas, estabelecidas para a preservação dessas coisas, esta pretensão deve ser reprimida pelo medo do castigo, que consiste na privação ou diminuição desses interesses civis, ou bens, que de outro modo ele poderia e deveria usufruir. Mas vendo que ninguém se permite sofrer para ser punido pela privação de qualquer parte de seus bens, e muito menos de sua liberdade ou de sua vida, o magistrado se investe da força e da energia de todos os seus súditos, a fim de punir aqueles que violam quaisquer direitos de outro homem.

Mas que toda a jurisdição do magistrado atinge apenas estas questões civis, e que todo o poder, direito e dominação civis estão limitados e confinados ao cuidado único de promover essas coisas; e isso não pode nem deve de maneira alguma se estender à salvação das almas, as considerações que se seguem me parecem abundantemente demonstrar.

Em primeiro lugar, porque a cura de almas não cabe mais ao magistrado que a quaisquer outros homens. Não lhe foi outorgado por Deus, pois não parece que Deus tenha delegado tal autoridade a um homem sobre outro, para induzir qualquer pessoa a aceitar sua religião. Nem tal poder pode estar investido no magistrado pelo consentimento do povo, porque até agora nenhum homem abandonou tão cegamente o cuidado de sua salvação para deixar a outro, seja príncipe ou súdito, a escolha da fé ou da veneração que ele deve abraçar. Pois nenhum homem poderia, mesmo que quisesse, submeter sua fé aos ditames de outro. Toda energia e poder da verdadeira religião consiste na persuasão interior e plena da mente; e não existe fé sem convicção. Seja qual for a religião que professemos, a que culto externo pratiquemos, se não estivermos inteiramente convictos em nossa mente de que uma é verdadeira e a outra agradável a Deus, tal profissão e tal prática, ao contrário de serem uma ajuda, na verdade são grandes obstáculos a nossa salvação. Desse modo, em vez de expiar outros pecados através do exercício da religião, quer dizer, oferecendo a Deus todo-poderoso um culto que não acreditamos ser do seu agrado, acrescentamos aos nossos outros inumeráveis pecados aqueles da hipocrisia e do desrespeito à Divina Majestade.

Em segundo lugar, o cuidado das almas não pertence ao magistrado civil, porque seu poder consiste apenas na força externa; a religião verdadeira e salvadora consiste na persuasão interna da mente, sem a qual nada pode ser aceitável a Deus. E tal é a natureza do entendimento que ninguém pode ser impelido à crença por qualquer força externa. O confisco dos bens, a prisão, as torturas, nada dessa natureza pode ter tal eficácia para forçar os homens a modificarem o julgamento interno que formaram acerca das coisas.

Na verdade, pode ser alegado que o magistrado pode fazer uso de argumentos, e assim conduzir o heterodoxo no caminho da verdade e na busca de sua salvação. Concordo, mas isso não cabe a ele e aos outros homens. Ao ensinar, instruir e corrigir os erros através da razão, ele certamente pode fazer o que convém a qualquer pessoa boa fazer. A magistratura não o obriga a pôr de lado a humanidade ou a Cristandade, mas uma coisa é persuadir, outra ordenar; uma coisa é pressionar com argumentos, outra com punições. Este cabe ao poder civil; ao outro, a boa vontade é autoridade suficiente. Todo homem tem o direito de admoestar, exortar e convencer a outro do erro, e, por meio do raciocínio, atraí-lo para a verdade; mas dar leis, receber obediência e obrigar pela força cabem apenas ao magistrado. Nesta matéria, afirmo que o poder do magistrado não se estende ao estabelecimento de quaisquer artigos de fé ou formas de veneração pela força de suas leis. Pois as leis não têm qualquer força sem penalidades, e neste caso as penalidades são absolutamente impertinentes, porque não são adequadas à persuasão da mente. Nem a profissão de quaisquer artigos de fé, nem a adaptação a qualquer forma externa de culto (como já foi dito) podem ser válidos para a salvação das almas, a menos que aqueles que assim o professem acreditem piamente na verdade da primeira e na aceitação da segunda por Deus. Mas as punições não são de forma alguma capazes de produzir tal crença. Apenas a luz e a evidência podem operar uma mudança nas opiniões dos homens; e a luz não pode absolutamente proceder de qualquer sofrimento corporal ou outras penalidades exteriores.

Em terceiro lugar, o cuidado da salvação das almas humanas não pode pertencer ao magistrado; porque, embora o rigor das leis e a força das punições fossem capazes de convencer e mudar as mentes dos homens, eles não ajudariam em nada à salvação de suas almas. Pois se houvesse apenas uma verdade, um caminho para o céu, que esperança haveria de que a maioria dos homens as alcançasse se não tivesse outra regra senão a religião da corte, e fossem obrigados a ignorar a luz de sua própria razão e se opor aos ditames de suas próprias consciências e cegamente se resignassem à vontade de seus governantes e à religião que a ignorância, a ambição ou a superstição conseguiram estabelecer nos países em que nasceram? Dentre as várias e contraditórias opiniões na religião, em que os príncipes do mundo estão tão divididos em seus interesses seculares, o caminho estreito estaria muito reduzido; somente um país estaria certo, e todo o resto do mundo sujeito à obrigação de seguir seus príncipes nos caminhos que conduzem à destruição; e isso salientaria o absurdo e a noção muito inadequada de Deus, pois os homens deveriam sua felicidade eterna ou sua miséria aos locais de seu nascimento.

Estas considerações, dentre muitas outras que poderiam ter sido destacadas com o mesmo propósito, parecem-me suficientes para concluir que todo o poder do governo civil diz respeito apenas aos interesses civis dos homens, está confinado ao cuidado das coisas deste mundo e nada tem a ver com o mundo futuro.

Consideremos agora o que é a Igreja. Parece-me que uma Igreja é uma sociedade voluntária de homens que se reúnem por vontade própria para o culto público de Deus, do modo que acreditam ser aceitável por Ele e eficaz para a salvação de suas almas.

Considero-a uma sociedade livre e voluntária. Ninguém nasce membro de qualquer Igreja; caso contrário, a religião dos pais seria transmitida aos filhos pelo mesmo direito de herança que seus bens temporais, cada um devendo sua fé à mesma ascendência que lhe cedeu seus bens; não se pode imaginar nada mais absurdo. Assim se expõe essa matéria. Nenhum homem está por natureza subordinado a qualquer Igreja ou seita particular, mas cada um se vincula livremente àquela sociedade em que acredita que encontrou a verdadeira religião e o culto aceitável por Deus. A esperança da salvação, assim como foi a única razão de sua introdução naquela igreja, pode igualmente ser a única razão para que lá permaneça. Se mais tarde ele descobrir erros na doutrina ou incongruências no culto daquela sociedade a que se juntou, por que não deve ser livre para sair da mesma forma que entrou? Nenhum membro de uma sociedade religiosa pode estar a ela ligado indissoluvelmente por outros laços que não sejam aqueles que procedem de alguma expectativa de vida eterna. A Igreja é, portanto, uma sociedade de membros que se unem voluntariamente para esse fim.

Segue-se agora o que consideramos ser o poder dessa Igreja e as leis a que está sujeita.

Nenhuma sociedade, por mais livre que seja, ou por mais superficial que possa ser o motivo de sua organização, quer de filósofos para o aprendizado, de mercadores para o comércio, ou de homens ociosos para comunicação e conversação mútuas, nenhuma Igreja ou companhia pode subsistir e permanecer unida, e logo se dissolverá e se fragmentará, a menos que seja regulamentada por algumas leis e que todos os seus membros consintam em observar uma certa ordem. O local e a hora do encontro devem ser acertados; as regras para a admissão e a exclusão de seus membros devem ser estabelecidas; a diversidade das funções e a conduta organizada de seus assuntos, e outras coisas do gênero, não devem ser omitidas. Mas desde que a reunião de vários membros nesta sociedade-igreja, como já foi demonstrado, é absolutamente livre e espontânea, o direito de fazer suas leis pertence a toda a sociedade em si; ou, pelo menos (o que é a mesma coisa), àqueles a quem a sociedade em comum acordo consentiu em autorizar.

Alguns talvez possam objetar que não se pode dizer que uma sociedade seja uma Igreja a menos que possua um bispo ou um presbítero, com uma autoridade legal derivada e continuada até hoje por uma sucessão ininterrupta dos próprios apóstolos.

Eu respondo a isso: Em primeiro lugar, peço que me mostrem o edital pelo qual Cristo impôs essa lei a sua igreja. E não quero que me considerem impertinente, se em uma coisa desta importância eu requeira que os termos desse edital sejam muito expressos e positivos; pois a promessa que Ele nos fez (Mt 18,20), de que onde dois ou três se reunirem em seu nome, Ele estará entre eles, parece implicar no contrário. Se uma tal reunião carece de algo necessário a uma verdadeira Igreja, peço-lhes que levem isto em conta. Estou certo de que se nela nada falta para a salvação das almas, isso basta ao nosso propósito.

Em segundo lugar, observemos como têm sido sempre grandes as divisões, mesmo entre aqueles que colocam tanta ênfase na instituição divina e na sucessão continuada de alguma ordem de governantes na Igreja. Suas discordâncias nos facultam necessariamente a liberdade de escolha, de maneira que fica a critério de cada homem optar pela associação de sua preferência.

Em terceiro lugar, concordo que estes homens possam ter um governante em sua Igreja, determinado por uma longa cadeia de sucessão, como julgarem necessário, contanto que me seja dada ao mesmo tempo a liberdade de me associar àquela sociedade em que estou convencido de que serão encontrados aqueles elementos necessários à salvação da minha alma. Dessa maneira, a liberdade eclesiástica será preservada de todos os lados, e nenhum homem terá um legislador imposto sobre ele, senão aquele que ele próprio escolheu.

Mas uma vez que os homens estão apreensivos quanto à verdadeira Igreja, gostaria apenas de lhes perguntar aqui, de passagem, se não seria mais conveniente que a Igreja de Cristo estabelecesse as condições de sua comunhão naquilo, e apenas naquilo, que o Espírito Santo declarou na Sagrada Escritura, em termos explícitos, como necessário à salvação; pergunto se isso não seria mais conveniente à Igreja de Cristo do que os homens imporem suas próprias invenções e interpretações sobre outros, como se tivessem autoridade divina, estabelecendo por meio de leis eclesiásticas, como absolutamente necessário à profissão da Cristandade, coisas que a Sagrada Escritura nem menciona, ou pelo menos não ordena expressamente? Quem exigir tais coisas para a comunhão eclesiástica que Cristo não exige para a vida eterna, pode, talvez, constituir uma sociedade adaptada às suas próprias opiniões e às suas próprias vantagens, mas como se poderá chamar de Igreja de Cristo o que é estabelecido por leis que não são as dele, e que exclui da comunhão aqueles que um dia Ele receberá no Reino dos Céus? Eu não consigo compreender isso. Mas como este não é um lugar adequado para investigar os sinais da verdadeira Igreja, eu só recordarei àqueles que lutam tão seriamente a favor dos decretos de sua própria sociedade, que gritam continuamente "A Igreja! A Igreja!" com tanto barulho e talvez baseados no mesmo princípio que os ourives de Éfeso gritavam para sua Diana; repito que apenas desejo lembrar-lhes que o Evangelho frequentemente declara que os verdadeiros discípulos de Cristo devem sofrer perseguições; mas que a Igreja de Cristo deva perseguir pessoas e forçá-las pelo fogo e pela espada a abraçar sua fé e sua doutrina, eu jamais consegui encontrar em quaisquer dos livros do Novo Testamento.

A finalidade de uma sociedade religiosa (como já foi dito) é o culto público de Deus, através do qual se alcança a vida eterna. Toda disciplina, portanto, deve conduzir a este fim, e todas as leis eclesiásticas devem a ele confinar-se. Nesta sociedade não se deve nem se pode fazer algo relacionado à posse de bens civis e terrestres. A força não deve ser utilizada em nenhuma situação, pois ela pertence inteiramente ao magistrado civil, e a posse de todos os bens materiais está sujeita a sua jurisdição.

Mas pode-se perguntar por que meios então as leis eclesiásticas serão estabelecidas, uma vez que devem estar destituídas de todo poder coercitivo? Eu respondo: Elas devem ser estabelecidas por um meio adequado à natureza de tais elementos, em que a profissão e a observação externas – se não procederem de uma total convicção e aprovação da mente são completamente inúteis e desvantajosas. As armas pelas quais os membros desta sociedade devem ser confinados aos seus deveres são exortações, admoestações e conselhos. Se tais meios não recuperam os transgressores, nada mais resta a fazer senão impor a estas pessoas obstinadas e teimosas, sem esperança de regeneração, sua separação e exclusão da sociedade. Esta é a força máxima e última da autoridade eclesiástica. Nenhuma outra punição pode ser infligida além da interrupção do relacionamento entre o corpo e o membro amputado. A pessoa assim condenada deixa de fazer parte daquela Igreja.

Isto entendido, passemos à investigação de até que ponto se estende e qual o dever de cada um com respeito à tolerância.

Primeiro, afirmo que nenhuma Igreja é obrigada, pelo dever da tolerância, a manter em seu seio qualquer pessoa que, mesmo após admoestação, continue obstinadamente a ofender as leis da sociedade. Sendo estas a condição da comunhão e o limite da sociedade, se fosse permitida a sua transgressão sem qualquer censura, a sociedade seria imediatamente dissolvida. Mas, não obstante, em todos esses casos deve-se tomar cuidado para que a sentença da excomunhão e sua posterior execução não carreguem consigo nenhum uso grosseiro da palavra ou da ação, causando à pessoa expulsa qualquer dano a seu corpo ou a seus bens. Pois toda força (como tem sido afirmado com frequência) pertence apenas ao magistrado, e nunca deve ser permitido a ninguém o uso dessa força, a não ser em autodefesa contra a violência injusta. A excomunhão não priva nem pode privar a pessoa excomungada de quaisquer de seus bens civis. Todas essas coisas pertencem ao governo civil e estão sob a proteção do magistrado. Toda a força da excomunhão consiste apenas nisso: sendo declarada a resolução da sociedade, fica dissolvida a união entre o corpo e determinado membro; e, interrompido o relacionamento, cessa também a participação de certas coisas que a sociedade comunicava a seus membros e sobre as quais ninguém tem qualquer direito civil. Pois o ministro da Igreja não causa nenhum dano civil à pessoa excomungada ao lhe recusar pão e vinho na celebração da Ceia do Senhor, os quais não foram comprados com o dinheiro dela, mas de outras pessoas.

Segundo, nenhum indivíduo tem qualquer direito, de nenhuma maneira, de prejudicar outra pessoa em seus bens civis porque ele pertence a outra Igreja ou a outra religião. Todos os direitos e privilégios que lhe pertencem, como homem ou como cidadão, são invioláveis e devem ser preservados. Isso não é função da religião. Nenhuma violência ou injúria deve ser-lhe aplicada, seja ele cristão ou pagão. Além disso, não devemos nos contentar com as medidas estreitas da justiça comum; devem ser acrescentadas também a caridade, a benevolência e a liberalidade. Isso o Evangelho prescreve, a razão ordena, e exige de nós a amizade natural em que nascemos. Se um homem se extravia do caminho reto, isso é infelicidade própria dele, não injúria a outro; e ninguém tem o direito de puni-lo nas coisas desta vida porque acredita que será miserável naquela que está por vir.

O que digo sobre a tolerância mútua de pessoas que divergem entre si em questões religiosas, entendo também das Igrejas particulares que estão, por assim dizer, na mesma relação umas com as outras, como as pessoas entre si: nenhuma delas tem qualquer jurisdição sobre a outra, nem mesmo quando o magistrado civil (como às vezes acontece) pertence a esta ou àquela Igreja. O governo civil não pode outorgar nenhum direito à Igreja, e nem esta ao governo civil. De forma que se o magistrado pertence a alguma Igreja, ou dela se separa, a Igreja permanece como antes – uma sociedade livre e voluntária. Não adquire o poder da espada pelo ingresso do magistrado nem perde seu direito de instrução e excomunhão por seu afastamento. Este é o direito fundamental e imutável de uma sociedade espontânea – o poder de remover qualquer um de seus membros que transgredir as regras de sua instituição; mas não pode, pelo acesso de quaisquer novos membros, adquirir qualquer direito de jurisdição sobre aqueles que lhes são estranhos. Portanto, a paz, a equidade e a amizade devem ser sempre mutuamente observadas pelas diferentes Igrejas, da mesma maneira que entre os indivíduos, sem qualquer pretensão de superioridade ou jurisdição sobre os outros.

Para esclarecer a questão através de um exemplo, suponhamos duas Igrejas – a dos arminianos e a dos calvinistas estabelecidas em Constantinopla. Poderá alguém dizer que qualquer dessas Igrejas tem o direito de privar os membros da outra de seus bens e de sua liberdade (como se vê praticar em alguns lugares), devido às suas divergências em algumas doutrinas e cerimônias, enquanto os turcos nesse meio-tempo permanecem silenciosos e se divertem com a crueldade com que os cristãos perseguem os cristãos? Mas se uma dessas Igrejas tem o poder de maltratar a outra, eu pergunto a qual delas pertence esse poder, e com base em que direito? Será respondido, sem dúvida, que é a Igreja Ortodoxa que tem o direito de autoridade sobre a errônea ou herética. Em termos pomposos e complicados, isto não significa absolutamente nada. Porque cada igreja é ortodoxa para consigo mesma; para as outras, errônea ou herética. Seja no que for que uma Igreja acredite, acredita que é a verdade; e o contrário a essas coisas, condena como erro.

De modo que a controvérsia entre estas Igrejas sobre a verdade de suas doutrinas e a pureza de seu culto é em ambos os lados igual: e não há em Constantinopla nem em qualquer outro lugar sobre a terra qualquer juiz cuja sentença possa decidir a questão. A decisão dessa questão pertence apenas ao Juiz Supremo de todos os homens, a quem também pertence a punição dos que erram. Neste meio-tempo, deixemos esses homens avaliarem o quão odiosamente eles pecam, quando, acrescentando a injustiça, se não ao seu erro mas certamente ao seu orgulho, atormentam temerária e arrogantemente os servidores de outro mestre, que de modo algum têm de prestar-lhes contas.

Além disso, se fosse possível determinar qual destas duas Igrejas discordantes está certa, nem por isso seria conferido à Igreja Ortodoxa qualquer direito de destruir a outra. Pois as Igrejas não têm qualquer jurisdição em questões seculares, nem o fogo e a espada são instrumentos adequados para convencer as mentes das pessoas quanto ao erro e instruí-las na verdade. Suponhamos, não obstante, que o magistrado civil tendesse a favorecer uma delas e colocasse sua espada em suas mãos, para que (com seu consentimento) castigasse como quisesse os dissidentes. Alguém dirá que um imperador turco pode conceder qualquer direito à Igreja cristã sobre seus irmãos? Um infiel, que não possui autoridade para punir os cristãos pelos artigos de sua fé, não pode conferir tal autoridade a qualquer sociedade de cristãos, nem dar-lhes um direito que ele mesmo não possui. Este seria o caso em Constantinopla; e o raciocínio é o mesmo para qualquer reino cristão. O poder civil é o mesmo em todo lugar. E este poder não pode, nas mãos de um príncipe cristão, conferir qualquer autoridade maior sobre a Igreja que nas mãos de um ateu; quer dizer, absolutamente nada.

Entretanto, vale a pena observar e lamentar que os mais violentos destes defensores da verdade, os opositores dos erros e intolerantes para com os cismas, dificilmente manifestam tal zelo por Deus, que tanto os excita e inflama, a menos que tenham o magistrado civil ao seu lado. Mas logo que a parcialidade da corte os coloca na melhor posição e os transforma nos mais fortes, imediatamente abandonam a paz e a caridade. Em caso contrário, elas devem ser religiosamente observadas. Onde não têm o poder de efetuar a perseguição e se tornarem mestres, desejam viver em bons termos e exaltam a tolerância. Quando não são fortalecidos pelo poder civil, podem suportar com mais paciência e firmeza o contágio da idolatria, da superstição e da heresia em sua vizinhança, com o que em outras ocasiões o interesse da religião os torna extremamente apreensivos. Não atacam ardorosamente aqueles erros que estão em moda na corte ou têm o respaldo do governo. Nesse momento eles se contentam em difundir seus argumentos; que ainda (com sua autorização) é o único método correto de propagação da verdade, que só tem tal oportunidade de prevalecer quando a argumentos fortes e bom raciocínio é acrescentada a brandura da civilidade e do bom tratamento.

Em suma, ninguém, portanto, nem os indivíduos isoladamente nem as Igrejas e nem mesmo as comunidades civis têm qualquer direito justo de invadir os direitos civis e os bens materiais de alguém em nome da religião. Aqueles que são de outra opinião fariam melhor se ponderassem consigo mesmos acerca do efeito pernicioso de uma semente de discórdia e da guerra, do poder de uma provocação a ódios sem fim, rapinas e chacinas que eles desse modo fornecem à humanidade. Nenhuma paz ou segurança, muito menos amizade, jamais podem ser estabelecidas ou preservadas entre os homens enquanto prevalecer esta opinião de que a dominação está fundada no privilégio e que a religião deve ser propagada pela força das armas.

Em terceiro lugar, vejamos que dever de tolerância se exige daqueles que se distinguem do resto da humanidade (dos leigos, como gostam de nos chamar) por algumas categorias e ofícios eclesiásticos, sejam eles bispos, padres, presbíteros, ministros ou outros designados por outras formas. Não é minha função investigar aqui a origem do poder ou da dignidade do clero. Afirmo, no entanto, que não importa de onde venha a sua autoridade, pois desde que é eclesiástica, deve estar confinada nos limites da Igreja, de forma alguma se estendendo às questões civis, pois a Igreja em si é algo absolutamente separado e distinto da comunidade civil. Os limites em ambos os lados são fixos e imutáveis. Quem mistura o céu e a terra, coisas tão remotas e opostas, confunde estas duas sociedades, que são em sua origem, finalidades, obrigações e em tudo perfeitamente distintas e infinitamente diferentes uma da outra. Por isso, nenhum homem, seja qual for seu cargo eclesiástico que o dignifica, pode privar outro homem que não pertence a sua Igreja e a sua fé, da liberdade ou de qualquer parcela de seus bens terrenos em nome daquela diferença entre eles em termos de religião, pois o que não é legal para toda a Igreja não pode se tornar por qualquer direito eclesiástico legal para um de seus membros.

Mas isto não é tudo. Não é suficiente que os eclesiásticos se abstenham da violência, da pilhagem e de todos os modos de perseguição. Eles têm de pretender ser sucessores dos apóstolos, assumir a responsabilidade de ensinar, e também são obrigados a advertir seus ouvintes dos deveres da paz e da boa vontade para com todos os homens, assim para os errôneos como para os ortodoxos; para com aqueles que diferem deles na fé e no culto, e bem como para com aqueles que com eles concordam. E devem com zelo exortar todos os homens, sejam os indivíduos comuns sejam os magistrados (se houver algum deles em sua Igreja), à caridade, à humildade e à tolerância, e diligentemente se esforçar para aliar e abrandar todo aquele ardor e relutância excessiva do espírito que decorrem tanto do fervor entusiasmado de um homem por sua própria seita como da astúcia de outros contra os dissidentes. Não vou descrever aqui a qualidade e a abundância do fruto, tanto na Igreja quanto no Estado, se os púlpitos em toda parte ressoassem esta doutrina de paz e tolerância, com receio de parecer recair com muita severidade sobre aqueles homens cuja dignidade eu não desejo depreciar, nem gostaria de ver depreciada por outros ou por eles mesmos. Mas afirmo isso, porque assim deve ser. E se alguém que se considera um ministro da Palavra de Deus, um pregador do Evangelho da paz, ensinar o oposto, ou nada entendeu ou negligencia a função de sua vocação, e algum dia deverá prestar contas disso ao Príncipe da Paz. Se os cristãos devem ser advertidos a não fazerem uso de nenhum tipo de vingança, mesmo após repetidas provocações e inúmeras injúrias, como não deverão com muito mais razão os que nada sofreram evitar toda a violência e se abster de causar qualquer mal àqueles que em nada o ofenderam! Devem certamente usar desta cautela e desta serenidade em relação àqueles que só se preocupam com seus próprios assuntos e não se dedicam a nada senão (não importa o que se pense deles) em poder cultuar Deus como acreditam ser-lhe mais aceitável e em que têm as mais fortes esperanças de salvação eterna. Nos assuntos domésticos, na administração dos bens, no cuidado da saúde física, cada homem pode considerar o que se adapta mais a sua conveniência, e seguir o caminho que preferir. Nenhum homem se queixa da má administração dos assuntos de seu vizinho. Nenhum homem se enfurece com outro por um erro cometido na semeadura de sua terra ou no casamento de sua filha. Nenhum homem tenta reformar um perdulário por ter consumido toda a sua fortuna em tavernas. Ninguém se manifesta ou impede alguém de demolir, construir ou fazer quaisquer despesas segundo sua vontade. Mas se um homem não frequenta a igreja, se não se comporta exatamente de acordo com as cerimônias estabelecidas, ou se não leva seus filhos para serem iniciados nos mistérios sagrados desta ou daquela congregação, isto imediatamente provoca um tumulto. A vizinhança se manifesta com ruídos e gritos. Cada um está pronto para ser o vingador de crime tão notável, e os fanáticos dificilmente têm a paciência de conter a violência e a pilhagem enquanto o pobre homem não for levado à corte para ser ouvido e sentenciado à prisão, à morte ou à perda de seus bens. Oh, que nossos oradores eclesiásticos possam usar a força dos argumentos de que são capazes para amaldiçoar os erros dos homens! Mas que poupem suas pessoas. Que não lhes seja permitido suprir sua falta de razão com instrumentos de força, que pertencem a outra jurisdição, e não devem ser manejados pelas mãos de um eclesiástico. Que não lhes seja permitido recorrer à autoridade do magistrado em auxílio a sua eloquência e sabedoria, pois talvez, enquanto visam apenas o amor pela verdade, possa ocorrer que seu zelo descontrolado, manifestado apenas pelo fogo e pela espada, traia sua ambição e mostre que seu real desejo é a dominação secular.

Porque será muito difícil convencer os homens

sensatos de que aquele que com olhos enxutos e consciência tranquila pode entregar seu irmão ao executor para ser queimado vivo, possa sinceramente e de todo o coração estar preocupado em salvar aquele irmão das chamas do inferno no mundo futuro.

Em último lugar, consideremos quais os deveres do magistrado na questão da tolerância, que certamente são importantes.

Já provamos que o cuidado das almas não é incumbência do magistrado. Nem um cuidado magisterial, quero dizer (se posso chamá-lo assim), que consiste em prescrever por meio de leis e obrigar através de punições. Mas um cuidado caritativo, que consiste em ensinar, admoestar e persuadir, não pode ser negado a homem algum. Por isso, o cuidado da alma de cada homem pertence a ele próprio e deve ser deixado por conta dele. Mas se ele negligenciar o cuidado de sua alma? Eu respondo: O que acontecerá se ele não cuidar de sua saúde física ou de seus bens, coisas que dizem respeito mais de perto ao governo do magistrado? Será que o magistrado estipula por uma lei expressa que um indivíduo não deve ficar pobre ou doente? As leis estabelecem, tanto quanto possível, que os bens e a saúde dos súditos hão devem ser prejudicados pela fraude e pela violência de outros; elas não os protegem da negligência ou da má administração das próprias possessões. Nenhum homem pode ser forçado a ser rico ou saudável contra a sua vontade. Além disso, mesmo Deus não salvará os homens contra a vontade deles. Suponhamos, entretanto, que algum príncipe desejasse forçar seus súditos a acumular riquezas ou a preservar a saúde e a energia de seus corpos. Seria estipulado por lei que eles devem apenas consultar médicos católicos, e todos serão obrigados a viver segundo suas prescrições? Que não se tomará nenhuma poção, nenhum caldo, exceto aqueles preparados no Vaticano ou provenientes de uma botica de Genebra? Ou, para tornar estes súditos ricos, eles deverão ser obrigados por lei a se tornarem mercadores ou músicos? Ou todos se converterão em merceeiros ou ferreiros porque há alguns que sustentam suas famílias na abundância e ficam ricos nessas profissões? Entretanto, pode-se dizer que há mil maneiras de se fazer fortuna, mas apenas um caminho para se chegar ao céu. Bem formulado, com certeza, especialmente por aqueles que querem forçar os homens a este ou àquele caminho. Pois ainda que houvesse outros caminhos, ainda assim não haveria muito pretexto para a compulsão. Mas se estou marchando em meu vigor máximo naquele caminho que, segundo a geografia sagrada, leva diretamente a Jerusalém, porque sou espancado e maltratado pelos outros, talvez por não usar borzeguins; porque meu cabelo não tem o corte correto; porque talvez eu não tenha sido batizado da maneira certa; porque como carne na estrada, ou qualquer outro alimento que satisfaz meu estômago; porque evito alguns atalhos, que me parecem conduzir a sarças e precipícios; porque, entre as várias sendas da mesma estrada, escolhi caminhar naquela que parece ser a mais reta e a mais limpa; porque evito a companhia de alguns viajantes menos graves e de outros mais impertinentes do que deveriam ser; ou, enfim, porque sigo um guia que está ou não está vestido de branco ou coroado de mitra? Certamente, se ponderarmos devidamente, veremos que, em sua maioria, são trivialidades como essas que (sem qualquer prejuízo à religião ou à salvação das almas, se não estiverem acompanhadas da superstição ou da hipocrisia) podem ser observadas ou omitidas. Eu afirmo que são coisas como essas que criam inimizades implacáveis entre irmãos cristãos, apesar de todos concordarem com os aspectos substanciais e verdadeiramente fundamentais da religião.

Entretanto, concedamos a estes fanáticos, que condenam todas as coisas que não seguem o seu modo, que a partir de tais circunstâncias há diferentes direções. O que concluiremos disso? Apenas um deles é o verdadeiro caminho para a felicidade eterna: mas, nesta grande variedade de caminhos que os homens seguem, ainda se duvida sobre qual seja o mais correto. Ora, nem o cuidado da comunidade civil nem o direito de decretar leis revelam este caminho que conduz ao céu com maior certeza para o magistrado do que a meditação e o estudo o revelam para o homem comum. Eu tenho o corpo fraco e sofro de uma grave doença, para a qual (suponho eu) só existe um único remédio, mas é desconhecido. Cabe ao magistrado prescrever-me um remédio, porque só existe um único e este é desconhecido? Porque só há uma maneira de eu escapar da morte, será mais seguro seguir o que o magistrado ordena? Essas coisas que todo homem deve sinceramente investigar em si mesmo, e das quais adquire o conhecimento através da meditação, do estudo, da pesquisa e de seus próprios esforços, não podem ser encaradas como posse particular de qualquer classe de homens. Os príncipes nascem superiores aos outros homens em poder, mas a eles se igualam na natureza. Nem o direito nem a arte de governar necessariamente conduzem com eles o conhecimento seguro de outras coisas, menos ainda da verdadeira religião. Se assim fosse, como se poderia explicar por que os senhores da terra diferem tanto em questões religiosas? Mas admitamos que é provável que o caminho para a vida eterna possa ser melhor conhecido por um príncipe do que por seus súditos, ou que pelo menos por causa de sua incerteza seja mais seguro e mais cômodo obedecer aos seus ditames. Pode-se dizer, e daí? Se ele mandasse alguém ganhar a vida no comércio, recusaria fazê-lo por duvidar que assim enriqueceria? Eu respondo: Eu me tornaria mercador por ordem do príncipe, porque no caso de eu não ser bem-sucedido no comércio, ele está bastante capacitado para reparar minha perda de alguma maneira. Se é verdade, como ele pretende, que deseja que eu prospere e enriqueça, ele pode me prover novamente quando as viagens malsucedidas me deixarem na penúria. Mas o mesmo não acontece nas coisas que dizem respeito à outra vida; se nela eu tomar um caminho errado, se neste aspecto eu alguma vez me aniquilar, não está em poder do magistrado reparar minha perda, abrandar meu sofrimento ou de algum modo me recuperar, menos ainda se eu estiver na prosperidade. Que segurança se pode ter de alcançar o reino do céu?

Poderão talvez dizer que não supõem que este julgamento infalível, que todos os homens tendem a seguir nas questões religiosas, caiba ao magistrado civil, mas à Igreja. Aquilo que foi determinado pela Igreja deve ser obedecido por todos por ordem do magistrado; e, por sua autoridade, ele estabelece que, em termos de religião, ninguém deverá agir ou acreditar em nada além do que a Igreja ensina. De forma que o julgamento dessas coisas está na Igreja; o próprio magistrado a ela deve obediência e exige dos outros a mesma obediência. Eu respondo: Quem não percebe com que frequência o nome da Igreja, que era venerável na época dos apóstolos, foi usado posteriormente para jogar poeira nos olhos do povo? No entanto, no presente caso isso não nos ajuda. O único e estreito caminho que leva ao céu não é melhor conhecido pelo magistrado do que pelas pessoas comuns, e por isso não posso com segurança tomá-lo como meu guia, que provavelmente pode ser tão ignorante quanto eu do caminho, e certamente está menos preocupado do que eu com minha própria salvação. Entre tantos reis dos judeus, quantos deles a quem um israelita tenha seguido cegamente, não caíram na idolatria e por isso na destruição? Mesmo assim, pedem-me que tenha coragem e me dizem que tudo agora está protegido e seguro, porque o magistrado não ordena a observância de seus próprios decretos em assuntos religiosos, mas somente aos decretos da Igreja. De que Igreja, imploro que me digam? Certamente daquela que ele mais gosta. Como se aquele que me obriga pelas leis e pelas penalidades a entrar nesta ou naquela igreja não interpõe seu próprio julgamento na matéria. Que diferença faz se ele pessoalmente me conduz ou me libera para ser conduzido por outros? Eu dependo do mesmo modo de sua vontade, e é ele que determina ambos os caminhos da minha salvação. Será que um israelita, que tivesse cultuado Baal por ordem de seu rei, estaria em uma melhor condição se alguém lhe dissesse que o rei nada ordenara sobre sua cabeça nem comandara nada aos seus súditos sobre tais questões de culto divino, exceto o que havia sido aprovado pelo concílio dos padres e declarado por direito divino pelos doutores de sua Igreja? Assim, se a religião de qualquer Igreja se torna verdadeira e salvadora porque os dirigentes daquela seita, os prelados e os padres, e aqueles dessa tribo isso apregoassem, e com todo o seu poder, a exaltassem e glorificassem, que religião poderia ser considerada errônea, falsa e destrutiva? Tenho dúvidas sobre a doutrina dos socinianos, suspeito da forma de culto praticada pelos papistas ou pelos luteranos; seria mais seguro para mim a associação a qualquer dessas Igrejas, sob o comando do magistrado, porque ele nada ordena em termos de religião, apenas obedecendo à autoridade e ao concílio dos doutores dessa Igreja?

Falando francamente, devemos reconhecer que a Igreja (se é que se pode chamar por este nome uma convenção de clérigos fazendo cânones) em grande parte tem mais condições de ser influenciada pela corte do que a corte pela Igreja. E bem sabido o que foi a Igreja sob as vicissitudes dos imperadores ortodoxos e arianos. Mas se essas épocas parecem muito remotas, nossa história inglesa moderna nos fornece exemplos recentes nos reinados de Henrique VIII, Eduardo VI, Maria e Elizabeth, de como o clero modificou fácil e rapidamente seus decretos, seus artigos de fé, sua forma de culto, e tudo o mais segundo a tendência daqueles reis e rainhas. Mas embora esses reis e rainhas tivessem opiniões tão diferentes em questões religiosas, ordenando por isso coisas tão diversas, nenhum homem em seu juízo perfeito (eu quase disse ninguém, exceto um ateu) ousaria afirmar que um honesto adorador de Deus poderia, em sã consciência, obedecer aos seus vários decretos. Concluindo, é a mesma coisa se um rei que prescreve leis para a religião de outro homem, pretende fazê-lo por seu próprio julgamento ou por meio da autoridade eclesiástica e o conselho de outros. As decisões dos clérigos, cujas diferenças e disputas são suficientemente conhecidas, não podem ser mais perfeitas e seguras do que as dele; nem podem todos os seus votos juntos acrescentar uma nova força ao poder civil. No entanto, deve ser observado também que raramente os príncipes tiveram qualquer consideração pelos votos dos eclesiásticos contrários a sua própria fé e forma de culto.

Mas, resumindo, a questão fundamental e absolutamente determinante de toda esta controvérsia é a seguinte: Embora a opinião do magistrado possa estar correta, e o caminho que ele aponta ser realmente evangélico, se eu não estiver totalmente convencido pessoalmente não me será seguro segui-lo. Nenhum caminho por qual ande contra os ditames de minha consciência jamais me levará às mansões dos bem-aventurados. Eu posso enriquecer através de um ofício que não me agrada, posso ser curado de alguma enfermidade por remédios em que não acredito; mas não posso ser salvo por uma religião em que não creio, e por um culto que não me agrada. É inútil um descrente assumir as manifestações externas de outro homem. Apenas a fé e a sinceridade interior agradam a Deus. O remédio mais promissor e em geral aprovado pode não ter efeito sobre o paciente se seu estômago o rejeita tão logo ele é tomado; e é inútil empurrar um remédio garganta abaixo de um doente cuja constituição particular certamente o transformará em veneno. Resumindo, seja qual for a dúvida em religião, o certo é que nenhuma religião em que eu não acredite pode me ser útil ou verdadeira. Por isso, é inútil os príncipes ordenarem seus súditos a pertencerem a sua própria Igreja, sob o pretexto de salvarem suas almas. Se eles acreditarem, irão por espontânea vontade; se não, de nada valerá seu comparecimento. Portanto, por maior que possa ser o pretexto de boa vontade e caridade, e a preocupação com a salvação das almas humanas, os homens não podem ser forçados a ser salvos, quer queiram quer não. Por isso, quando já foi feito tudo, deve-se deixá-los entregues às suas próprias consciências.

Tendo assim libertado os homens de toda dominação mútua em termos de religião, consideremos agora o que devem fazer? Todos os homens sabem e reconhecem que Deus deve ser publicamente cultuado; de outro modo, por que deveriam se reunir em assembleias públicas? Por conseguinte, os homens constituídos nesta liberdade devem fazer parte de alguma sociedade religiosa, devem se reunir, não somente para a edificação mútua, mas para testemunhar ao mundo que adoram a Deus e oferecerem seus serviços à Divina Majestade, demonstrando que não se envergonham de tais serviços, julgando-os valiosos e aceitáveis para Ele; finalmente, pela pureza de sua doutrina, santidade de sua vida e forma decente de culto, podem atrair outros para o amor da verdadeira religião e realizar outros serviços religiosos que não podem ser realizados pelos homens isoladamente.

Denomino estas sociedades religiosas de Igrejas; e acho que elas devem ser toleradas pelo magistrado, pois o tema dessas assembleias do povo não é nada além do que é legítimo para cada homem individualmente – o cuidado da salvação de sua alma; e neste caso não há nenhuma diferença entre a Igreja nacional e as outras dela divergentes.

Mas como em toda Igreja há dois aspectos essenciais a serem considerados – a forma externa e os ritos de culto, e as doutrinas e os artigos de fé – estas coisas devem ser tratadas distintamente, para que toda a questão da tolerância possa ser mais claramente entendida.

Com respeito ao culto externo, eu digo, em primeiro lugar, que o magistrado não tem poder de obrigar pela lei, nem em sua própria Igreja, muito menos em outra, o uso de quaisquer ritos ou cerimônias, sejam quais forem, no culto a Deus. E isso, não somente porque estas Igrejas são sociedades livres, mas porque, onde quer que sejam praticados no culto a Deus, só são justificáveis enquanto seus praticantes acreditam que será aceito por Ele. Tudo o que não for feito com base nessa garantia de fé não é bom em si nem pode ser aceito por Deus. Por isso, impor tais coisas a um povo, em oposição ao seu próprio julgamento, é na verdade ordená-los a ofender a Deus, o que, considerando-se que o objetivo de toda religião é agradá-lo, e que essa liberdade é essencialmente necessária a esse objetivo, parece um completo e total absurdo.

Mas daí talvez possa ser concluído que eu nego ao magistrado toda forma de poder sobre as questões indiferentes, o que, se não lhe for outorgado, põe de lado toda a matéria legal. Não se trata disso. Eu prontamente concordo que as questões indiferentes, nenhuma exceto estas, estão sujeitas ao poder legislativo. Mas isso não quer dizer que o magistrado pode decretar o que bem entender acerca de qualquer coisa que lhe seja indiferente. O bem público é a regra e a medida de todo legislador. Se uma determinada coisa não é útil à comunidade social, por mais indiferente que seja, não pode em razão disso ser estabelecida por lei.

Além disso, as coisas nunca são tão indiferentes em sua própria natureza, quando são levadas à Igreja e ao culto de Deus; neste caso são removidas da jurisdição do magistrado, pois nesse uso não têm relação com os assuntos civis. A única função da Igreja é a salvação das almas, e de modo algum diz respeito à comunidade civil ou a qualquer de seus membros que seja utilizada esta ou aquela cerimônia. Nem o uso nem a omissão de quaisquer cerimônias nessas assembleias religiosas favorecem ou prejudicam a vida, a liberdade ou os bens de qualquer homem. Por exemplo, admitamos que banhar o recém-nascido com água seja em si uma questão indiferente, e admitamos também que no entendimento do magistrado tal banho possa ser vantajoso na cura ou prevenção de qualquer enfermidade a que as crianças estejam sujeitas, e considere a matéria suficientemente importante para ser objeto de uma lei. Nesse caso, ele pode ordenar que isso seja feito. Mas por isso alguém poderá dizer que um magistrado tem o mesmo direito de ordenar por lei que todas as crianças devam ser batizadas por padres na fonte sagrada para a purificação de suas almas? A extrema diferença entre estes dois casos é imediatamente clara para qualquer um. Supondo-se que neste último caso a criança fosse filha de um judeu, a questão explica-se por si mesma. O que proíbe que um magistrado cristão tenha súditos judeus? Ora, se reconhecemos que tal injúria não deva ser praticada a um judeu, por obrigá-lo, contra a sua própria convicção, a praticar em sua religião algo que lhe é por natureza indiferente, como podemos admitir que algo deste tipo possa ser imposto a um cristão?

Repetindo, as questões em sua própria natureza indiferentes não podem, por nenhuma autoridade humana, ter qualquer participação no culto a Deus, justamente pelo fato de serem indiferentes. Pois, uma vez que questões indiferentes não são capazes, por qualquer virtude própria, de propiciar a Divindade, nenhum poder ou autoridade humanos pode conferir a elas tanta dignidade e excelência para capacitá-las a isso. Nos assuntos comuns da vida as questões indiferentes que Deus não proíbe são livres e legais, e por isso são passíveis de serem decididas pela autoridade humana. Mas isso não ocorre em matéria de religião. As questões indiferentes não são legais no culto a Deus se não forem instituídas por Deus, já que Ele, por alguma ordem positiva, as caracterizou como fazendo parte daquele culto que Ele concederá aceitar das mãos do pobre homem pecador. Mas se a Divindade nos indagar, "Quem exigiu isso, ou coisas desse tipo, de suas mãos?", bastará responder-lhe que o magistrado as ordenou. Se a jurisdição civil se estendesse a tal ponto, o que não poderia legalmente ser introduzido na religião? Que confusão de cerimônias, que invenções supersticiosas, emanadas da autoridade do magistrado, não poderiam (embora contra a consciência) ser impostas aos cultuadores de Deus? A maior parte destas cerimônias e superstições consiste no uso religioso de tais questões que são por sua própria natureza indiferentes; não são pecaminosas por qualquer outro motivo senão porque não foram criadas por Deus. Espargir água e o uso do pão e do vinho são ambos em sua própria natureza e nas situações da vida comum completamente indiferentes. Algum homem poderá dizer que estes elementos poderiam ter sido introduzidos na religião e se tornado parte do culto divino senão por uma instituição divina? Se qualquer autoridade humana ou poder civil pudesse ter feito isso, por que não se poderia também comer peixe e beber cerveja no banquete sagrado como parte do culto divino? Por que não se deveria espargir o sangue de animais nas igrejas, sofrer-se expiações através da água e do fogo, e tantas outras coisas deste tipo? Mas estas coisas, por mais indiferentes que possam ser no uso comum, quando são anexadas ao culto divino sem a autorização divina, constituem algo tão abominável para Deus quanto o sacrifício de um cão. E por que o sacrifício de um cão é tão abominável? Que diferença existe entre um cão e uma cabra quanto à natureza divina, iguais e infinitamente distante de toda a afinidade que importa, a menos que Deus requeira o uso de um deles, e não do outro, em seu culto? Vemos, portanto, que coisas indiferentes, por mais que dependam do poder do magistrado civil, não podem, sob esse pretexto, ser introduzidas na religião e impostas sobre as assembleias religiosas, porque, no culto a Deus, elas deixam completamente de ser indiferentes. Aquele que cultua Deus o faz com a intenção de agradá-lo e busca sua proteção. Mas isso não pode ser feito por aquele que, sob o comando de outro, oferece a Deus aquilo que sabe que irá desagradá-l'o porque não foi oferecido espontaneamente. Isto não significa agradar a Deus ou apaziguar sua ira; ao contrário, consciente e deliberadamente o provoca mediante uma ofensa manifesta, que é algo absolutamente repugnante à natureza e ao objetivo do culto.

Mas aqui será inquirido: "Se nada que pertence ao culto divino pode ser deixado à discrição humana, como as próprias Igrejas têm o poder de ordenar qualquer coisa em relação ao horário e ao local do culto, e assim por diante?" A isto eu respondo que no culto religioso devemos distinguir entre o que faz parte do culto em si e o que é apenas uma circunstância. Parte do culto é aquela que se acredita ter sido designada por Deus e agradável a Ele, sendo portanto necessária. Circunstâncias são aquelas coisas que, embora em geral não possam ser separadas do culto, seus momentos ou modificações particulares não são determinados, e por isso são indiferentes. São deste tipo o horário e o local do culto, e também os costumes e a postura daquele que cultua. Estes são circunstâncias, e completamente indiferentes, pois Deus não deu qualquer ordem expressa acerca delas. Por exemplo: entre os judeus, o horário e o lugar do seu culto e os costumes daqueles que o oficiavam não eram meras circunstâncias, mas uma parte do próprio culto, em que se algo fosse defeituoso ou alterado na instituição, eles não podiam esperar que fosse aceito por Deus. Mas estes para os cristãos que possuem liberdade evangélica, são meras circunstâncias do culto, que a ponderação de cada Igreja pode pôr em uso se julgar mais útil para o objetivo da ordem, da decência e da edificação. Mas mesmo tendo como base o Evangelho, aqueles que acreditam que o primeiro ou o sétimo dia devem ser separados para Deus e consagrados ainda ao seu culto, para eles aquela questão do tempo não é uma simples circunstância, mas uma parte real do culto divino, que não pode ser mudada nem negligenciada.

No próximo passo: Assim como o magistrado não tem poder para impor por suas leis o uso de quaisquer ritos ou cerimônias em qualquer igreja, também não tem qualquer poder para proibir o uso de tais ritos e cerimônias já aceitas, aprovadas e praticadas por qualquer igreja; porque, se assim o fizesse, destruiria a própria Igreja: o objetivo daquela instituição é apenas cultuar a Deus com liberdade, segundo a sua própria maneira.

Pode-se indagar, por esta regra, se algumas congregações tivessem uma disposição para o sacrifício de crianças ou (como foram falsamente acusados os cristãos primitivos) libidinosamente afundassem em imundície promíscua, ou ainda praticassem quaisquer outras enormidades hodiendas, o magistrado seria obrigado a tolerá-las pelo fato de serem cometidas em uma assembleia religiosa? Eu respondo que não. Estas coisas não são legítimas no curso normal da vida nem em qualquer lar privado; por isso não o são também no culto a Deus ou em qualquer encontro religioso. Mas, na verdade, se qualquer grupo reunido por pretexto religioso deseje sacrificar um bezerro, discordo que isso deva ser proibido por lei. Sendo Milibeu dono de seu bezerro, ele pode legalmente matar seu bezerro em casa e assar a porção por ele escolhida. Isso não causa danos a ninguém nem prejudica os bens de qualquer outro homem. Pela mesma razão, ele pode matar seu bezerro em um encontro religioso. Se o que ele faz é ou não agradável a Deus, cabe a ele considerar. O papel do magistrado é apenas cuidar para que a comunidade civil não seja prejudicada, e neste caso

não há qualquer dano a outro homem, seja em

sua vida, seja em seus bens. Aquilo que pode ser despendido em um banquete, pode ser despendido em um sacrifício. Mas se porventura o estado de coisas fosse tal que o interesse da comunidade civil exigisse que toda a matança de animais fosse evitada por algum tempo, para o aumento da reserva de gado que foi destruída por alguma peste, quem não percebe que o magistrado, em tal caso, pode proibir todos os seus súditos de matar qualquer bezerro, não importa para que uso? Só deve ser observado, neste caso, que a lei não foi prescrita por uma questão religiosa, mas por uma questão política, não sendo proibido o sacrifício, mas a matança de bezerros.

Vê-se assim a diferença entre a Igreja e a comunidade civil. O que quer que seja legal na comunidade civil, não pode ser proibida pelo magistrado na Igreja. O que quer que seja permitido a qualquer de seus súditos para seu uso comum, não pode nem deve ser proibido a qualquer seita para seu uso religioso. Seja sentado ou ajoelhado, se um homem pode legalmente comer pão e beber vinho em sua própria casa, a lei não deve privá-lo da mesma liberdade em seu culto religioso; embora na Igreja o uso do pão e do vinho seja muito diferente, e lá ele seja aplicado aos mistérios da fé e aos ritos do culto divino. Mas as coisas que são prejudiciais à comunidade civil de um povo em seu uso comum e são por isso proibidas por lei, não devem ser permitidas às Igrejas em seus ritos sagrados. Mas o magistrado deve sempre ser muito cauteloso no tratamento desses assuntos, para não fazer mau uso de sua autoridade oprimindo qualquer Igreja, sob o pretexto do bem público.

Poder-se-á perguntar: E se uma igreja for idólatra, deverá também ser tolerada pelo magistrado? Eu respondo com outra pergunta: Que poder pode ser dado ao magistrado para a supressão de uma igreja idólatra que, em tempo e lugar, não possa ser igualmente usado para a destruição de uma igreja ortodoxa? Deve ser lembrado que o poder civil é o mesmo em toda parte, e a religião de todo príncipe é ortodoxa para ele próprio. Por isso, se for outorgado um poder ao magistrado civil em questões espirituais, como aquele de Genebra, por exemplo, ele pode extirpar, por meio da violência e do sangue, a religião considerada idólatra, pela mesma autoridade que outro magistrado, em algum país vizinho, pode oprimir a religião reformada, e, na índia, a cristã. O poder civil pode modificar tudo na religião, ao bel-prazer do príncipe, ou não pode modificar nada. Uma vez permitida por leis e punições a introdução de algo na religião, não haverá mais limites para isso; mas isso concederá ao magistrado o poder de modificar tudo segundo a regra da verdade por ele criada. Nenhum homem deve ser privado de seus bens terrenos por motivo religioso. Nem mesmo os americanos, submissos a um príncipe cristão, devem ser despojados da vida ou de seus bens por não abraçarem nossa fé e nosso culto. Se forem convencidos de que agradam a Deus observando os ritos de seu próprio país, e que alcançarão a felicidade através daqueles meios, devem ser deixados em paz e com Deus. Retornemos à origem desta questão. Tudo começou com um grupo pequeno e insignificante de cristãos, despojados de tudo, que chegaram a um país pagão; estes estrangeiros pediram aos habitantes, em nome da humanidade, que eles os socorressem com os elementos essenciais à vida; aqueles elementos lhes foram dados, foi-lhes garantida habitação, e todos se juntaram e constituíram um único povo. Assim a religião cristã criou raízes e se expandiu naquele país, mas não se tornou de repente a mais forte. Nessas condições, a paz, a amizade, a fé e a justiça imparcial foram preservadas entre eles. Aos poucos o magistrado tornou-se um cristão, e assim os cristãos se tornaram o grupo mais poderoso. Imediatamente, todos os pactos foram rompidos e todos os direitos civis violados, para que se pudesse extirpar a idolatria, e aqueles inocentes pagãos, observadores rigorosos das regras da igualdade e da lei da natureza, que de forma alguma ofendiam as leis da sociedade, a menos que abandonassem sua antiga religião e abraçassem uma religião nova e estranha, seriam despojados de suas terras e das posses de seus antepassados, talvez até privados de sua própria vida. Vemos, afinal, claramente, o que o zelo pela Igreja, acompanhado do desejo de dominação, é capaz de produzir, e como a religião e a salvação das almas podem ser facilmente utilizadas como subterfúgio para a cobiça, a pilhagem e a ambição.

Quem acreditar que a idolatria deve ser extirpada de qualquer lugar por meio de leis, punições, fogo e espada, pode aplicar esta história para si. Pois o cerne da questão é o mesmo, tanto na América quanto na Europa. E nem os pagãos de lá nem os cristãos daqui, seja por que direito for, podem ser privados de seus bens terrenos pela facção predominante de uma igreja nacional; e nenhum direito civil pode ser modificado ou violado sob o pretexto da religião em um ou em outro lugar.

Mas alguns afirmam que a idolatria é pecado, não devendo por isso ser tolerada. Se disserem que a idolatria é pecado e por isso deve ser evitada, a inferência está correta. Mas não estará correta, se por se tratar de um pecado deverá ser por isso punida pelo magistrado. Não cabe ao magistrado fazer uso de sua espada para punir, indiferentemente, tudo aquilo que acredita ser um pecado contra Deus. A cobiça, a falta de caridade, a frivolidade e muitas outras coisas são pecados, por consentimento do homem, pois nenhum homem jamais disse que deveriam ser punidas pelo magistrado. A razão disso é que não são prejudiciais aos direitos de outro homem nem perturbam a paz pública das sociedades. Mesmo os pecados da mentira e do perjúrio não são em parte alguma puníveis pelas leis; exceto em alguns casos em que a real torpeza da atitude e a ofensa contra Deus não são consideradas, mas apenas a injúria cometida aos vizinhos e à comunidade civil. E o que ocorre naqueles países em que, para um príncipe maometano ou um príncipe pagão, a religião cristã parece falsa e ofensiva a Deus? Pela mesma razão e da mesma maneira os cristãos não podem ser dali extirpados?

Pode ser ainda alegado que, pela lei de Moisés, os idólatras devem ser extirpados. Isto realmente é verdade pela lei de Moisés; mas não é obrigatório para nós, cristãos. Ninguém pretende que tudo em geral estabelecido pela lei de Moisés deva ser praticado pelos cristãos; mas nada é mais leviano que aquela distinção comum entre lei moral, judicial e cerimonial, usada normalmente pelos homens. Nenhuma lei positiva, seja qual for, pode obrigar qualquer pessoa, exceto aquelas para as quais foi feita. "Ouve, ó Israel" limita suficientemente as obrigações da lei de Moisés apenas àquele povo. E somente esta consideração basta como resposta àqueles que reclamam a autoridade da lei de Moisés para infligir a pena capital aos idólatras. Entretanto, vou examinar mais de perto este argumento.

Do ponto de vista da comunidade civil judia, o caso dos idólatras cai sob uma consideração dupla. A primeira delas é que aqueles que foram iniciados nos ritos mosaicos, e se tornaram cidadãos daquela comunidade civil, abjuraram mais tarde o culto do Deus de Israel. Estes foram tratados como traidores e rebeldes, considerados culpados de alta traição. Isto porque a comunidade civil dos judeus, diferente neste aspecto de todas as outras, era uma teocracia absoluta; lá não havia, nem podia haver, qualquer diferença entre a comunidade civil e a Igreja. As leis ali estabelecidas que diziam respeito ao culto de uma Divindade invisível eram as leis civis daquele povo e faziam parte de seu governo político, onde o próprio Deus era o legislador. Ora, se alguém puder me mostrar onde existe uma comunidade civil nos tempos de hoje constituída sobre estes fundamentos, eu admitirei que lá as leis eclesiásticas inevitavelmente se tornam uma parte das leis civis, e os súditos daquele governo podem e devem ser mantidos em estrita conformidade com aquela Igreja através do poder civil. Mas não existe, de modo algum, tal coisa prescrita pelo Evangelho com respeito a alguma comunidade civil cristã. Há, com certeza, muitas cidades e reinos que abraçaram a fé de Cristo, mas mantiveram sua antiga forma de governo, em que a lei e Cristo não se mesclou. Na verdade, Ele ensinou aos homens como, pela fé e pelas boas ações, eles podem obter a vida eterna; mas não instituiu a comunidade civil. Não prescreveu a seus seguidores nenhuma forma nova e peculiar de governo, assim como não pôs a espada na mão de nenhum magistrado, outorgando-lhe o poder de usá-la para obrigar os homens a abandonar sua antiga religião e receber a sua.

Em segundo lugar, os estrangeiros ou os estranhos à comunidade civil de Israel não eram obrigados pela força a seguir os ritos da lei mosaica; ao contrário, exatamente no mesmo parágrafo em que está declarado que um israelita idólatra deve ser condenado à morte (Ex 22,20.21), está estipulado que os estrangeiros não devem ser humilhados ou oprimidos.

Admito que as sete nações que possuíam a terra que foi prometida aos israelitas deveriam mais tarde ser eliminadas; mas isso não foi feito unicamente por serem idólatras. Pois, se esta tivesse sido a razão, por que os moabitas e outras nações foram poupados? Não, a razão foi a seguinte: Como Deus era especificamente o Rei dos judeus, não podia admitir a adoração de qualquer outra divindade (pois isto consistia rigorosamente em um ato de alta traição contra Ele) na terra de Canaã, que era o seu reino. Tal revolta manifesta não podia de forma alguma se harmonizar com sua dominação, que era absolutamente política naquele país. Por isso, toda a idolatria foi extirpada dos limites do seu reino, por ser um reconhecimento de outro deus, ou seja, outro rei, contrário às leis do império. Os habitantes também foram expulsos, para que toda a terra fosse entregue aos israelitas. Pela mesma razão, os emitas e os hurritas foram expulsos de seus países pelos filhos de Esaú e Lot; e suas terras, pelos mesmos motivos, foram entregues por Deus aos invasores (Dt 2). Mas, embora toda a idolatria tivesse sido assim extirpada da terra de Canaã, ainda assim nem todos os idólatras foram executados. Toda a família de Raab e toda a nação dos gabaonitas articularam-se com Josué e foram poupadas por um tratado; e entre os judeus havia muitos cativos que eram idólatras. Davi e Salomão conquistaram muitos países fora dos limites da Terra Prometida, estendendo suas conquistas até o Eufrates. Entre tantos prisioneiros, tantas nações submetidas a sua obediência, não encontramos nenhum homem obrigado a professar a religião judaica e o culto do verdadeiro Deus, e punido por idolatria, embora todos eles fossem certamente disso culpados. Entretanto, se alguém se tornasse um prosélito e desejasse se tornar um cidadão de sua comunidade, era obrigado a se submeter às suas leis; ou seja, abraçar sua religião. Mas isso era feito voluntariamente, por consentimento próprio, não por coerção. Ele não se submetia contra a sua vontade, para mostrar sua obediência, mas buscava e solicitava essa submissão como um privilégio. Uma vez admitido, tornava-se sujeito às leis da comunidade civil, pelas quais toda idolatria era proibida dentro dos limites da terra de Canaã. Mas essa lei (como eu já disse) não atingia nenhuma daquelas regiões situadas fora desses limites, ainda que dominadas pelos judeus.

Eis o que diz respeito ao culto externo. Consideremos agora os artigos de fé.

Os artigos de religião são em parte práticos e em parte especulativos. Embora ambos os tipos consistam no conhecimento da verdade, estes terminam simplesmente no entendimento, enquanto aqueles influenciam a vontade e os costumes. Por isso, as opiniões especulativas e os artigos de fé (como são chamados) que se requer apenas que sejam acreditados, não podem ser impostos a qualquer Igreja pela lei da terra. Pois é absurdo que sejam impostas por lei coisas que o homem não pode realizar. E acreditar que isto ou aquilo seja verdade não depende de nossa vontade. Mas já dissemos o suficiente a respeito. Nesse caso (alguns dirão), deixemos que os homens professem pelo menos aquilo em que acreditam. Uma doce religião, na verdade, que obriga os homens a dissimular e a mentir, tanto a Deus quanto aos outros homens, para a salvação de suas almas! Se o magistrado acredita que assim vá salvar os homens, ele parece acreditar pouco na forma de salvação. E se não o faz para salvá-los, por que se preocupa tanto com os artigos de fé a ponto de torná-los obrigatórios por lei?

Além disso, o magistrado não deve proibir a pregação ou a profissão de quaisquer opiniões especulativas, em qualquer Igreja, porque elas não têm nenhuma relação com os direitos civis dos súditos. Se um católico romano acredita ser realmente o corpo de Cristo o que outro homem chama de pão, com isso ele não está prejudicando seu vizinho. Se um judeu não acredita que o Novo Testamento seja a Palavra de Deus, com isso não está alterando em nada os direitos civis dos homens. Se um ateu duvida de ambos os testamentos, não deve ser por isso punido como um cidadão pernicioso. O poder do magistrado e os bens do povo podem ser igualmente assegurados quer um homem acredite ou não nestas coisas. Eu afirmo categoricamente que estas opiniões são falsas e absurdas. Mas a função das leis não é promover a verdade das opiniões, mas a segurança da comunidade civil e dos bens e das pessoas dos indivíduos. E assim deve ser. Pois a verdade certamente ficará muito bem se for deixada modificar-se por si mesma. Ela dificilmente recebeu, e eu temo que jamais venha a receber, muita assistência por parte do poder dos grandes homens, por quem ela só é conhecida muito raramente, e mais raramente ainda ben-vinda. Ela não é ensinada por leis nem necessita da força para se instalar no espírito dos homens. Na realidade, são os erros que prevalecem por ajuda externa e auxílio emprestado. Se a verdade não conquistar por si mesma e por sua luz o entendimento, não poderá fazê-lo por qualquer força estranha e violenta. Mas isto já é o bastante sobre as opiniões especulativas. Passemos às opiniões práticas.

Uma vida íntegra, que não consiste em um aspecto desprezível da religião e da piedade sincera, diz respeito também ao governo civil; e nela repousa a segurança tanto da alma humana quanto da comunidade civil. As ações morais pertencem, por isso, à jurisdição de ambos os tribunais, externo e interno; ao governo civil e ao governo doméstico; ou seja, ao magistrado e à consciência. Neste ponto, portanto, existe um grande perigo: o de que uma destas jurisdições interfira na outra e surja a discórdia entre o mantenedor da paz pública e os guardiães das almas. Mas se for rigorosamente considerado o que já foi dito acerca dos limites destes dois governos, toda a dificuldade nesta matéria será facilmente removida.

Todo homem tem uma alma imortal, apta para alcançar a felicidade ou a miséria eternas; mas a felicidade depende de sua fé e das ações que pratica nesta vida, necessárias à obtenção do favor de Deus e por Ele prescritas para este fim. Segue-se daí, em primeiro lugar, que a observância destas coisas é a mais elevada obrigação que pesa sobre a humanidade, devendo ser exercidos o máximo cuidado, aplicação e diligência em sua busca e realização. Porque não existe nada neste mundo que seja de maior consideração em comparação com a eternidade. Em segundo lugar, a percepção de que um homem não viola os direitos de outro por suas opiniões erradas e pelo modo indevido como pratica seu culto, nem sua perdição causa qualquer prejuízo aos assuntos de outro homem, e portanto o cuidado da salvação de cada homem pertence apenas a ele próprio. Mas eu não teria entendido isto se pretendesse condenar todas as admoestações caridosas e as tentativas afetuosas para reduzir os erros humanos, que são na verdade o maior dever de um cristão. Qualquer um pode empregar tantas exortações e tantos argumentos quantos lhe aprouver para a promoção da salvação de outro homem. Mas toda força e compulsão devem ser evitadas. Nada deve ser feito imperiosamente. Ninguém é obrigado nessa matéria a prestar obediência às admoestações ou injunções de outro, além daquilo de que esteja convencido. Neste sentido, todo homem tem a suprema e absoluta autoridade para julgar por si mesmo, porque ninguém mais está empenhado nisso nem pode sofrer qualquer prejuízo devido a sua conduta.

Mas além de suas almas imortais, os homens têm também suas vidas temporais na terra; como sua condição é frágil e transitória, e a duração incerta, necessitam de várias conveniências externas para sustentá-la, que devem ser buscadas ou preservadas pelos sofrimentos e pela diligência. Essas coisas necessárias à manutenção confortável de nossas vidas não são produtos espontâneos da natureza nem surgem por si mesmas e prontas para nosso uso. Portanto, esta parte exige um outro cuidado e, obrigatoriamente, implica outra ocupação. Mas a perversão dos homens é tal que eles preferem ofensivamente usufruir dos frutos do trabalho de outros homens, em lugar de trabalhar para se prover do necessário para preservá-los na posse do que a indústria honesta já adquiriu, e também preservar sua liberdade e sua energia, por meio das quais eles podem adquirir outras coisas mais; isso obriga os homens a se associarem, e através da assistência mútua e da força conjunta eles podem assegurar um ao outro suas propriedades, nas coisas que contribuem para o conforto e a felicidade desta vida; neste meio-tempo, fica a cargo de cada homem o cuidado de sua própria felicidade eterna, cuja obtenção não pode ser facilitada pela diligência de outro homem nem cuja perda importe em dano para outro homem, nem ainda a esperança de alcançá-la pode ser dele retirada por qualquer violência externa. Mas, embora unidos em sociedades, fundamentados sobre acordos mútuos de assistência para a defesa de seus bens temporais, os homens podem se ver privados deles, seja por pilhagem ou fraude de seus concidadãos, seja pela violência hostil dos estrangeiros; o remédio para este mal consiste em armas, riqueza e multidões de cidadãos; o recurso para os outros são as leis; e o cuidado de todas as coisas relacionadas a um e a outro é outorgado pela sociedade ao magistrado civil. Esta é a origem, este é o uso, estes são os limites do poder legislativo (que é supremo) em toda comunidade civil. Quero dizer com isto que podem ser tomadas providências visando a segurança das posses de cada homem individualmente; da paz, das riquezas e dos bens públicos de todo o povo; e, tanto quanto possível, para o aumento de sua força interna contra invasões estrangeiras.

Isto estabelecido, é fácil entender os fins que devem ser buscados pelo poder legislativo e as medidas que devem regulamentá-lo; estes são os bens temporais e a prosperidade externa da sociedade, a única razão por que o homem entra em sociedade e a única coisa que nela busca e deseja. Também é evidente que a liberdade do homem permanece relacionada com a sua salvação eterna, e que todos devem fazer o que sua consciência está convencida de que será aceito pelo Todo-poderoso, de cuja boa vontade e aceitação depende sua felicidade eterna. Porque se deve, antes de tudo, obediência a Deus; depois às leis.

Mas pode-se perguntar o que aconteceria se o magistrado ordenasse alguma coisa por sua autoridade que parecesse ilegal à consciência de determinada pessoa? Eu respondo que se o governo for fielmente administrado, e os conselhos dos magistrados estiverem realmente dirigidos ao bem público, isto raramente ocorrerá. Mas se isso por acaso acontecer, afirmo que tal pessoa deve se abster da ação que julga ilegal, embora tenha de se submeter à punição que não lhe é ilegal suportar. O julgamento particular de qualquer pessoa com relação a uma lei decretada em assuntos políticos, visando o bem público, não suprime o cumprimento dessa lei, nem merece a desobrigação. Mas se a lei na verdade disser respeito a coisas que não estão dentro do âmbito da autoridade do magistrado (como, por exemplo, aquela do povo ou de qualquer grupo de pessoas ser compelido a abraçar uma religião estranha e se reunir no culto e em cerimônias de outra Igreja), os homens nestes casos não devem obediência a essas leis, contrárias às suas consciências. Pois a sociedade política é constituída pela razão única de assegurar a cada homem a posse de coisas sobre a sua vida. O cuidado da alma de cada homem e das coisas do céu, que não pertence à comunidade e nem pode estar a ela submetido, deve ser deixada inteiramente a cargo de cada um. Assim como a salvaguarda das vidas dos homens e das coisas que lhe pertencem em vida são obrigação da comunidade civil; e a preservação destas coisas aos seus proprietários é dever do magistrado. Por isso, o magistrado não pode pôr de lado estas coisas terrenas deste ou daquele homem ou partido, deixando a cargo deles o seu cuidado; nem alterar a propriedade entre os concidadãos (nem mesmo por meio de uma lei), por uma causa que não esteja relacionada ao objetivo do governo civil, quero dizer, por sua religião, que seja falsa ou verdadeira não prejudica as preocupações terrenas de seus concidadãos, que por sua vez só dizem respeito ao cuidado da comunidade civil.

Mas, se o magistrado acreditar que tal lei visa o bem público? Eu respondo: assim como o julgamento particular de qualquer indivíduo, mesmo errôneo, não o isenta do cumprimento da lei, da mesma forma o julgamento particular (se posso chamá-lo assim) do magistrado não lhe dá nenhum direito de impor leis a seus súditos que não estejam na constituição do governo a ele outorgado, ou em poder do povo outorgar, e muito menos se ele se ocupa de enriquecer e promover seus companheiros e partidários em detrimento de outros. Mas se o magistrado acredita ter o direito de fazer tais leis, e que elas visam o bem público, e seus súditos acreditam o contrário? Quem deverá julgar entre eles? Eu respondo: apenas Deus. Pois não há juiz sobre a terra que possa julgar entre o magistrado supremo e o povo. Eu afirmo que Deus é o único juiz neste caso, que no dia do juízo final retribuirá a cada um segundo o seu merecimento; ou seja, segundo sua sinceridade e sua integridade no esforço de promover a piedade, o bem público e a paz entre os homens. Mas o que deve ser feito neste meio-tempo? Eu respondo: O cuidado principal e fundamental de cada um deve ser, em primeiro lugar, o de sua alma, e, depois, o da paz pública; embora muito poucos pensarão que existe paz aqui, onde veem tudo devastado.

Há dois tipos de controvérsias entre os homens, uma estabelecida pela lei, a outra pela força; e são de natureza tal que uma termina onde a outra principia. Mas não cabe a mim inquirir até onde vai o poder do magistrado nas diferentes constituições das nações. Sei apenas o que em geral acontece quando surgem controvérsias na ausência de um juiz. Poderão dizer, então, que o magistrado é o mais forte, e portanto fará predominar sua vontade e seu ponto de vista. Sem dúvida; mas aqui não estamos tratando de casos duvidosos, mas da regulamentação do correto.

Retomemos os casos particulares. Eu digo, em primeiro lugar, que nenhuma opinião contrária à sociedade humana ou àquelas regras morais necessárias à preservação da sociedade civil deve ser tolerada pelo magistrado. Mas exemplos destes são raros em qualquer Igreja. Porque nenhuma seita pode facilmente atingir tal grau de loucura que a leve a pensar que é adequado pregar, como doutrina da religião, coisas que manifestamente minem as fundações da sociedade, o que provocaria sua condenação por julgamento de toda a humanidade, pois colocaria em risco seu próprio interesse, a paz e a respeitabilidade.

Outro mal mais encoberto, mas mais perigoso à comunidade civil, é quando os homens arrogam a si mesmos e àqueles de sua própria seita alguma prerrogativa peculiar acobertada por uma demonstração ilusória de palavras falsas, mas de fato opostas ao direito civil da comunidade. Por exemplo, não podemos encontrar qualquer seita que ensine, expressa e abertamente, que os homens não são obrigados a cumprir suas promessas; que os príncipes podem ser destronados por aqueles que têm religião diferente da dele; ou que a dominação de todas as coisas pertence apenas a eles próprios. Estas noções, formuladas franca e claramente, despertariam de imediato a atenção do magistrado e abririam os olhos da comunidade civil para um cuidado contra a difusão de um mal tão perigoso. Não obstante, encontramos aqueles que dizem as mesmas coisas em outras palavras. O que mais dizem aqueles que ensinam que não se deve cumprir as promessas feitas aos hereges? Certamente acreditam que o privilégio de transgredir o prometido cabe apenas a eles; pois declaram que todos os que não estão em comunhão com eles são hereges, ou pelo menos assim denominam quem quer que julguem conveniente. Qual pode ser o significado da afirmação de que os reis excomungados perdem o direito às suas coroas e aos seus reinos? É evidente que eles se arrogam o poder de depor reis, porque desafiam o poder da excomunhão como direito específico de sua hierarquia. Esse domínio fundado na graça consiste também em uma asserção pela qual aqueles que a sustentam são dotados da posse de todas as coisas. Não são modestos a ponto de recusarem a acreditar, ou pelo menos se professarem verdadeiramente piedosos e crentes. Estes, e outros semelhantes, que atribuem a si mesmos a fé, a religião e a ortodoxia, ou seja, que em questões civis se atribuem qualquer privilégio ou poder acima dos outros mortais; ou sob o pretexto da religião reivindicam qualquer forma de autoridade sobre aqueles que não pertencem a seu grupo eclesiástico; a estes eu digo que não cabe qualquer direito à tolerância por parte do magistrado; nem àqueles que não reconhecem nem ensinam o dever da tolerância a todos os homens em questões puramente religiosas. Pois o que significam todas essas doutrinas e outras similares senão que podem, e estão prontas, quando surgir a oportunidade, para tomar o governo e se apropriar dos bens e das fortunas de seus concidadãos; e que pedem licença para serem toleradas pelo magistrado apenas até que se encontrem suficientemente fortes para efetuar o seu ataque?

Repito: Não tem o direito de ser tolerada pelo magistrado a igreja constituída de tal modo que todos aqueles que nela ingressam se entregam *ipso facto* à proteção e ao serviço de outro príncipe. Se o magistrado a tolerasse, estaria dando margem ao estabelecimento de uma jurisdição estrangeira em seu próprio país e ao alistamento de seu próprio povo como soldados contra seu próprio governo. Nem a inútil e falaz distinção entre a corte e a Igreja oferece qualquer remédio contra este mal; em especial quando ambas estão igualmente sujeitas à autoridade absoluta da mesma pessoa, que não somente tem o poder de persuadir os membros de sua Igreja a qualquer coisa, seja algo puramente religioso ou algo que tenda a isso, mas pode também ordená-los sob pena do fogo eterno. É ridículo alguém se denominar maometano apenas em sua religião, se em tudo o mais é um súdito fiel de um magistrado cristão, enquanto ao mesmo tempo admite obediência cega ao mufti de Constantinopla, ele mesmo totalmente subserviente ao imperador otomano e formulando os oráculos simulados daquela religião segundo seu bel-prazer. Este maometano que vive entre cristãos repudiaria mais obviamente o seu governo se reconhecesse na mesma pessoa o chefe de sua Igreja e o supremo magistrado do Estado.

Por fim, aqueles que não devem de forma alguma ser tolerados – os que negam a existência de Deus. As promessas, os pactos e os juramentos, que são os vínculos da sociedade humana, não devem ser mantidos com um ateu. A supressão de Deus, ainda que apenas em pensamento, destrói tudo; além disso, aqueles que por seu ateísmo solapam e destroem toda religião não podem, pretextando religião, reivindicar para si o privilégio da tolerância. Quanto às outras opiniões práticas, embora não absolutamente isentas de erros, se não tendem a estabelecer uma dominação sobre os outros, ou impunidade civil para a Igreja em que são ensinadas, não há razão para que não devam ser toleradas.

Resta-me dizer algo sobre aquelas assembleias conhecidas por colocarem as maiores objeções a esta doutrina da tolerância e que são popularmente consideradas como conventículos e viveiros de sedições, o que possivelmente foram algum dia. Mas isso não ocorreu devido a alguma peculiaridade inerente a tais assembleias, mas às infelizes circunstâncias de uma liberdade oprimida ou malformulada. Estas acusações teriam logo cessado se a lei da tolerância fosse aprovada, de tal modo que todas as Igrejas fossem obrigadas a estabelecer a tolerância como a base de sua própria liberdade, e ensinassem que a liberdade de consciência é direito natural de todo homem, pertencendo igualmente aos dissidentes; e que ninguém devia ser coagido em termos de religião, fosse pela lei ou pela força. O estabelecimento deste princípio único removeria todas as fontes de queixas e tumultos em nome da consciência; e, uma vez removidas as causas dos descontentamentos e das animosidades, nada restaria nessas assembleias que não fosse mais pacífico e menos propenso a produzir distúrbios políticos que em qualquer outro tipo de reunião. Mas examinemos agora o teor destas acusações.

Dirão que as assembleias e as reuniões colocam em risco a paz pública e ameaçam a comunidade civil. Eu pergunto: se fosse assim, por que há diariamente tantas reuniões nos mercados e nos tribunais de justiça? Por que há multidões na Bolsa e gente comprimida nas cidades? Dirão que estas são assembleias civis, ao passo que as que criticamos são eclesiásticas. Ao que eu replico que há algo realmente provável, pois como tais assembleias estão totalmente afastadas das questões civis estariam mais aptas para complicá-las. Ora, mas as assembleias civis são compostas de homens que diferem um do outro em termos de religião, mas os encontros eclesiásticos são de pessoas que têm todas a mesma opinião. Como se a concordância em termos de religião fosse na verdade uma conspiração contra a comunidade civil; como se os homens fossem tão mais ardentemente unânimes em termos de religião quanto menos liberdade tivessem de se reunir. Contudo, ainda insistirão que as assembleias civis estão franqueadas para quem quiser entrar, enquanto os conventículos religiosos são mais privados, e por isso dão oportunidade a maquinações clandestinas. Reflito que isto não é estritamente verdade, pois muitas assembleias civis não são franqueadas a todos. E se alguns encontros religiosos são privados, quem (peço-lhes que me digam) deve ser censurado por isso, aqueles que desejam ou aqueles que proíbem que eles sejam públicos? Mais uma vez, dirão que a comunhão religiosa é um vínculo muito forte entre as mentes e os espíritos dos homens, sendo por isso a mais perigosa. Mas se é assim, por que o magistrado não tem medo de sua própria igreja; e por que ele não proíbe suas assembleias como coisas perigosas ao seu governo? A isto responderão que é pelo fato dele mesmo fazer parte dela e até ser o seu chefe. Como se ele também não fosse parte da comunidade civil e o chefe de todo o povo!

Falemos francamente. O magistrado teme as outras Igrejas, mas não a sua, porque ele favorece e trata bem sua igreja, mas é severo e cruel com as outras. Esta ele trata como uma criança, com quem é indulgente e chega até a brincar. Aquelas ele usa como escravos, e por mais impecavelmente que eles se comportem, só são recompensados com galés, prisões, confiscos e morte. Estas ele protege e defende; aquelas ele continuamente açoita e oprime. Deixemos que ele mude de posição. Ou deixemos que aqueles dissidentes desfrutem dos mesmos privilégios que os outros súditos nas questões civis, e rapidamente ele perceberá que estes encontros religiosos não serão mais tão perigosos. Se os homens entram em conspirações sediciosas, não é a religião que os inspira a isso em seus encontros, mas seus sofrimentos e opressões que os tornam desejosos de se aliviar. Os governos justos e moderados são em toda parte tranquilos e seguros; mas a opressão provoca agitações e faz com que os homens lutem para se libertar de uma carga difícil e tirânica. Eu sei que essas sedições são muito frequentemente organizadas sob o pretexto da religião, mas também é verdade que, para a religião, os súditos são quase sempre maltratados e vivem miseravelmente. Creia-me, os tumultos não procedem de alguma disposição peculiar desta ou daquela Igreja ou sociedade religiosa, mas da disposição comum de toda a humanidade, pois quando os homens sofrem sob qualquer carga pesada, se esforçam naturalmente para sacudir a canga que estrangula seus pescoços. Suponhamos que esta questão da religião seja posta de lado e que houvesse outras distinções entre os homens por conta de suas diferentes compleições, formas e características, e aqueles que têm cabelos negros (por exemplo) ou olhos castanhos não devam desfrutar dos mesmos privilégios que os outros cidadãos; que eles não tenham permissão de comprar ou vender, ou viver de seus ofícios; que os pais não possam ter o governo e a educação dos próprios filhos; que todos devam ser excluídos do benefício das leis ou se defrontem com juízes parciais; pode-se duvidar que estas pessoas, assim distinguidas das outras pela cor de seus cabelos e olhos, e unidas por uma perseguição comum, seriam tão perigosas para o magistrado quanto outras que se associaram apenas devido à religião? Alguns se associam para o comércio e o lucro, outros pela ausência de negócios têm seus clubes para beber clarete. Mas apenas uma coisa reúne as pessoas em agitações sediciosas: a opressão.

Poderão questionar: Mas como se pretender que as pessoas se reúnam para o serviço divino contra a vontade do magistrado? Eu respondo, perguntando: Por que contra a sua vontade? Não é legítimo e necessário que eles se encontrem? Contra a sua vontade, dizem? É disso que eu me queixo; é esta a verdadeira raiz de toda a discórdia. Por que as assembleias são menos toleráveis em uma igreja do que em um teatro ou em um mercado? Aqueles que lá se encontram não são mais viciosos ou mais turbulentos que os que se reúnem em outros locais. A questão é que eles são mal-acostumados, por isso não devem ser tolerados. Ponham de lado a parcialidade usada para com eles em termos do direito comum; mudem as leis, suprimam as penalidades a que são sujeitos, e todas as coisas imediatamente se tornarão seguras e pacíficas; além disso, aqueles que são contrários à religião do magistrado estarão muito mais inclinados a manter a paz da comunidade civil se suas condições forem ali melhores que em outro lugar; e todas as várias congregações isoladas, assim como tantos guardiães da paz pública, vigiarão um ou outro, para que nada possa ser inovado ou modificado na forma do governo, porque não podem esperar por nada melhor que aquilo de que já desfrutam – ou seja, uma igual condição com seus concidadãos, sob um governo justo e moderado. Mas se aquela Igreja que concorda em religião com o príncipe for favorecida pelo apoio do chefe de qualquer governo civil, e isto por nenhuma outra razão (como já foi mostrado) exceto porque o príncipe é bom e as leis são a ela favoráveis, como será maior a segurança do governo em um lugar onde todos os súditos, seja de que Igreja forem, sem qualquer distinção por conta da religião, e desfrutando da mesma proteção do príncipe e do mesmo benefício das leis, se tornem o apoio e a guarda desse governo, e onde ninguém terá qualquer ocasião de temer a severidade das leis, exceto aqueles que prejudiquem seus vizinhos e violem a paz civil?

Disso podemos tirar uma conclusão. O resumo de tudo o que acionamos aqui é que todo homem pode desfrutar dos mesmos direitos que são garantidos a outros. É permitido cultuar a Deus à maneira romana? Que seja permitido também fazê-lo à maneira de Genebra. É permitido falar latim no mercado? Permitam que aqueles que o desejem, o façam também na igreja. É legal qualquer homem em sua própria casa ajoelhar-se, ficar de pé, sentar-se ou utilizar qualquer outra postura; e vestir-se de branco ou de negro, em trajes curtos ou longos? Suspendam a ilegalidade de comer pão, tomar vinho ou banhar-se com água na igreja. Em suma, todas as coisas que são livres por lei nas ocasiões comuns da vida, que sejam liberadas por lei no culto divino. Não permitam que a vida, o corpo, a casa ou os bens do homem sofram qualquer forma de dano por tais questões. Podem admitir a disciplina presbiteriana? Por que os episcopais também não têm o que gostam? A autoridade eclesiástica, seja ela administrada pela mão de uma ou mais pessoas, é em toda parte a mesma; e nenhuma delas tem qualquer jurisdição nas questões civis, nem qualquer poder de compulsão, nem nada a ver com as riquezas e as receitas.

As assembleias e os sermões eclesiásticos são justificados pela experiência diária e pelo consentimento público. Estes são permitidos às pessoas de alguns credos; por que não a todas? Se algo ocorre em um encontro religioso, sediciosamente ou em contrário ao bem público, deve ser punido da mesma maneira, e não de outra forma, exatamente como se houvesse acontecido em uma feira ou em um mercado. Esses encontros não devem ser santuários para companheiros facciosos ou corruptos. Nem deve ser menos legal aos homens encontrarem-se em igrejas do que em salões; nem uma parte dos súditos deve ser considerada mais censurável por seus encontros do que outras. Cada um deve ser responsável por suas próprias ações, e nenhum homem deve ficar sob uma suspeita ou ódio por culpa de outro. Aqueles sediciosos, assassinos, bandidos, ladrões, adúlteros, difamadores etc., de qualquer Igreja que seja, nacional ou não, devem ser punidos e banidos. Mas aqueles cuja doutrina é pacífica e cujas maneiras são puras e inocentes, devem estar em termos de igualdade com seus concidadãos. Assim, se as assembleias solenes, a participação em festivais, o culto público forem permitidos a todo o tipo de adeptos, todas essas coisas devem ser permitidas aos presbiterianos, independentes, anabatistas, arminianos, quakers e outros, com a mesma liberdade. Além disso, se podemos expressar abertamente a verdade, como convém de um homem para outro, nem o pagão nem o maometano nem o judeu devem ser excluídos dos direitos civis da comunidade devido a sua religião. O Evangelho não ordena tal coisa. A Igreja que "não julga os que estão de fora" (1Cor 5,12.13) não deseja isso. A comunidade civil, que acolhe indiferentemente todos os homens que são honestos, pacíficos e trabalhadores, não o requer. Permitiremos ao pagão que trate e negocie conosco e não permitiremos que reze e preste culto a Deus? Se permitimos que os judeus tenham casas e propriedades próprias entre nós, por que não lhes permitirmos terem sinagogas? Sua doutrina é mais falsa, seu culto mais abominável ou a paz civil mais ameaçada por seus encontros em público do que em suas casas particulares? Mas se tais coisas puderem ser concedidas aos judeus e aos pagãos, certamente a condição dos cristãos não deverá ser pior que a deles em uma comunidade civil cristã.

Dirão talvez que sim, que deve ser assim, porque estão mais tendentes às facções, aos tumultos e às guerras civis. Eu pergunto: Isto é culpa da religião cristã? Se for, realmente a religião cristã é a pior de todas as religiões, não devendo ser abraçada por nenhuma pessoa nem tolerada por qualquer comunidade civil. Pois se este for o espírito, a natureza da religião cristã, ser turbulenta e destruidora da paz civil, essa própria igreja que o magistrado favorece não será sempre inocente. Mas longe de nós dizer algo semelhante dessa religião que faz a maior oposição à cobiça, à ambição, à discórdia, a disputas e a todo tipo de desejos desordenados; e é a religião mais modesta e pacífica que jamais existiu. Devemos, portanto, buscar outra causa para aqueles males que são imputados à religião. E se considerarmos corretamente, veremos que ela consiste inteiramente no assunto que estou discutindo. Não foi a diversidade de opiniões (que não podia ser evitada), mas a recusa à tolerância para com aqueles que têm opiniões diferentes (que podia ter sido admitida), que deu origem a todas as disputas e a todas as guerras que tiveram lugar no mundo cristão por conta da religião. Os chefes e os líderes da Igreja, movidos pela avareza e pelo desejo insaciável de domínio, fazendo uso da desmedida ambição dos magistrados e da superstição crédula da multidão ingênua, a inflamou e estimulou contra aqueles que dela discordam, pregando-lhes, em contrário às leis do Evangelho e aos preceitos da caridade, que os cismáticos e os hereges devem ser expulsos de suas possessões e destruídos. E assim misturaram e confundiram duas coisas que são em si muito diferentes: a Igreja e a comunidade civil. Como é muito difícil para os homens sofrerem pacientemente o confisco dos bens que conseguiram adquirir através de seu trabalho honesto, e, contrariando todas as leis da equidade, tanto as humanas quanto as divinas, serem expulsos por uma opressão decorrente da violência e da pilhagem de outros homens, especialmente quando são completamente inocentes e quando o assunto tratado não diz respeito à jurisdição do magistrado, mas é inteiramente de responsabilidade da consciência de cada um, cuja conduta só deve prestar contas a Deus, o que mais pode ser esperado senão que estes homens, cansados dos males que lhes são infligidos, finalmente considerem legal o uso da força para resistir à força, e defendam seus direitos naturais (que não são confiscáveis por conta da religião) com armas ou do modo que puderem? Este tem sido até agora o curso habitual dos acontecimentos abundantemente evidentes na história, e tudo indica que assim continuará sendo. Não poderá ser de outra maneira, enquanto prevalecer, como até aqui, o princípio da perseguição religiosa, tanto por parte do magistrado quanto por parte do povo, e enquanto aqueles que devem ser os pregadores da paz e da concórdia continuarem com toda a sua habilidade e com todo o vigor a incitar os homens às armas e ao som da trombeta de guerra. É de admirar que os magistrados suportem estes incendiários e perturbadores da paz pública, se não parecem ter sido convidados para participar do espólio, considerando adequado usar da própria cobiça e do próprio orgulho como meio de assim aumentar seu próprio poder. Quem não vê que estes bons homens são na verdade mais ministros do governo do que ministros do Evangelho, que por meio da adulação, da ambição e da proteção do domínio dos príncipes e dos homens que estão no poder, tentam por todos os meios promover aquela tirania na comunidade civil, que de outra forma não conseguiriam estabelecer na Igreja? Este é o infeliz acordo que vemos entre a Igreja e o Estado. Mas se cada um deles pudesse se conter dentro de seus próprios limites – um cuidando do bem-estar material da comunidade civil, o outro da salvação das almas – seria impossível que qualquer discórdia pudesse ocorrer entre eles. *Sed pudet haec opprobia etc.* Deus todo-poderoso, eu lhe imploro, permita que o Evangelho da paz seja finalmente pregado, e que os magistrados civis, tornando-se mais cuidadosos na conformação de suas próprias consciências à lei de Deus e menos propensos a confinar as consciências dos outros homens pelas leis humanas, possam, como pais de seu país, dirigir todos os seus conselhos e esforços para promover universalmente o bem-estar civil de todos os seus filhos, exceto apenas daqueles que são arrogantes, ingovernáveis e injuriosos para com seus irmãos; e que todos os eclesiásticos, que se vangloriam de ser os sucessores dos apóstolos, seguindo pacífica e modestamente os passos dos apóstolos, sem se imiscuírem nos negócios do Estado, possam se dedicar inteiramente a promover a salvação das almas.

Passar bem!

Talvez não seja despropositado acrescentar algumas palavras sobre a heresia e o cisma. Um turco não é, nem pode ser, herético ou cismático para um cristão; e se qualquer homem passar da fé cristã ao maometismo, por isso não se tornará um herege ou um cismático, mas um apóstata e um infiel. Disto ninguém duvida; e assim parece que os homens de religiões diferentes não podem ser heréticos ou cismáticos uns para os outros.

Devemos investigar, portanto, que homens são da mesma religião. Com relação a isso, fica evidente que aqueles que têm uma única e mesma regra de fé e de culto pertencem à mesma religião; e aqueles que não têm a mesma regra de fé e de culto são de religiões diferentes. Pois uma vez que todas as coisas que pertencem àquela religião estão contidas naquela regra, isto necessariamente significa que aqueles que concordam com a mesma regra são da mesma religião, e vice-versa. Portanto, os turcos e os cristãos são de religiões diferentes porque estes têm a Sagrada Escritura como a regra de sua religião, e aqueles têm o Alcorão. Pela mesma razão, pode haver religiões diferentes mesmo entre cristãos. Os papistas e os luteranos, embora ambos professem a fé em Cristo, e por isso são chamados cristãos, ainda assim não têm a mesma religião, porque estes não reconhecem nada além da Sagrada Escritura como a regra e a base de sua religião, enquanto aqueles também levam em conta as tradições e os decretos dos papas, e estes em conjunto compõem a regra de sua religião; por isso também os cristãos de São João (como são chamados) e os cristãos de Genebra são de religiões diferentes, porque estes só consideram as Escrituras e aqueles adotam não sei que tradições como a regra de sua religião.

Isto estabelecido, segue-se: primeiro, que a heresia é uma separação que se faz em uma comunhão eclesiástica entre homens da mesma religião por algumas opiniões que não estão contidas na própria regra; segundo, que entre aqueles que nada reconhecem exceto a Sagrada Escritura como a regra de sua fé, a heresia é uma separação realizada em sua comunhão cristã para opiniões não contidas nas palavras expressas da Escritura. Esta separação pode se dar de duas maneiras:

1. Quando a maior parte – ou em virtude do patrocínio da parte mais forte pelo magistrado – da Igreja se separa dos outros membros excluindo-os de sua comunidade porque não professam sua crença em certas opiniões que não são as palavras expressas da Escritura. Pois não é o pequeno número daqueles segregados nem a autoridade do magistrado que podem tornar algum homem culpado da heresia, mas simplesmente é herege aquele que divide a Igreja em partes, introduz nomes e sinais de distinção e voluntariamente faz a separação devido a tais opiniões.

2. Quando alguém se separa da comunhão de uma igreja porque aquela igreja não professa publicamente algumas opiniões que a Sagrada Escritura não ensina de modo expresso.

Ambos são hereges porque erram nas questões fundamentais e erram obstinadamente contra o conhecimento; pois quando determinaram que a Sagrada Escritura é o único fundamento da fé, eles não obstante instituíram algumas proposições que não estão na Escritura como fundamentais, e como outros não reconhecem estas suas opiniões adicionais, não as consideram necessárias e fundamentais, e estabelecem uma separação na Igreja, seja se retirando dela, seja expulsando os outros. Também não tem qualquer significado para eles dizer que suas confissões e símbolos são agradáveis à Escritura e à analogia da fé; pois se estão concebidos nas palavras expressas da Escritura, não podem ser questionados, pois essas coisas são reconhecidas por todos os cristãos como sendo de inspiração divina, e, por isso, fundamentais. Mas se dizem que os artigos que requerem que sejam professados são consequências deduzidas da Escritura, agirão bem aqueles que acreditarem e professarem tais coisas da forma que lhes parece mais adequada à regra da fé. Mas agirão muito mal se tentarem impor essas coisas aos outros a quem elas não parecem ser as doutrinas indubitáveis da Escritura; e realizar uma separação devido a coisas como estas, que não são nem podem ser fundamentais, é se tornar herege; eu não creio que algum homem tenha atingido tal grau de loucura que ouse admitir suas inferências ou interpretações da Escritura como inspirações divinas, e comparar os artigos de fé que estruturou segundo sua própria fantasia com a autoridade da Escritura. Eu sei que há algumas proposições tão evidentemente agradáveis à Escritura que ninguém pode negar que tenham sido daí extraídas, mas com respeito a essas, portanto, não pode haver controvérsia. Só por isso eu afirmo que, por mais claramente que possamos pensar que esta ou aquela doutrina sejam extraídas da Escritura, não devemos impô-la aos outros como um artigo de fé necessário porque acreditamos que possa estar de acordo com a regra de fé, a menos que admitamos que outras doutrinas possam nos ser impostas da mesma maneira e que sejamos compelidos a aceitar e professar todas as opiniões diferentes e contraditórias dos luteranos, calvinistas, protestantes, anabatistas e outras seitas que os inventores de símbolos, sistemas e confissões estão acostumados a proclamar a seus seguidores como doutrinas genuínas e necessárias da Sagrada Escritura. Não posso deixar de me surpreender diante da indesculpável arrogância daqueles homens que acham que podem explicar mais claramente que o Espírito Santo, que é a sabedoria eterna e infinita de Deus, todas as coisas necessárias à salvação.

É o bastante em relação à heresia, palavra que no uso comum só é aplicada à parte doutrinária da religião. Consideremos agora o cisma, que é um crime bem próximo daquele; pois estas duas palavras me parecem significar uma separação malfundamentada na comunidade eclesiástica, feita sobre coisas que não são necessárias. Mas desde que o uso, que é a lei suprema em termos de linguagem, determinou que a heresia está relacionada a erros na fé, e o cisma àqueles no culto ou na disciplina, devemos considerá-los sob essa distinção.

O cisma, portanto, pelas mesmas razões já alegadas, nada mais é que uma separação feita na comunhão da Igreja em virtude de algo não necessário ao culto divino ou à disciplina eclesiástica. No entanto, nada no culto ou na disciplina pode ser necessário à comunhão cristã, exceto aquilo que Cristo, nosso legislador, ou os apóstolos, por inspiração do Espírito Santo, nos ordenaram por palavras expressas.

Em resumo, aquele que nada nega do ensinamento expresso da Sagrada Escritura nem faz uma separação em decorrência a nada que não está manifestamente contido no texto sagrado - ainda que possa ter sido difamado por qualquer seita cristã e declarado por algumas ou todas elas como inteiramente privado da verdadeira Cristandade - não pode ser um herege ou um cismático.

Tudo isso poderia ter sido exposto mais amplamente e mais convenientemente, mas para uma pessoa do seu discernimento bastam estas breves sugestões.

Constituições fundamentais da Carolina

Nosso senhor soberano, o rei, nos outorgou, por sua graça e bondade reais, a província de Carolina, com a totalidade dos direitos de regalia, propriedades, jurisdições e privilégios de um condado palatino tão extenso e tão vasto quanto aquele de Durham, assim como outros importantes privilégios; para melhor organizar o governo deste país e determinar os interesses dos senhores proprietários dentro da igualdade, mas sem confusão; para tornar o governo desta província tão conforme quanto possível à monarquia sob a qual nós vivemos e da qual ela faz parte; e para que evitemos edificar uma democracia numerosa: nós, os senhores e proprietários da dita província, concordamos em instituir perpetuamente entre nós a forma seguinte de governo, que constituirá a obrigação mais restrita que possa ser concebida para nós, nossos herdeiros e nossos sucessores.

I. O decano dos senhores proprietários é palatino; com a morte do palatino, o decano dos sete proprietários sobreviventes o sucede em todos os casos.

II. São instituídos sete outros cargos principais: o almirante, o camarista, o chanceler, o condestável, o juiz principal, o grande intendente e o tesoureiro; somente os senhores proprietários podem ocupá-los; a distribuição inicial é feita através de sorteio; em caso de vacância de qualquer um dos sete grandes cargos, devido a falecimento ou por outra causa qualquer, o decano dos proprietários escolhe o titular.

III. Toda a província é dividida em condados; cada condado se compõe de oito senhorias, oito baronias e quatro distritos; cada distrito se compõe de seis colônias.

IV. Cada senhoria, cada baronia ou cada colônia compreende doze mil acres; as oito senhorias compõem a parte dos oito proprietários e as oito baronias aquela da nobreza; estas duas partes, cada uma das quais constitui um quinto do conjunto, ficam perpetuamente vinculadas, uma aos proprietários, outra à nobreza hereditária, e as colônias, ou seja, os três quintos restantes, ficam nas mãos do povo, de forma a salvaguardar o equilíbrio na ocasião do loteamento das terras e de sua distribuição para o cultivo.

V. Antes do ano de 1700, todo senhor proprietário pode ceder, alienar ou transferir quando melhor lhe parecer, em benefício de qualquer outra pessoa, sua propriedade, assim como as senhorias, os poderes e os interesses a eles vinculados, sob a condição que tudo seja considerado como um grande conjunto indivisível. Posteriormente ao ano de 1700, os senhores proprietários não terão mais a faculdade de alienar ou de transferir seu título de propriedade, nem as senhorias e os privilégios a ele vinculados, nem em seu todo nem em parte, em benefício de quem quer que seja, sob reserva das disposições do artigo XVIII. A contar dessa data, todo o patrimônio deverá caber aos herdeiros do sexo masculino; na falta de herdeiros do sexo masculino, cabe ao landgrave* ou ao cacique de Carolina que é descendente dos primeiros herdeiros convocados do proprietário; na falta de tais herdeiros, cabe ao parente mais próximo habilitado a suceder; na falta de um tal sucessor, em caso de vacância, na substituição do proprietário falecido, os outros sete designarão por maioria de votos um landgrave para ser investido do título em pé de igualdade, para todos os fins e considerações, ele e seus sucessores futuros.

VI. A fim de os proprietários permanecerem sempre em número de oito, se, na ocasião em que o cargo de um deles ficar vago, os sete outros se abstiverem de designar um landgrave para substituí-lo antes do segundo parlamento bienal que segue a abertura da dita vacância, cabe ao parlamento bienal seguinte designar qualquer landgrave como proprietário.

VII. Qualquer um que suceda ao título de um dos proprietários e às senhorias que a ele se vinculem posteriormente ao ano de 1700, será obrigado a adotar o nome e as armas daquele ao qual sucederá; desde então, sua família e seus descendentes conservarão este nome e estas armas.

VIII. Todas as vezes que um landgrave ou um cacique se tornar proprietário, a qualquer título que seja, adquire todas as senhorias vinculadas ao cargo; mas seu título anterior e as baronias a ele vinculadas cabem aos senhores proprietários.

IX. Há tantos landgraves quanto condados. Há duas vezes mais caciques. Seu número não pode ser aumentado. Eles constituem a nobreza hereditária da província e são por pleno direito membros do parlamento. Todo landgrave possui quatro baronias. Todo cacique possui duas. Elas estão vinculadas a sua dignidade ao título hereditário e inalterável e o acompanham obrigatoriamente.

X. Os landgraves e os caciques dos doze primeiros condados distribuídos para o cultivo serão designados pela primeira vez da seguinte maneira: cada um dos senhores proprietários escolherá separadamente e por sua conta um dos doze landgraves; a corte do palatino escolherá os quatro outros. Da mesma forma, cada proprietário escolherá e nomeará, por sua conta, dois dos vinte e quatro caciques, e a corte do palatino escolherá e nomeará os outros oito. Depois da distribuição para o cultivo dos doze primeiros condados, os senhores proprietários, mais uma vez e da mesma maneira, escolherão e nomearão doze outros landgraves e vinte e quatro caciques para os doze condados que virão a ser explorados a seguir: ou seja, os proprietários, cada um por sua conta, designarão dois terços do número de cada série e a corte do palatino indicará o último terço, e assim por diante, segundo o mesmo procedimento, até que toda a província de Carolina esteja loteada e plantada conforme as disposições das presentes Constituições Fundamentais.

XI. Antes do ano de 1701, todo landgrave, ou todo cacique, pode alienar, vender ou transferir, quando melhor lhe parecer, em benefício de qualquer outra pessoa, sua dignidade, assim como as baronias que lhe são vinculadas, sem divisão. Posteriormente ao ano de 1700, nenhum landgrave ou cacique terá mais a faculdade de alienar, vender, transferir ou dar por arrendamento as baronias hereditárias de sua dignidade, nem no todo nem em parte, sob reserva das disposições do artigo XVIII. A contar dessa data, todo o patrimônio, com a dignidade a ele vinculada, deverá caber aos herdeiros do sexo masculino; na falta de tais herdeiros, cabe como um todo indivisível ao parente mais próximo hábil a sucedê-lo; na falta de tais sucessores, cabe aos senhores proprietários.

XII. A fim de que os landgraves e os caciques permaneçam no número requerido, na ocasião da devolução da dignidade de um deles, se a corte do palatino se abstiver de lhe apresentar um titular, assim como às baronias a ela vinculadas, antes do segundo parlamento bienal que segue a referida devolução, cabe ao parlamento seguinte designar quem melhor lhe parecer como landgrave ou como cacique, em substituição àquele que faleceu sem herdeiros e cujo título e baronias devem ser transmitidos.

XIII. Ninguém pode ser investido de mais de uma dignidade, com as senhorias ou as baronias a ela vinculadas. Todas as vezes que um proprietário, um landgrave ou um cacique receber um destes títulos pela via de transmissão sucessória, ele tem a opção de conservar dentre as duas aquela dignidade que preferir, com as terras a ela vinculadas; deve renunciar à outra e às terras anexas em benefício de seu parente mais próximo, com exceção de seu herdeiro óbvio, que tem o destino natural certo para suceder a seu título atual.

XIV. Quem quer que se torne landgrave ou cacique na qualidade de herdeiro deve adotar o nome e as armas daquele que o precedeu nesta dignidade; desde então, sua família e os descendentes desta conservarão este nome e estas armas.

XV. Em razão do caráter indivisível da dignidade de proprietário, de landgrave ou de cacique, e da necessidade que todas as senhorias ou baronias que a ela estão vinculadas o acompanhem em sua devolução, à maneira de um patrimônio único, todas as vezes que o título passar às herdeiras por falta de herdeiro do sexo masculino, a mais velha das filhas e seus sucessores têm a preferência; não haverá mais coerdeiros na transmissão destes títulos e das senhorias ou baronias a eles vinculadas.

XVI. Em toda senhoria, toda baronia e toda herdade, o dignitário correspondente tem o poder de ter um tribunal dominial para conhecer todas as causas, tanto civis quanto criminais; se o caso for concernente a qualquer outro habitante, um vassalo ou uma pessoa sujeita à jurisdição da alçada da referida senhoria, da referida baronia ou da referida herdade, o interessado pode fazer uma apelação, pagando quarenta shillings aos senhores proprietários, do tribunal da senhoria ou da baronia diante do tribunal do condado, ou do tribunal da herdade diante daquele do distrito.

XVII. Cada herdade compreende no mínimo três mil acres e no máximo doze mil dentro da unidade de uma mesma colônia; mas, quando um lote que constitui um conjunto de no mínimo três mil acres pertence a uma só pessoa, ela não pode formar uma herdade sem uma concessão do tribunal do palatino que a qualifica como tal.

XVIII. Os dignitários das senhorias e das baronias não podem conceder direitos imobiliários senão por uma duração de três gerações ou de trinta e um anos no máximo, e somente sobre dois terços das terras; o último terço permanece vinculado à herança.

XIX. Todo senhor de uma herdade pode aliená-la, vendê-la ou transferi-la como um todo, com os privilégios e as pessoas sujeitas à jurisdição da alçada a que está vinculada, a não importa que outra pessoa e seus herdeiros, perpetuamente. Entretanto, toda transferência realizada sobre apenas uma parte da herdade, seja em plena propriedade, seja por uma duração superior a três gerações, não pode se opor ao herdeiro primeiro convocado.

XX. Nenhuma herdade pode se tornar objeto de uma partilha entre os coerdeiros na falta de descendentes do sexo masculino. Se a herança compreende apenas uma herdade, ela cabe à mais velha das filhas e a seus herdeiros. Se compreende várias, a mais velha das filhas exerce a escolha: a primeira, depois a segunda, e assim, pela ordem, recomeçando pela primeira até à distribuição de todas as herdades. Em razão do caráter indivisível dos privilégios vinculados às herdades, é importante conservar a integridade das terras às quais estes privilégios estão vinculados, a fim de se evitar que a herdade perca o benefício, como ocorreria necessariamente em caso de loteamento entre vários proprietários.

XXI. Todo senhor de uma herdade possui, dentro dos limites desta, os mesmos poderes, jurisdições e privilégios que o landgrave ou o cacique em uma baronia.

XXII. Em toda senhoria, toda baronia e toda herdade, as pessoas sob a jurisdição do domínio são submetidas em última alçada à jurisdição de seus respectivos senhores. Nenhuma pessoa sob a jurisdição do domínio, de um ou de outro sexo, tem a liberdade de sair para se estabelecer em outro lugar, deixando a terra de seu senhor, sem a autorização prévia deste, assinada de próprio punho e coberta com seu selo.

XXIII. Os descendentes das pessoas sob a jurisdição de um domínio a ele pertencem perpetuamente.

XXIV. Ninguém que não seja proprietário, landgrave, cacique ou senhor de uma herdade, está qualificado para possuir um tribunal dominial e pessoas sob a jurisdição dominial.

XXV. Quem quer que se inscreva voluntariamente no cartório do tribunal do condado como submetido à jurisdição de um domínio, adquire este estado.

XXVI. Na ocasião do casamento de uma pessoa, de um ou de outro sexo, que está sob a jurisdição de seu domínio, o senhor deve dar ao casal dez acres de terra com direito vitalício; eles não devem ter de pagar em troca mais de um oitavo do produto anual total e dos frutos desses dez acres.

XXVII. Em matéria criminal, um landgrave ou um cacique não podem ser julgados diante de outra jurisdição senão perante o tribunal do Juiz principal, nem por um júri que não seja formado de seus pares.

XXVIII. Há oito tribunais supremos. O primeiro, chamado tribunal do palatino, compõe-se do palatino e dos outros sete proprietários. Os outros sete tribunais dos sete outros magistrados principais compõe-se cada um de um proprietário e de seis conselheiros. Cada um destes sete tribunais tem, subordinado a ele, um colégio de doze assistentes. Os doze assistentes dos diversos colégios são escolhidos da seguinte forma: dois, pelo tribunal do palatino, entre os landgraves, os caciques ou os filhos mais velhos dos proprietários; dois, pela câmara dos landgraves, entre estes; dois pela câmara dos caciques, entre estes; quatro pela câmara dos comuns, entre as pessoas que têm ou tiveram a qualidade de membro do parlamento, de xerife, de juiz do tribunal do condado, assim como os filhos mais moços dos proprietários e os filhos mais velhos dos landgraves ou dos caciques; os dois últimos, pelo tribunal do palatino, entre as categorias de pessoas sobre as quais se exerce a escolha da câmara dos comuns.

XXIX. Entre os membros dos referidos colégios, o tribunal do palatino escolhe primeiro os seis conselheiros que servem de adjuntos no tribunal de cada um dos proprietários; os seis são designados da seguinte maneira: um, entre aqueles que o tribunal do palatino nomeou membros de qualquer um dos colégios, escolhendo-o entre os landgraves, os caciques ou os filhos mais velhos dos proprietários; um, entre aqueles nomeados pela câmara dos landgraves; um, entre aqueles nomeados pela câmara dos caciques; dois, entre aqueles nomeados pela câmara dos comuns; e um, entre aqueles que o tribunal do palatino escolheu entre os filhos mais moços dos proprietários, os filhos mais velhos dos landgraves ou dos caciques e os habitantes das comunas que possuem uma das qualificações acima indicadas.

XXX. Em caso de vacância aberta por falecimento de um dos conselheiros, o grande conselho pode decidir a mudança de todo conselheiro que consinta em deixar o cargo que ocupa no tribunal de um dos proprietários, a fim de preencher aquele que se encontra vago; mas a escolha deve recair sobre um titular da mesma classe, e designado da mesma maneira, que aquele a ser substituído. Se algum conselheiro não aceitar que ele seja deslocado, ou se, embora alguns tenham consentido, um lugar vago permaneça a ser preenchido em qualquer um dos tribunais dos proprietários, o grande conselho nomeia o titular, tornando, em qualquer um dos colégios, um assistente da mesma classe e designado da mesma maneira que o conselheiro a quem deve suceder no cargo tornado vago. O grande conselho pode também deslocar de um colégio para outro qualquer assistente que a isto aquiesça, contanto que a classe deste e seu modo de designação o permitam. Se permanecer um cargo vago em um dos colégios, ele é preenchido substituindo-se a pessoa falecida, ou deslocada, por uma outra da mesma classe e designada da mesma maneira. Nenhum cargo deve ficar vago em um colégio depois da sessão seguinte do parlamento.

XXXI. Nenhum membro do grande conselho ou de qualquer um dos sete colégios pode ser expulso, se não cometeu qualquer delito do qual o grande conselho seja juiz; a substituição da pessoa assim excluída não é votada pelo grande conselho; ela é escolhida por aqueles que designaram o titular excluído e entre as pessoas da mesma classe. A presente disposição não tem por efeito outorgar ao grande conselho o poder de excluir qualquer um dos senhores proprietários que façam parte desta assembleia por pleno direito.

XXXII. Todas as eleições, no parlamento ou em suas diferentes câmaras e no grande conselho, são feitas por escrutínio secreto.

XXXIII. O tribunal do palatino compõe-se do palatino e de sete proprietários; não é conduzido senão na presença do palatino ou de seu delegado, assim como de três outros proprietários ou de seus delegados, e com seu acordo. O dito tribunal tem o poder de convocar o parlamento, exercer o direito de perdão para todas as infrações, eleger os titulares de todos os cargos de que os proprietários dispõem e dar o estatuto de portos às cidades de sua escolha; tem também o poder de dispor da totalidade do tesouro público, através de mandados dirigidos ao tesoureiro, com exceção de somas que o parlamento tenha autorizado sob a condição que fossem destinadas a um uso público determinado; tem o direito de opor veto a todos os atos, ordens, votos e julgamentos do grande conselho e do parlamento, sob reserva das exceções previstas nos artigos VI e XII, e exerce todos os poderes que nosso senhor soberano, o rei, outorgou aos senhores proprietários, nos termos de suas cartas patentes, respeitando os limites impostos pelas presentes Constituições Fundamentais.

XXXIV. Todas as vezes que o palatino se encontrar presente pessoalmente, seja nos exércitos, seja no tribunal de qualquer um dos proprietários, ele exerce, durante este tempo, os poderes de um general ou aqueles do proprietário no tribunal do qual se encontra; e, enquanto ele estiver naquele local, o proprietário cujo tribunal o palatino preside ocupa o posto apenas de ura membro do conselho.

XXXV. O tribunal do chanceler se compõe de um dos proprietários e de seis conselheiros denominados vice-chanceleres. Ele tem a proteção do selo do palatino, que deve ser afixado nas cartas, especialmente naquelas das terras, nos diplomas e nas concessões outorgadas pelo tribunal do palatino. Nenhum documento pode receber o selo do palatino sem que tenha a sua assinatura, ou de seu delegado, assim como de três outros proprietários ou de seus delegados.

Todos os negócios do Estado, os despachos e os tratados assinados com os índios da vizinhança assinalam também o referido tribunal. O mesmo ocorre com todas as violações da lei ou da liberdade de consciência, com todos os problemas criados à paz pública sob o pretexto da religião e, enfim, com o privilégio de imprimir. Os doze assistentes que dependem da referida corte levam o nome de arquivistas.

XXXVI. Todo ato revestido do selo do palatinato deve ser registrado na alçada dos tribunais dos proprietários para aquela alçada do caso em questão.

XXXVII. O chanceler, ou seu delegado, preside em todos os casos as sessões do parlamento e o grande conselho; se os dois estiverem ausentes, um dos vice-chanceleres os substitui.

XXXVIII. O tribunal do juiz principal compõe-se de um dos proprietários e de seis conselheiros, denominados juízes da sede. Ele se encarrega de todas as apelações em matéria civil e criminal, com exceção dos casos da alçada da jurisdição e da competência de qualquer um dos outros tribunais dos proprietários e que são lá julgados. A administração e a regulamentação dos cartórios onde são registrados os atos e os contratos cabem à competência do referido tribunal. Os doze assistentes deste tribunal recebem o nome de mestres.

XXXIX. O tribunal do condestável compõe-se de um dos proprietários e de seus seis conselheiros, denominados marechais. Ele exerce o comando e o poder de decisão em matéria militar, sobre a terra, sobre todas as forças terrestres, as armas, as munições, a artilharia, as guarnições, os fortes e tudo o que se relaciona com a guerra. Os doze assistentes são denominados tenentes-generais.

XL. Durante as hostilidades, enquanto o condestável se encontrar nos exércitos, ele é seu general; tem imediatamente sob suas ordens, como principais oficiais, os seis conselheiros ou aqueles entre eles que o tribunal do palatino designar para este período, ou para este serviço, e, em seguida, os tenentes-generais.

XLI. O tribunal do almirante compõe-se de um dos proprietários e de seus seis conselheiros, denominados cônsules. Tem a seu cargo a inspeção de todos os portos, quebra-mares e rios navegáveis até a distância que chega a maré, assim como toda a navegação pública da Carolina, com as provisões de que ela necessita, e todas as questões marítimas. O tribunal exerce também os poderes de um tribunal de almirantado; está qualificado para instituir nas cidades portuárias juizes habilitados a julgar as causas que dizem respeito ao direito comercial, segundo às necessidades do comércio. Os doze assistentes do referido tribunal recebem o nome de pró-cônsules.

XLII. Durante as hostilidades, o almirante exerce o comando enquanto estiver no mar; tem imediatamente sob suas ordens, como principais oficiais, seus seis conselheiros ou aqueles dentre eles que o tribunal do palatino designe para este período e para este serviço; em seguida vêm os pró-cônsules.

XLIII. O tribunal do tesoureiro compõe-se de um proprietário e de seis conselheiros, chamados subtesoureiros. Tem a seu cargo tudo o que diz respeito às receitas e às despesas públicas. Os doze assistentes recebem o nome de auditores.

XLIV. O tribunal do grande intendente compõe-se de um proprietário e de seus seis conselheiros, denominados fiscais. Tem a seu cargo todo o comércio interior e exterior, fábricas, prédios públicos, oficinas, estradas, transbordo por via naval através do fluxo da maré, de duetos de despejo, esgotos, aterros de proteção contra as inundações, pontes, postes, transportes de interesse público, feiras, mercados, a poluição ou a infecção do ar ou das águas, assim como todas as questões de interesse público no domínio do comércio ou da saúde; o loteamento das terras e o cadastro respectivo; ele tem a competência para classificar e designar os locais reservados à construção das cidades nos distritos, assim como para prescrever e determinar a configuração das referidas cidades e suas dimensões, conforme os modelos que ela terá estabelecido. O referido tribunal tem o poder de construir, nas terras de quem quer que seja, todo prédio público ou toda estrada, como também ampliar toda estrada já existente; pode abrir passagens ou canais, construir aterros, e ainda edificar represas e pontes, a fim de tornar os rios navegáveis, ou aterrar os pântanos, ou o que atenda a qualquer outro uso público. O grande conselho determina as modalidades da avaliação e da reparação do prejuízo assim causado ao proprietário das ditas terras (sobre as quais todas estas obras forem edificadas ou que elas atravessem). Os doze assistentes do dito tribunal recebem o nome de inspetores do cadastro.

XLV. O tribunal do camarista compõe-se de um proprietário e de seus seis conselheiros, denominados vice-cameiristas. Tem a seu cargo todas as cerimônias, a etiqueta, os brasões, a recepção de enviados públicos, as genealogias, o registro de todos os nascimentos, enterros, casamentos, legitimações e todos os litígios relativos ao casamento ou que dele resultem; tem também o poder de regulamentar todos os costumes, os hábitos, os emblemas, os jogos e os esportes. Cabe a ele também a convocação do grande conselho. Os doze assistentes do dito tribunal recebem o nome de prebostes.

XLVI. Cada um dos tribunais dos proprietários é responsável por todas as causas que dizem respeito a sua competência e de que ele está encarregado, e decide em última alçada.

XLVII. Em matéria criminal, os tribunais dos proprietários têm o poder de reduzir o montante de todas as multas e de suspender todas as execuções, antes ou depois da jurisdição inferior, seja ela qual for, ter decidido a pena.

XLVIII. Na ocasião de todos os debates, de todas as audiências ou de todos os procedimentos judiciários, diante de qualquer um dos tribunais dos proprietários, os doze assistentes que pertencem ao dito tribunal podem estar presentes, mas não podem intervir, a menos que seja solicitado o seu parecer; eles não participam do voto; sua tarefa consiste em preparar, seguindo as diretrizes do tribunal, os casos que lhes são confiados; exercem também todas as outras funções e expedem todos os outros casos, se o tribunal julgar conveniente encarregá-los deles, seja em sua sede ou em outra qualquer.

XLIX. Em todos os tribunais dos proprietários, o proprietário e três de seus conselheiros constituem o quorum; mas, a fim de melhor expedir seus casos, o tribunal do palatino tem o poder de determinar algumas categorias de causas, que podem ser examinadas e decididas por um quorum de três magistrados.

L. O grande conselho compõe-se do palatino, dos sete proprietários e de quarenta e dois conselheiros dos diferentes tribunais dos proprietários. Tem o poder de decidir sobre as desavenças suscetíveis de surgirem entre os tribunais dos proprietários, na questão de sua respectiva competência ou entre os membros do mesmo tribunal, na questão das modalidades e dos métodos de procedimento; pode também decidir a paz e a guerra, estabelecer alianças e tratados com quaisquer índios da vizinhança, assim como notificar prescrições regulamentares aos tribunais do condestável e do almirante, tendo em vista assegurar o recrutamento, a organização ou a desmobilização das forças da terra e do mar.

LI. O grande conselho prepara todas as questões que devem ser submetidas ao parlamento. Nenhuma proposição pode ser submetida ao parlamento se não tiver sido previamente adotada pelo grande conselho: após três leituras distintas diante do parlamento, a proposição é adotada ou rejeitada, por maioria dos votos.

LII. O grande conselho é o único juiz de todos os litígios e de todos os recursos que dizem respeito ao palatino ou a qualquer um dos senhores proprietários, ou ainda a um dos conselheiros dos respectivos tribunais, no caso em que o tribunal ou a sede do referido conselheiro tiver sido normalmente competente para decidir a questão.

LIII. O grande conselho encaminha mandados ao tribunal do tesoureiro, para dispor de todas as somas que o parlamento aprovou, sob a condição que fiquem restritas a um uso determinado.

LIV. O quorum do grande conselho é de quinze membros, dele devendo participar em todos os casos um proprietário ou seu delegado.

LV. O grande conselho se reúne na primeira terça-feira de cada mês e, além disso, todas as vezes que se julgue oportuno, ou que o tribunal do camarista o convoque.

LVI. Em virtude de um ato assinado de próprio punho e revestido de seu selo e após o registro deste ato no grande conselho, o palatino, ou qualquer um dos senhores proprietários, pode sempre habilitar um delegado para exercer para todos os rins e em todas as questões, os mesmos poderes que eles próprios, com exceção da confirmação das leis do parlamento, previsto pelo artigo LXXVI, assim como a escolha e a nomeação dos landgraves e dos caciques, prevista pelo artigo X. Os poderes dos delegados expiram ao rim de quatro anos. Os cargos de delegados são sempre revogáveis, à vontade daquele que os delega.

LVII. O delegado de um proprietário não pode exercer nenhum poder durante o tempo em que se encontra, pessoalmente, em uma parte qualquer da Carolina, salvo quando este delegado representa um proprietário menor.

LVIII. Durante a minoridade de um proprietário, é a pessoa que possui sua guarda que designa e nomeia seu delegado.

LIX. O mais velho dos senhores proprietários que se encontram pessoalmente na Carolina é, por pleno direito, delegado do palatino; quando todos os proprietários estão ausentes da Carolina, o palatino escolhe seu delegado entre seus herdeiros diretos, se algum deles se encontra presente na província; se todos estes referidos herdeiros diretos que têm mais de vinte e um anos se encontrarem ausentes da Carolina, o palatino escolhe, como delegado, qualquer landgrave do grande conselho; durante o tempo decorrido até que o palatino tenha designado, como delegado, um dos herdeiros diretos ou um dos landgraves, por um ato assinado de próprio punho e revestido de seu selo, o decano dos landgraves e, à falta de landgraves, o decano dos caciques que se encontre pessoalmente na Carolina o representará de pleno direito.

LX. O delegado de todo proprietário representa o número de seus seis conselheiros; se um dos proprietários se ausentar da Carolina sem deixar nenhum delegado que ele haja nomeado por um ato assinado de próprio punho e revestido de seu selo, o decano dos nobres de seu tribunal o representa de pleno direito.

LXI. Em cada condado existe um tribunal, composto de um xerife e de quatro juízes do condado um por distrito. O xerife deve ser um habitante do condado e aí possuir pelo menos quinhentos acres de propriedade plena; os juízes devem ser habitantes do condado e devem aí possuir, cada um, quinhentos acres no distrito que representam. No tempo requerido, o tribunal do palatino designa os cinco referidos magistrados e os investe de seus poderes.

LXII. Em todos os casos mobiliários com uma taxa superior a duzentas libras esterlinas e naquelas incorridas sobre os títulos imobiliários, assim como em todas as causas criminais, cada uma das partes pode interpor um apelo das decisões do tribunal do condado diante do tribunal de seu proprietário, mediante o pagamento de uma soma de vinte libras por conta dos senhores proprietários.

LXIII. Em cada distrito existe um tribunal, composto de um intendente e de quatro juízes do distrito, que devem ali habitar e possuir trezentos acres de sua propriedade. Ele decide todas as causas criminais, salvo em matéria de traição, de assassinato e de todos os outros crimes passíveis de pena de morte, ou quando o acusado pertence à nobreza; ele decide também todas as causas civis, quaisquer que sejam elas; nas questões mobiliárias cuja taxa não ultrapasse cinquenta libras esterlinas, ele julga em última instância;

nas questões com taxa superior, assim como em matéria imobiliária ou criminal, cada uma das partes pode interpor um apelo diante do tribunal do condado, mediante o pagamento de uma soma de cinco libras por conta dos senhores proprietários.

LXIV. Em nenhum caso, por qualquer razão ou sob qualquer pretexto, uma causa é julgada duas vezes no mesmo tribunal.

LXV. Em matéria de traição e de assassinato, e em todos os outros crimes passíveis de pena de morte, um ou vários membros do grande conselho, ou dos colégios, recebem comissionamento, pelo menos duas vezes por ano, para se apresentarem nos condados na qualidade de juízes de circunscrição; eles têm sessões, com o xerife e os quatro juízes, e decidem sobre as ditas questões; o acusado pode interpor um apelo diante do tribunal de seu proprietário, mediante o pagamento de uma soma de cinquenta libras esterlinas por conta dos senhores proprietários.

LXVI. Na ocasião das diferentes sessões, o grande júri apresenta aos juízes de circunscrição, mediante juramento, um ato assinado de próprio punho por seus membros e revestido de seus selos, que contém a indicação dos dolos, dos delitos, das carências e das imperfeições que julguem necessário decidir no interesse do povo e do país. Os juízes de circunscrição, por sua vez, remetem os referidos atos ao grande conselho. Os pareceres relativos à execução das leis existentes são submetidos àquela dos tribunais dos proprietários, a quem cabe a competência; o tribunal os examina e dá as ordens apropriadas para assegurar a boa execução das leis. Os pareceres relativos à adoção de toda lei nova são reenviados ao tribunal competente, a fim de que ele os estude e os submeta ao grande conselho.

LXVII. Os diferentes tribunais determinam a duração de suas respectivas sessões trimestrais, sem que elas possam exceder a vinte e um dias. No tribunal do distrito, as sessões têm início nas primeiras segundas-feiras de janeiro, abril, julho e outubro; no tribunal do condado, nas primeiras segundas-feiras de fevereiro, maio, agosto e novembro, e, nos tribunais dos proprietários, nas primeiras segundas-feiras de março, junho, setembro e dezembro.

LXVIII. No tribunal do distrito, ninguém pode ser jurado se não possuir cinquenta acres de sua propriedade. No tribunal do condado ou nas sessões, ninguém pode ser membro do grande júri se tiver menos de trezentos acres de sua propriedade; ninguém pode ser membro do júri de julgamento, se tiver menos de duzentos acres de propriedade. Nos tribunais dos proprietários, ninguém pode ser jurado se possuir menos de quinhentos acres de sua propriedade.

LXIX. Todo júri compõe-se de doze pessoas; não é exigida a unanimidade; a sentença é pronunciada conforme a decisão da maioria.

LXX. Qualquer demanda por dinheiro ou por recompensa é considerada um gesto baixo e vil; com exceção dos parentes próximos das partes, até um grau de primo-irmão, ninguém pode estar habilitado a pleitear a causa de outro, se não for declarado, previamente e sob juramento, diante do juiz e da audiência, que ele não faz uma demanda, nem por uma soma de dinheiro nem por uma recompensa, e que não a obteve, direta ou indiretamente, das partes em cujo nome ele vai pleitear, o compromisso que eles lhe dariam em troca uma soma de dinheiro ou qualquer outra recompensa.

LXXI. É instituído um parlamento. Ele se compõe dos proprietários ou de seus delegados,

dos landgraves, dos caciques e também de um representante de cada distrito, escolhido entre as pessoas que ali possuam uma terra própria. Os parlamentares reúnem-se em uma mesma sala. Cada membro tem direito a um voto.

LXXII. Ninguém pode ser escolhido membro do parlamento se não possuir de sua propriedade pelo menos quinhentos acres no referido distrito.

LXXIII. A cada dois anos um novo parlamento se reúne, na primeira segunda-feira do mês de novembro; reúne-se na cidade em que foi realizada a sessão precedente, sem convocação, a menos que o tribunal do palatino o tenha convocado em outro lugar. Se ocorrer alguma ocasião de se reunir um parlamento no intervalo das sessões, o tribunal do palatino pode convocá-lo com quarenta dias de antecedência, para a data e o local que ele considerar convenientes; o tribunal do palatino pode dissolver o dito parlamento quando melhor lhe parecer.

LXXIV. À abertura de cada parlamento é feita a leitura das presentes Constituições Fundamentais; o palatino, os proprietários e os outros membros do parlamento as subscrevem. Ninguém tem o direito de ter assento no parlamento, nem de votar, se não tiver subscrito as presentes Constituições Fundamentais, previamente, e para cada sessão, em um livro mantido para este fim pelo secretário do parlamento.

LXXV. A fim de que seja procedida a eleição regular dos membros do parlamento bienal, as pessoas que possuem a propriedade de terras em um mesmo distrito têm o direito de se reunir a cada dois anos, na primeira terça-feira de setembro, na cidade ou no local onde foi realizada sua reunião precedente, para escolher os membros do parlamento; é lá que são escolhidos os membros que se reunirão no mês de novembro seguinte, a menos que o intendente do distrito lhes notifique, com trinta dias de antecedência, com clareza suficiente, que eles devam se reunir em um outro lugar para proceder à eleição.

LXXVI. Nenhuma lei ou decisão do parlamento pode entrar em vigor, se não for ratificada, quando do período da sessão durante a qual ela tiver sido adotada, pelo palatino ou por seu delegado, assim como por três outros dos senhores proprietários ou por seus delegados; ela permanece em vigor até o parlamento bienal seguinte, a menos que seja objeto de uma promulgação, por ordem do próprio palatino e de três outros dos senhores proprietários, após ter sido ratificada por eles, de próprio punho e sob seu selo.

LXXVII. Até o momento em que o palatino, ou seu delegado, manifestar o consentimento acima indicado, todo proprietário ou seu delegado pode sustentar uma declaração de protesto contra qualquer lei do parlamento, se a considerar contrária à presente constituição ou a qualquer uma das presentes Constituições Fundamentais do governo. Neste caso, após um debate livre e amplo, as diferentes classes se reúnem em quatro salas separadas; o palatino e os proprietários em uma; os landgraves em outra; os caciques em uma terceira; os deputados dos distritos na última; se a maioria de qualquer uma das quatro classes decidir, por seu voto, que existe uma incompatibilidade entre a dita lei e a presente instituição ou as presentes Constituições Fundamentais do governo, o exame do texto é interrompido e tudo se passa como se ela não tivesse sido jamais proposta.

LXXVIII. O quorum do parlamento é fixado à metade dos membros qualificados para se reunir na câmara durante a sessão em curso. O quorum de cada uma das câmaras do parlamento é fixado à metade do número de seus membros.

LXXIX. Para evitar que a multiplicidade dos textos legislativos, como sempre ocorre, não modifique as decisões justas do governo como elas foram instituídas em sua origem, todas as leis do parlamento, quaisquer que sejam elas e sob que forma elas tenham sido adotadas ou promulgadas, caducam à expiração de um prazo de cem anos a contar de sua promulgação; sua existência termina de pleno direito e elas se tornam nulas e sem efeito, como se jamais tivessem sido adotadas.

LXXX. Como a multiplicação dos comentários, assim como aquela das leis, apresenta graves inconvenientes e não serve senão para obscurecer e confundir, é absolutamente proibida a formulação de toda espécie de comentário ou de exposição sobre qualquer uma das partes das presentes constituições fundamentais ou sobre uma parte qualquer do direito comum ou das leis escritas da Carolina.

LXXXI. Em todo distrito há um cartório onde são registrados todos os atos, os arrendamentos, os julgamentos, todas as hipotecas e todas as outras transferências relativas a um imóvel situado nos limites do referido distrito; a cada vez que não se haja obedecido a este procedimento na inscrição ou no registro de transferência de um direito, o ato é vetado a qualquer pessoa ou a qualquer parte do referido contrato ou da referida transferência.

LXXXII. Ninguém pode ser escrivão de um distrito se não possuir por propriedade pelo menos trezentos acres.

LXXXIII. As pessoas que possuem terras em um distrito propõem três nomes; entre eles, o tribunal do juiz principal escolhe o escrivão do distrito; ele o nomeia, e ele é inamovível, salvo em caso de indignidade.

LXXXIV. Em toda senhoria, toda baronia e toda colônia há um cartório onde devem ser registrados todos os nascimentos, todos os casamentos e todos os falecimentos que ocorrem na referida senhoria, baronia ou colônia.

LXXXV. Ninguém pode ser escrivão de uma colônia se não possuir por propriedade mais de cinquenta acres.

LXXXVI. A idade de toda pessoa nascida em Carolina é calculada a partir do dia do registro de seu nascimento no cartório, em caso algum sendo a partir de uma data anterior.

LXXXVII. Nenhum casamento é legalmente válido, seja qual for o contrato ou a cerimônia que o acompanhe, enquanto as duas partes não tenham declarado, diante do escrivão do local em que o ato se passe, e enquanto o dito escrivão não o tiver registrado, com os nomes do pai e da mãe de cada uma das partes.

LXXXVIII. Ninguém pode administrar os bens móveis de uma pessoa falecida, nem fazer valer nenhum título sobre eles, nem se apoderar de seus domínios, enquanto o falecimento não for registrado no cartório correspondente.

LXXXIX. Quem quer que se abstenha de registrar no cartório correspondente o nascimento ou o falecimento de qualquer pessoa que nasça ou que morra em seu território, seja em sua casa ou no solo de um de seus proprietários, deve pagar ao dito cartório, por cada nascimento deste gênero, a quantia de um shilling por semana, a contar do momento do nascimento ou do falecimento, até aquele de seu registro.

XC. Da mesma forma, os nascimentos, os casamentos e os falecimentos dos senhores proprietários, dos landgraves e dos caciques são registrados no tribunal do camarista.

XCI. Em toda colônia há um governador militar, escolhido a cada ano pelas pessoas que possuem terras próprias na colônia; ele próprio deve possuir a propriedade de mais de cem acres; é auxiliado por oficiais subalternos, aos quais são confiados os comandos que o tribunal institui segundo considere necessário. Os oficiais subalternos são eleitos, a cada ano, pelas pessoas que possuem terras próprias na colônia.

XCII. Todas as cidades que têm o estatuto de uma coletividade pública são governadas por um prefeito, doze almotacés e um conselho comunal de vinte e quatro membros. O referido conselho comunal é eleito pelos habitantes da cidade; o tribunal do palatino designa os almotacés entre os membros do conselho comunal, e o prefeito entre os almotacés.

XCIII. Como a edificação e a conservação das cidades portuárias apresenta uma grande importância para a plantação, qualquer carga ou descarga de mercadorias em qualquer outro local que não uma cidade portuária deve pagar a quantia de dez libras esterlinas aos senhores proprietários; com exceção das mercadorias que o tribunal do palatino autorize que a carga ou descarga seja feita em outro lugar.

XCIV. A primeira cidade portuária que se encontra na subida do curso de cada rio está situada em uma colônia. Permanece perpetuamente uma cidade portuária.

XCV. Ninguém pode tornar-se cidadão livre da Carolina ou possuir um domínio ou uma residência se não acreditar em DEUS e na obrigação de render-lhe um culto público e solene.

XCVI. [Quando a plantação de uma região e sua distribuição entre subdivisões apropriadas atingirem a um estágio suficientemente avançado, caberá ao parlamento mandar construir igrejas e cuidar da manutenção, pelos cofres públicos, de um clero, cujos membros irão dedicar-se ao exercício da religião, tal como o prescreve a Igreja da Inglaterra; como esta é a única verdadeira e a única ortodoxa, e constitui a religião nacional de todas as possessões do rei, é também aquela da Carolina; por esta qualificação, só pode receber do parlamento a outorga de subsídios públicos.]*

XCVII. Os índios da região que participam da plantação são, no que diz respeito ao cristianismo, completos estrangeiros, cuja idolatria, ignorância ou erro não nos dá qualquer direito de persegui-los ou maltratá-los; as pessoas que saem de outras regiões do mundo para plantar na Carolina têm forçosamente opiniões diferentes das deles em matéria de religião; espera-se então que sejam deixados livres neste domínio e seria irrazoável de nossa parte excluí-los por este motivo; pois o que importa é manter a paz civil, apesar da diversidade das opiniões, e assegurar, como se deve, o respeito mais fiel a nosso acordo e a nossa convenção; suas cláusulas não podem ser desrespeitadas, sob qualquer pretexto, sem que isto resulte em uma grave ofensa a Deus todo-poderoso e um grande escândalo para a verdadeira religião que professamos; além disso, é preciso abster-se de assustar os judeus, os pagãos ou os outros homens que não reconhecem a pureza da verdadeira religião; é preciso evitar deixá-los à parte dela e, pelo contrário, oferecer-lhes a oportunidade para se informarem sobre a verdade de suas doutrinas e seu caráter razoável, assim como sobre o espírito pacífico e inofensivo das pessoas que a professam, a fim de que eles se convençam e abracem a verdade, recebendo-a sem fingir; isso se fará graças aos bons procedimentos, à persuasão e a todos os métodos convincentes da moderação e da doçura que convêm aos preceitos e aos desígnios do Evangelho. Em consequência disso, todas as vezes que sete pessoas ou mais, sejam quem forem, entrarem em um acordo sobre uma religião qualquer, elas constituem uma igreja ou uma confissão, à qual darão um nome para distingui-la das outras.

XCVIII. As condições da admissão ou da comunhão de toda igreja ou confissão são registradas em um livro, onde todos os membros da dita igreja ou confissão se subscrevem; este livro é conservado no cartório público do distrito onde moram os interessados.

XCIX. A data em que toda pessoa manifesta seu acordo e é admitida deve ser consignada no dito livro ou nos ditos arquivos religiosos.

C. Entre as condições de comunhão que prescreve toda igreja ou confissão devem figurar as três regras que se seguem, sem as quais nenhuma associação ou assembleia, em nome da religião, poderia ser considerada como uma igreja ou uma confissão, nos termos das presentes disposições:

1. "Existe um DEUS.

2. Deve ser prestado a DEUS um culto público.

3. Todas as vezes que aqueles encarregados do governo intimarem um homem a prestar testemunho à verdade, ele tem o direito e o dever de fazê-lo; cada igreja ou confissão determina, em suas condições de comunhão de que maneira ela presta testemunho à verdade tomando DEUS como testemunha: seja colocando as mãos sobre a Bíblia ou a beijando, como na Igreja da Inglaterra, ou erguendo a mão, ou de qualquer outra maneira razoável."

CI. A partir da idade de dezessete anos ninguém poderá receber das leis nenhuma vantagem nem nenhuma proteção, receber nenhum cargo, honorífico ou remunerado, se não for membro de alguma igreja ou confissão, cujo nome esteja inscrito em um registro dos cultos e em apenas um deles.

CII. Ninguém deve perturbar ou tumultuar a assembleia religiosa de uma igreja ou de uma confissão da qual não faça parte.

CIII. Ninguém deve se expressar, diante da assembleia religiosa da qual é membro, em termos irreverentes ou sediciosos, em relação ao governo, dos governantes ou dos negócios do Estado.

CIV. Quem quer que subscreva as condições de comunhão de uma igreja ou de uma confissão, no registro que as contém, na presença do escrivão do distrito e de cinco outros membros da dita igreja ou confissão, torna-se, por este ato, membro desta.

CV. Todas as vezes que uma pessoa retire ela própria seu nome de um registro dos cultos, ou que um responsável habilitado para este efeito pela igreja ou pela confissão a que ela pertence, procede a sua retirada, esta pessoa deixa de ser membro da dita igreja ou da dita confissão.

CVI. Ninguém deve proferir palavras de censura, de difamação ou de insulto contra a religião de alguma igreja ou confissão; porque o modo mais certo de perturbar a paz e de impedir que alguém se converta à verdade é colocá-lo em meio a querelas e animosidades ou o incitando ao ódio à dita religião e de quem quer que a professe, quando ele poderia ter-se deixado persuadir e aderir.

CVII. Dado que a caridade nos obriga a desejar o bem da alma de todos os homens, mas a religião não deve modificar em nada o estatuto nem os direitos de quem quer que seja, no plano civil, os escravos, como todos os outros, podem legitimamente se registrar e aderir à igreja ou à confissão que cada um deles julgue a melhor e dela se tornar membros, tão plenamente como acontece com qualquer homem livre. Entretanto, nenhum escravo deixa por isso de se submeter ao poder civil que seu dono exerce sobre ele e, em todos os outros aspectos, cada um permanece no mesmo estado e na mesma condição de antes.

CVIII. Mesmo que proclamem a religião, as assembleias que não respeitam nem aplicam as disposições acima enunciadas não devem ser consideradas como igrejas, mas como reuniões ilegais; são passíveis das mesmas penas que as outras sublevações.

CIX. Ninguém deve tumultuar, inquietar ou perseguir quem quer que seja devido às suas opiniões especulativas em matéria religiosa ou devido às modalidades de seu culto.

CX. Todo cidadão livre da Carolina exerce um poder e uma autoridade sem limites sobre seus escravos negros, sejam quais forem as opiniões destes ou sua religião.

CXI. Desde que um homem livre é parte de uma causa civil ou criminal, o caso não pode ser conduzido senão diante de um júri composto de seus pares.

CXII. Ninguém pode ser arrendatário de nenhuma terra na Carolina nem reivindicá-la em virtude de um título que tivesse como comprador, donatário, ou de qualquer outra forma, de índios ou de qualquer outra pessoa; o título de arrendatário deve ter por origem os senhores proprietários ou deles depender, sob pena do confisco de todos os seus bens, móveis ou imóveis, e de seu banimento perpétuo.

CXIII. A partir do ano de 1689 e em seguida a ele, quem quer que tenha a propriedade de uma terra na Carolina, em virtude de qualquer título ou de qualquer concessão que seja, deverá pagar aos senhores proprietários, por cada acre de superfície, a quantidade determinada de dinheiro que corresponde a um soldo inglês, ou a seu valor, para servir ao mesmo tempo de aluguel em espécie e de reconhecimento do título dos senhores proprietários, de seus herdeiros e de seus sucessores à perpetuidade. A todo momento, por intermédio de seus representantes, o tribunal do palatino pode fazer proceder a uma nova agrimensura das terras de todo arrendatário, não para expulsá-lo de uma parte qualquer de seus bens, mas para que um cadastro exato revele o número de acres que ele possui e que ele possa pagar nesta base o aluguel que deve.

CXIV. Todos os tesouros, todas as minas, todos os minerais, todas as pedreiras de gemas ou de pedras preciosas, o produto da cultura de pérolas e da pesca de baleias, assim como a metade do âmbar recolhido, pertencem aos senhores proprietários.

CXV. Todas as rendas ou lucros que pertencem a título indiviso aos senhores proprietários, devem ser divididos em dez partes, das quais o palatino recebe três e cada proprietário recebe uma; mas, se o palatino exercer seus poderes por intermédio de um delegado, este deve receber um décimo e o palatino os outros dois décimos.

CXVI. Todos os habitantes e homens livres da Carolina com mais de dezessete anos e menos de sessenta têm de portar armas e servir como soldados em todo lugar que o grande conselho julgar necessário.

CXVII. O escrivão de cada distrito conserva uma cópia autenticada das presentes Constituições

Fundamentais em um grande livro onde aqueles que as subscrevem colocaram sua assinatura em sua presença. Ninguém com mais de dezessete anos de idade, seja qual for sua idade ou sua condição, pode ter em Carolina nenhum domínio ou nenhuma posse, nem se beneficiar da proteção das leis, se não tiver subscrito as presentes Constituições Fundamentais diante de um escrivão de distrito na seguinte forma:

"Eu, X, abaixo assinado, prometo manter minha fé e meu juramento ao nosso senhor soberano, o rei Carlos II, a seus herdeiros e a seus sucessores; juro lealdade e fidelidade ao palatino e aos senhores proprietários de Carolina, a seus herdeiros e a seus sucessores; com todas as minhas forças, eu os defenderei; e respeitarei o governo, assim como as presentes Constituições Fundamentais o estabelecem".

CXVIII. Todo estrangeiro que subscreva as presentes Constituições Fundamentais, nesta forma, diante de qualquer um dos escrivães de distrito, fica automaticamente naturalizado.

CXIX. Toda pessoa admitida para ocupar um cargo, seja ele qual for, também subscreve da mesma maneira as presentes Constituições Fundamentais.

CXX. As presentes Constituições Fundamentais, em número de cento e vinte, e todas as disposições que elas encerram, constituem e permanecerão para sempre, a título inalterável e sagrado, a forma e a regra do governo da Carolina. Atestam nossas assinaturas e nossos selos, no dia 1º de março de 1669.

Regras de precedência

I. Os senhores proprietários; o decano em primeiro lugar e em seguida obedecendo à ordem de idade.

II. Os filhos mais velhos dos senhores proprietários; o mais velho em primeiro lugar e em seguida obedecendo à ordem de idade.

III. Os landgraves do grande conselho; primeiro, aquele que foi membro durante o tempo mais longo e em seguida obedecendo à ordem.

IV. Os caciques do grande conselho; primeiro aquele que foi membro durante o tempo mais longo e em seguida obedecendo à ordem.

V. Os sete representantes das comunas que têm sido membros do grande conselho durante o tempo mais longo; primeiro, aquele que dele fez parte durante o tempo mais longo e em seguida obedecendo à ordem.

VI. Os filhos mais moços dos proprietários; o mais velho em primeiro lugar, e em seguida obedecendo à ordem.

VII. Os landgraves; o mais velho em primeiro lugar e em seguida obedecendo à ordem.

VIII. Os sete representantes das comunas que têm sido membros do grande conselho durante o tempo mais longo após os sete mencionados acima; primeiro, aquele que dele fez parte durante o tempo mais longo e em seguida obedecendo à ordem.

IX. Os caciques; o mais velho em primeiro lugar e em seguida obedecendo à ordem.

X. Os sete últimos representantes das comunas do grande conselho; primeiro, aquele que dele fez parte durante o tempo mais longo e em seguida obedecendo à ordem.

XI. A parentela masculina dos proprietários.

O restante é determinado pelo tribunal do camarista.

Notas

1. Membros de um partido político da história inglesa favoráveis ao progresso e à reforma [N.T.]

2. Publicado por H.R. Fox Bourne em *Life of John* Locke, 1876, i. p. 174-194.

3. Locke nasceu em Wrington, ao norte de Somerset, mas durante sua infância viveu próximo a Pensford, alguns quilômetros a leste no mesmo condado.

4. William Barclay, jurista escocês, escreveu para defender o direito divino dos reis contra Buchanan e outros oponentes do absolutismo no século anterior.

5. Membro do partido conservador.

6. Em HEARNSHAW, F.J.C (ed.). *Social and Political Ideas of some English Thinkers of the Augustan Age*, 1928, p. 27s.; cf. tb. com LAMPRECHT, S.P. *The Moral and Political Philosophy of John Locke*. Nova York, 1918, p. 41s.

7. Parágrafo 6.

8. Parágrafo 8.

9. Por *poder* Locke se refere aqui a poder executivo, como na passagem citada algumas linhas abaixo. No estado da natureza todo homem não somente tem um direito natural de punir os ofensores, mas também é inevitavelmente o instrumento da lei da natureza.

10. Parágrafo 11.

11. Parágrafo 19.

12. Parágrafo 13.

13. Parágrafo 77.

14. Exceto sobre os escravos, cuja sujeição quando são "cativos aprisionados em uma guerra justa" Locke justifica pelo "direito da natureza". Sua discussão da escravidão é breve e superficial (parágrafos 24,85) e se tivesse se dedicado mais ao tema certamente teria reconhecido sua incompatibilidade com sua doutrina fundamental da liberdade individual.

15. Parágrafo 86.

16. Parágrafo 22.

17. Parágrafo 57.

18. Parágrafo 55.

19. Parágrafo 61.

20. Parágrafo 27.

21. Parágrafo 28.

22. Parágrafo 40.

23. Levaria muito tempo delinear aqui a evolução da teoria do valor do trabalho. Pode ser observado, no entanto, que Locke não distinguia entre trabalho capitalista e trabalho assalariado. De início ele estava pensando em proprietários trabalhando em sua própria terra ou bens, não em assalariados; mas é evidente, por suas observações sobre o sustento (parágrafo 43), que ele estava consciente de que o trabalho não é um fator simples. Cf. M. Beer, *History of British Socialism*, ed. 1929, i. 192.

24. Parágrafo 190.

25. Parágrafo 31.

26. Parágrafo 50.

27. Parágrafo 124. Em outra parte ele diz que "o governo não tem outro objetivo a não ser a preservação da propriedade" (parágrafo 94).

28. Parágrafos 87, 123; e cf. McILWAIN, C.H. *The Growth of Political Theory in the West*. 1932, p. 199, n. 1.

29. A contínua insistência de Locke sobre a santidade da propriedade o conduz a formular o que ele confessa que "parecerá uma doutrina estranha", quando declara que um conquistador em uma guerra justa adquire "um poder absoluto sobre as vidas daqueles que, colocando-se em estado de guerra, tiveram seus direitos confiscados, mas ele não tem por isso o direito e o título de suas posses" (parágrafo 180). A justificativa que ele apresenta é que o conquistador não tem o direito de privar de seus bens a esposa e os filhos de seu inimigo derrotado (parágrafo 183).

30. Parágrafo 95.

31. Parágrafo 96: Em outra parte (parágrafo 99) ele percebe que os homens poderiam ter "expressamente concordado com qualquer número maior que a maioria". De fato, muitas estruturas requerem mais que uma simples maioria (por exemplo, uma maioria de dois terços) para decisões importantes, mas isso vai mostrar a inadequação de explicação mecânica de Locke do princípio da maioria.

32. Parágrafo 93.

33. Parágrafos 100-106.

34. Parágrafo 104.

35. Parágrafo 14. Ele deveria ter dito "sociedade política", pois é evidente que o estado da natureza, se nele subsistem os direitos e deveres, é em si social, e não um mero vácuo onde os indivíduos vagam na solidão.

36. O valor que ele lhes atribui pode ser inferido pela recomendação que faz deles, particularmente Pufendorf, para a educação de um cavalheiro.

37. Muitos platonistas de Cambridge encaravam a lei da natureza como uma "ideia inata", e defendiam que a razão poderia desenvolver seu conteúdo. Locke rejeitou as ideias inatas em sua metafísica, e Sir James Stephen (*Horae Sabbaticae,* 2ª série, 1892, p. 140-156) criticou Locke por tê-las adotado de forma inconsistente em sua teoria política. Isso não é justo para com Locke, pois ele não considerava o conhecimento moral como inato; mas é verdade que ele realmente não enfrentou o problema de relacioná-lo a sua descrição do conhecimento pela experiência, ou à dificuldade de afirmar a existência de uma lei moral que está de acordo com a razão, e que não repousa apenas na vontade de Deus, embora ao mesmo tempo acredite que a vontade de Deus é a fonte final da lei moral.

38. Cf. parágrafos 135, 136, onde a lei da natureza é equiparada à vontade de Deus, e é declarada como sendo "não escrita, e por isso não pode ser encontrada em parte alguma exceto nas mentes dos homens".

39. Parágrafo 118.

40. Parágrafo 119.

41. Parágrafo 121.

42. Cf. PLAMENATZ, J.P. *Consent, Freedom, and Political Obligation.* Oxford, 1938, p. 7.

43. Parágrafos 134, 135.

44. Parágrafo 141.

45. Parágrafos, 138, 140.

46. FIGGIS, J.N. *The Divine Right of Kings*. 2. ed. Cambridge, 1914, p. 242.

47. Parágrafo 150.

48. BENTHAM, J. *A Fragment on Government*. Oxford, 1891, p. 65 [Introd. de F.C. Montague].

49. O princípio da soberania legislativa foi claramente apreendido por Bacon, que observou que ele era ilusório "por um anterior decreto do Parlamento para obrigar ou frustrar um futuro", pois "um poder supremo e absoluto não pode concluir a si mesmo" (Apud DICEY, A.V. *The Law ofthe Constitution*. 8. ed., p. 62, n. 1). Mas as implicações da soberania aparentemente não foram em geral compreendidas durante muitos anos. Várias frases foram incorporadas ao Ato da União com a Escócia (1706) na tentativa de tornar algumas de suas cláusulas "fundamentais" ou inalteráveis por decretos subsequentes. Pode também ser percebida uma relutância em admitir a soberania do parlamento nos argumentos utilizados contra o Ato Septenal em 1716 (cf. com os Protestos dos Pares, ed. em ROBERTSON, C.G. *Select Statutes, Cases, and Documents,* p. 202, e observar seu uso da ideia de curadoria, que provavelmente tomaram de Locke). Como observou Dicey (op. cit., p. 45), a passagem do Ato Septenal para lei foi uma prova da soberania legal do parlamento. Mas mesmo mais tarde, em 1800, foi feita uma tentativa no Ato de União com a Irlanda, através de fraseologia similar, de perpetuar a união das Igrejas inglesa e irlandesa. A inutilidade disso foi demonstrada pelo Ato de Separação de Gladstone, de 1869; mas, como observou Bacon, "as coisas que não oprimem podem satisfazer durante algum tempo". Sobre o desenvolvimento da soberania legislativa do parlamento, cf. MACLLWAIN, C.H. *The High Court of Parliament* (New Haven: Yale University Press, 1910), esp. c. 5.

50. Parágrafo 149.

51. Parágrafos 157, 158.

52. Parágrafos 143-148. Tem sido observado que mesmo em Montesquieu a separação dos poderes não está traçada com absoluta clareza, mas que ele tende, como Locke, a misturar o judiciário com o executivo. Cf. com DEDIEU, J. *Montesquieu et la tradition politique anglaise en France*. Paris, 1909, p. 179.

53. Parágrafos 151, 152.

54. Sobre a separação dos poderes em Locke, cf. com a nota de E. Barker em sua tradução de Gierke, *Natural Law and the Theory of Society,* Cambridge, 1934, ii. 359. Ele observa que embora Locke distinguisse entre o legislativo e os órgãos conjuntos executivo e federativo, ele não determinou o que é em geral entendido pela separação dos poderes, o que implica, como ocorre na constituição americana, que nenhum deles é superior a qualquer um dos outros. Ao contrário, Locke estabeleceu expressamente a supremacia do legislativo.

55. Parágrafo 136.

56. Parágrafo 149.

57. Parágrafo 156.

58. Parágrafo 155.

59. Parágrafo 222.

60. Para um esboço do desenvolvimento da ideia da curadoria como uma teoria política, cf. GOUGH, J.W. *Political Trusteeship*. In: *Politica,* iv, 1939, p. 220-247.

61. Parágrafo 160.

62. Parágrafo 167.

63. Parágrafo 168.

64. Parágrafo 211. Locke, ao contrário de Hobbes, pode fazer esta distinção porque para ele o governo era estabelecido, não pelo pacto original, mas como uma confiança subsequente.

65. Parágrafos 223-225.

66. Evidentemente não é de modo algum um princípio novo, e Locke estava apenas expondo novamente a doutrina que herdou, juntamente com a lei da natureza, dos pensadores medievais. Mas era necessário tornar a expô-la no século XVII, devido aos ataques feitos da parte do governo despótico.

67. Parágrafo 192.

68. *Em The Case of Ireland's being bound by Acts of Parliament in England stated.* Dublin, 1698.

69. TUCKER, J. *A Treatise concerning Civil Government,* 1781, p. 96s.

70. Cf. alguns exemplos de opinião acadêmica em Oxford citados por Ch. Bastide, *John Locke, ses théories politiques et leur influence en Angleterre,* Paris, 1906, p. 283s.

71. Cf. a interessante comparação entre os pontos de vista dos Whigs e dos Tories após a Revolução em H. Hallam, *Constitutional History of England*, c. xvi.

72. BOLINGBROKE. *Dissertation on Parties*, 1733-1734, Carta x.

73. Ibid., Carta xvii. Bolingbroke também seguiu Locke em sua *Idea of a Patriot King*, 1738, onde rejeitou o direito divino como absurdo e declarou que os reis devem governar para o bem do povo.

74. HOADLY, B. *The Original and Institution of Civil Government discussed, 1710, in Works*, 1773, ii. 182s [J. Hoadly (ed.)].

75. WARBURTON, W. *The Alliance between Church and State* (1736), e *The Divine Legation of Moses Demonstrated* (1738).

76. ROBINSON, R. *Lectures on Conconformity*, apud LINCOLN, A. *Some Political and Social Ideas of English Dissent*. Cambridge, 1938, p. 17.

77. Cf. COBBAN, A. *Edmund Burke and the Revolt against the Eighteenth Century*, 1929, esp. c. ii, intitulado "Burke e a herança de Locke". Um esclarecimento acidental sobre a reputação de Locke é apresentado pelo processo de Sir Francis Burdett em 1820, por difamação sediciosa. Burdett, ao se defender, referiu-se a Locke, e o Sr. Justice Best disse aos jurados que se achassem que "este papel foi escrito com o mesmo espírito e intenção puros com que foram escritas as obras valiosas e imortais daquele escritor, não era difamação..." (ROBERTSON, C.G. *Select Statutes, Cases, and Documents*, p. 513).

78. É verdade que a soberania legal do parlamento, que ele havia buscado limitar, na prática veio a se tornar um fato estabelecido; mas seu estabelecimento sem as qualificações de Locke foi aceitável porque os desenvolvimentos constitucionais (por exemplo, a evolução do ministério e a ampliação dos direitos de voto) não mais o tornaram necessário.

79. Cf. um interessante artigo de Merle Curti, *The Greal Mr. Locke, America's Philosopher,* in *Huntington Library Bullelin,* n. 11 (abril, 1937), p. 107-151.

80. Em justiça a Locke, no entanto, deveria ser lembrado que ele defendeu "uma regra para os ricos e os pobres, para o favorito na corte e o camponês na terra" (parágrafo 142).

81. Para um exemplo interessante, cf. alguns excertos do diário de Locke, sob o título de *Atlantis* (datados de 1679), publicados em BASTIDE, Ch. *John Locke, ses théories politiques et leur influence en Angleterre*. Paris, 1906, Appendix I, onde

Locke propôs vários regulamentos para controlar a vadiagem, a idade do casamento e as habitações dos pobres. Uma atitude similar aparece no Relatório Sobre a Assistência e o Emprego do Pobre, por ele esboçado em 1697 em seu cargo como um dos Comissários do Conselho do Comércio. Um crítico desagradável poderia, é claro, replicar que Locke devia ter considerado as classes trabalhadoras incapazes da autodeterminação racional que ele reivindicava para os abastados.

82. Este foi publicado por Lord King em sua *Life of John Locke,* 2. ed., 1830, i. 13s.

83. Em um artigo não publicado, datado de 1673-1674 e intitulado "Sobre a diferença entre os poderes civil e eclesiástico", Locke organizou um elaborado paralelo entre "a sociedade civil ou o Estado" e "a sociedade religiosa ou a Igreja", cada uma atuando em sua própria esfera. Está publicado em Lord King, *Life of John Locke,* 2. ed., ii. 108s.

84. Carta a Limborch, 12 de março de 1689, in Fox Boume, *Life of John Locke,* ii. 150.

85. Ele encontrou confirmação disso em Hooker, se é que realmente não o extraiu dele. Cf. a nota, sob o título de *Ecclesia*, de seu livro de anotações, datado de 1661, publicado em Lord King, *Life of John Locke,* ii. 99: "A descrição de Hooker da Igreja... é equivalente a esta, ou seja, uma sociedade sobrenatural, mas voluntária... Sua origem, diz ele, é a mesma das outras sociedades, isto é, uma tendência à vida sociável e um consentimento ao elo de associação que são a lei e a ordem nela associadas".

86. Sua teoria do conhecimento, no *Ensaio sobre o entendimento humano*, é defeituosa de uma maneira bem similar, pois encara as "ideias simples", que na verdade são o resultado da análise mental, como lógica e cronologicamente anteriores às "ideias complexas", às quais ele supõe que elas se combinarão.

87. Por isso, não é improvável a opinião expressada pelo arquifilósofo, de que "a principal pessoa em toda família sempre foi uma espécie de rei; assim, quando um certo número de famílias se juntaram em sociedades civis, os reis foram o primeiro tipo de governadores; isso parece explicar igualmente porque o nome de pai subsistiu entre aqueles que, de pais, foram promovidos a governantes; da mesma forma o antigo costume dos governadores como Melquisedec talvez tenha se desenvolvido no início pelo mesmo motivo: ou seja, uma vez reis, exercer funções sacerdotais, o que era anteriormente realizado pelos pais. Seja como for, este não foi o único tipo de regime desenvolvido no mundo. Suas inconveniências levaram a imaginar diversas outras, de forma que, resumindo, todo regime público, seja de que tipo for, parece evidentemente ter-se originado de acordos deliberados, da consulta e da composição entre os homens, para julgar suas conveniências e vantagens, pois nada na natureza, considerada em si mesma, proibia o homem de viver sem qualquer regime público." (HOOKER. *Eccl. Pol.*, liv. i, sec. 10).

88. "O poder público de toda sociedade está acima de qualquer indivíduo que vive na mesma sociedade, e o principal uso daquele poder é proporcionar leis a todos que estão sob seu governo, a cujas leis em tais casos devemos obedecer, a menos que a razão demonstre que a lei da razão ou a lei de Deus ordenam o contrário" (HOOKER. *Eccl. Pol.*, liv, i, sec. 16).

89. "Para afastar todas essas ofensas mútuas, injúrias e erros, isto é, aquelas que atingem o homem no estado de natureza, não havia outro caminho senão promover entre si o acordo e o compromisso, estabelecendo algum tipo de governo público, e submetendo-se como súditos daquele a quem concederam autoridade para legislar e governar, e através disso proporcionar a paz, a tranquilidade e o bem-estar que o restante podia estar buscando. Os homens sempre souberam que onde se impõem a força e a injúria eles devem ser defensores de si mesmos. Sabem que, apesar da faculdade que cada um tem de buscar sua própria comodidade, se esta busca for acompanhada de danos causados em prejuízo dos outros, não se deve tolerá-la, mas opor-se a ela servindo-se de todos os homens e de todos os meios permitidos. Finalmente, sabiam que nenhum homem podia, racionalmente, pretender determinar seus direitos para assegurar sua manutenção segundo a determinação estabelecida por ele, pois todo homem é parcial em relação a si próprio e àqueles por quem tem uma afeição particular; e por isso esses conflitos e problemas seriam infinitos, a menos que consentissem, de comum acordo, em ser governados em conjunto por alguém de sua escolha, pois sem este consentimento nenhum homem teria razão para se investir de autoridade e julgar os outros" (HOOKER, ibid., sec. 10).

90. "No início, quando pela primeira vez foi aprovado um certo tipo de regime, pode ser que não se tenha pensado melhor na maneira de governar, mas que tudo tenha sido deixado a cargo da sabedoria e do discernimento daqueles que deveriam comandar, até o dia em que, pela experiência, perceberam que este regime se revelava em todos os sentidos muito inconveniente, e que aquilo que eles imaginaram como uma solução só havia agravado o mal que eles queriam combater. Viram que viver segundo a vontade de um único homem resultaria na miséria de todos os outros. Isso os obrigou a estabelecer leis que fizessem com que cada um conhecesse, de antemão, seu dever e as penas previstas para sua transgressão" (HOOKER. *Eccl. Pol*, liv. i, sec. 10).

91. "A lei civil, sendo o ato de todo o corpo político, tem a primazia sobre cada parte do mesmo corpo" (HOOKER, ibid.).

92. "No início, após a aprovação desta ou daquela forma particular de regime, pode ser que nada mais tenha sido considerado com respeito à maneira de governar, mas que tudo tenha sido deixado a cargo da sabedoria e do discernimento daqueles que deviam comandar, até o dia em que, por experiência, descobriram que esse sistema era muito inconveniente para todas as partes, pois a coisa que eles haviam imaginado como uma solução, na verdade apenas aumentou o ferimento que ela devia ter curado. Perceberam que a causa de toda a miséria dos homens foi terem vivido segundo a vontade de um só homem. Isso os obrigou a estabelecer leis que fazem com que cada um conheça, previamente, seu dever e as penas previstas para sua transgressão" (HOOKER. *Eccl. Pol*, liv. i, sec. 10).

93. "Como o poder legítimo de legislar para comandar sociedades humanas inteiras pertence, como propriedade particular, a estas mesmas sociedades em sua totalidade, cada vez que um príncipe ou um potentado da terra, seja de que espécie for, o exerce por sua própria iniciativa e não por delegação expressa imediata e pessoalmente recebida de Deus, ou por qualquer mandato que emana desde o início do consentimento daqueles sobre os quais ele legisla, isso não é melhor que uma mera tirania. Portanto, as leis não têm valor se não recebem a aprovação pública (HOOKER. *Eccl. Pol.*, liv. i, sec. 10). "Sobre este ponto, então, devemos observar que tais homens não têm por natureza o poder completo e perfeito para comandar multidões humanas inteiras, e por isso não poderemos depender das ordens de ninguém se de alguma maneira não consentirmos nisso. Nós aceitamos ser comandados quando a sociedade de que fazemos parte consentiu ela própria, em qualquer época passada, sem revogar depois este consentimento através do mesmo acordo universal.

"As leis humanas, sejam de que tipo forem, podem portanto ser adotadas através do consentimento" (HOOKER, ibid.).

94. As sociedades públicas repousam sobre duas fundações; a primeira é uma inclinação natural pela qual todo homem deseja a vida social e a companhia; a segunda é uma ordem, estabelecida em termos expressos ou secretos, que regulamenta as modalidades de sua união na vida comum. Esta última constitui o que chamamos de direito de uma comunidade social, a verdadeira alma de um corpo político, do qual este direito anima e mantém unidos os elementos e os coloca em funcionamento em todas as atividades requeridas pelo bem público. As leis políticas, regidas por uma ordem e uma organização externas entre os homens, nunca são estruturadas como deveriam, a menos que se presumisse que a vontade do homem fosse intimamente obstinada, rebelde e adversa a qualquer obediência às leis sagradas de sua natureza; em resumo, a menos que se presumisse que o homem, considerado por seu espírito depravado, não valesse mais que um animal selvagem; apesar disso, as leis prevêm disposições próprias para orientar, externamente, os atos humanos, a fim de que eles não prejudiquem o bem comum, em vista do qual as sociedades são instituídas. Do contrário, elas não seriam perfeitas (HOOKER. *Eccl. Pol*, liv. i, sec. 10).

95. "As leis humanas desempenham o papel de critérios com respeito aos homens cujas ações elas regulamentam, mas estes critérios não são submetidos a regulamentos mais altos que regem sua apreciação; estas leis são duas – a lei de Deus e a lei da natureza; portanto, as leis humanas devem estar de acordo com as leis gerais da natureza e não contradizer nenhuma lei positiva da Escritura, senão elas estão malfeitas" (HOOKER. *Eccl. Pol.*, liv. iii. sec. 9). "Constranger os homens a atos inconvenientes parece irracional" (ibid., liv. i, sec. 10).

96. William Barclay (1546-1608): escocês, filósofo do direito e da política, autor de *De regno et regali potestate, adversus buchananum, Brutum, Boucherium et reliquos monarchomacos*. Paris, 1600, e *De potestate papae* [N.T.].

97. Tal é a liberdade do pobre. Agredido, ele suplica, e golpeado a socos, ele implora que o deixem sem lhe arrancar os dentes.

98. *O espelho dos juízes*, obra anônima de 1640 [N.T.].

99. Landgrave: título de alguns príncipes do Santo Império.

100. Este artigo está entre colchetes porque foi adotado contra a opinião de Locke, a pedido de alguns proprietários.

Vozes de Bolso

- *Assim falava Zaratustra* – Friedrich Nietzsche
- *O Príncipe* – Nicolau Maquiavel
- *Confissões* – Santo Agostinho
- *Brasil: nunca mais* – Mitra Arquidiocesana de São Paulo
- *A arte da guerra* – Sun Tzu
- *O conceito de angústia* – Søren Aabye Kierkegaard
- *Manifesto do Partido Comunista* – Friedrich Engels e Karl Marx
- *Imitação de Cristo* – Tomás de Kempis
- *O homem à procura de si mesmo* – Rollo May
- *O existencialismo é um humanismo* – Jean-Paul Sartre
- *Além do bem e do mal* – Friedrich Nietzsche
- *O abolicionismo* – Joaquim Nabuco
- *Filoteia* – São Francisco de Sales
- *Jesus Cristo Libertador* – Leonardo Boff
- *A Cidade de Deus – Parte I* – Santo Agostinho
- *A Cidade de Deus – Parte II* – Santo Agostinho
- *O conceito de ironia constantemente referido a Sócrates* – Søren Aabye Kierkegaard
- *Tratado sobre a clemência* – Sêneca
- *O ente e a essência* – Santo Tomás de Aquino
- *Sobre a potencialidade da alma* – De quantitate animae – Santo Agostinho
- *Sobre a vida feliz* – Santo Agostinho
- *Contra os acadêmicos* – Santo Agostinho
- *A Cidade do Sol* – Tommaso Campanella
- *Crepúsculo dos ídolos ou Como se filosofa com o martelo* – Friedrich Nietzsche
- *A essência da filosofia* – Wilhelm Dilthey
- *Elogio da loucura* – Erasmo de Roterdã
- *Utopia* – Thomas Morus
- *Do contrato social* – Jean-Jacques Rousseau
- *Discurso sobre a economia política* – Jean-Jacques Rousseau
- *Vontade de potência* – Friedrich Nietzsche
- *A genealogia da moral* – Friedrich Nietzsche
- *O banquete* – Platão
- *Os pensadores originários* – Anaximandro, Parmênides, Heráclito
- *A arte de ter razão* – Arthur Schopenhauer
- *Discurso sobre o método* – René Descartes
- *Que é isto – A filosofia?* – Martin Heidegger
- *Identidade e diferença* – Martin Heidegger
- *Sobre a mentira* – Santo Agostinho
- *Da arte da guerra* – Nicolau Maquiavel
- *Os direitos do homem* – Thomas Paine
- *Sobre a liberdade* – John Stuart Mill
- *Defensor menor* – Marsílio de Pádua
- *Tratado sobre o regime e o governo da cidade de Florença* – J. Savonarola

- *Primeiros princípios metafísicos da Doutrina do Direito* – Immanuel Kant
- *Carta sobre a tolerância* – John Locke
- *A desobediência civil* – Henry David Thoureau
- *A ideologia alemã* – Karl Marx e Friedrich Engels
- *O conspirador* – Nicolau Maquiavel
- *Discurso de metafísica* – Gottfried Wilhelm Leibniz
- *Segundo tratado sobre o governo civil e outros escritos* – John Locke
- *Miséria da filosofia* – Karl Marx
- *Escritos seletos* – Martinho Lutero
- *Escritos seletos* – João Calvino
- *Que é a literatura?* – Jean-Paul Sartre
- *Dos delitos e das penas* – Cesare Beccaria
- *O anticristo* – Friedrich Nietzsche
- *À paz perpétua* – Immanuel Kant
- *A ética protestante e o espírito do capitalismo* – Max Weber
- *Apologia de Sócrates* – Platão
- *Da república* – Cícero
- *O socialismo humanista* – Che Guevara
- *Da alma* – Aristóteles
- *Heróis e maravilhas* – Jacques Le Goff
- *Breve tratado sobre Deus, o ser humano e sua felicidade* – Baruch de Espinosa
- *Sobre a brevidade da vida & Sobre o ócio* – Sêneca
- *A sujeição das mulheres* – John Stuart Mill
- *Viagem ao Brasil* – Hans Staden
- *Sobre a prudência* – Santo Tomás de Aquino
- *Discurso sobre a origem e os fundamentos da desigualdade entre os homens* – Jean-Jacques Rousseau
- *Cândido, ou o otimismo* – Voltaire
- *Fédon* – Platão
- *Sobre como lidar consigo mesmo* – Arthur Schopenhauer
- *O discurso da servidão ou O contra um* – Étienne de La Boétie
- *Retórica* – Aristóteles
- *Manuscritos econômico-filosóficos* – Karl Marx
- *Sobre a tranquilidade da alma* – Sêneca
- *Uma investigação sobre o entendimento humano* – David Hume
- *Meditações metafísicas* – René Descartes
- *Política* – Aristóteles
- *As paixões da alma* – René Descartes
- *Ecce homo* – Friedrich Nietzsche
- *A arte da prudência* – Baltasar Gracián
- *Como distinguir um bajulador de um amigo* – Plutarco
- *Como tirar proveito dos seus inimigos* – Plutarco
- *Solilóquios / Da imortalidade da alma* – Santo Agostinho
- *Meditações* – Marco Aurélio
- *A doutrina cristã* – Santo Agostinho

LEIA TAMBÉM:

O que é poder?

Byung-Chul Han

Ainda existe em relação ao conceito de poder um caos teórico. Opõe-se à evidência do seu fenômeno uma obscuridade completa de seu conceito. Para alguns, significa opressão. Para outros, um elemento construtivo da comunicação. As representações jurídicas, políticas e sociológicas do poder se contrapõem umas às outras de maneira irreconciliável. O poder é ora associado à liberdade, ora à coerção. Para uns, baseia-se na ação conjunta. Para outros, tem relação com a luta. Os primeiros marcam uma diferença forte entre poder e violência. Para outros, a violência não é outra coisa senão uma forma intensiva de poder. Ele ora é associado com o direito, ora com o arbítrio.

Tendo em vista essa confusão teórica, é preciso encontrar um conceito móvel que possa unificar as representações divergentes. A ser formulada fica também uma forma fundamental de poder que, pelo deslocamento de elementos estruturais internos, gere diferentes formas de aparência. Este livro se orienta por essa diretriz teórica. Desse modo, poderá ser chamado poder qualquer poder que se baseie no fato de não sabermos muito bem do que se trata.

Byung-Chul Han nasceu na Coreia, mas fixou-se na Alemanha, onde estudou Filosofia na Universidade de Friburgo e Literatura Alemã e Teologia na Universidade de Munique. Em 1994, doutorou-se em Friburgo com uma tese sobre Martin Heidegger. É professor de Filosofia e Estudos Culturais na Universidade de Berlim e autor de inúmeros livros sobre a sociedade atual, dentre os quais *Sociedade do cansaço*, *Sociedade da transparência*, *Topologia da violência*, *Agonia do Eros* e *No enxame*, publicados pela Editora Vozes.

EDITORA VOZES LTDA.
Rua Frei Luís, 100 – Centro – Cep 25689-900 – Petrópolis, RJ
Tel.: (24) 2233-9000 – E-mail: vendas@vozes.com.br